D0256800

Håkan Nesser (Zweden, 1950) is een van de meest succesvolle Zweedse misdaadschrijvers. Hij is vooral bekend van de reeks met commissaris Van Veeteren, die bij De Geus is uitgegeven en ook verfilmd werd. Naast deze succesvolle reeks verschenen bij De Geus *De zomer van Kim Novak*, *De stilte na Sarah* en de spannende novelle *Valse vriendinnen*.
De eerste twee boeken met inspecteur Barbarotti in de hoofdrol, *De man zonder hond* en *Een heel ander verhaal*, zijn reeds verschenen; *De eenzamen* verschijnt in 2013 bij De Geus.

Boeken van Håkan Nesser:

Valse vriendinnen
De zomer van Kim Novak
De stilte na Sarah

Van Veeteren-reeks:

1. Het grofmazige net
2. Het vierde offer
3. De vrouw met de moedervlek
4. De terugkeer
5. De commissaris en het zwijgen
6. De zaak van Münster
7. Carambole
8. De dode op het strand
9. De zwaluw, de kat, de roos en de dood
10. Van Veeteren en de zaak-G.

Inspecteur Barbarotti-reeks:

1. De man zonder hond
2. Een heel ander verhaal
3. *Het tweede leven van meneer Roos*
4. *De eenzamen*[*]

[*] Kijk voor meer informatie over de nog te verschijnen Barbarotti-delen op p. 569 of op www.degeus.nl

Håkan Nesser

Het tweede leven van meneer Roos

Uit het Zweeds vertaald door
Anna Ruighaver

DE GEUS

De vertaling van het fragment uit *Paarden stelen* is van de hand van Marianne Molenaar (De Geus, Breda 2006)

Citaten uit de Bijbel zijn afkomstig uit de Statenvertaling (Jes. 9:1-20)

Oorspronkelijke titel *Berättelse om herr Roos*, verschenen bij Albert Bonniers Förlag

Omslagontwerp en -illustratie Rozemarijn Koopmans, naar het ontwerp van Koitz animation & graphics
ISBN 978 90 445 2302 7
NUR 305

Inleidende opmerking

De steden Kymlinge en Maardam bestaan in werkelijkheid niet. De Roemeense schrijver Mircea Cărtărescu, die op een aantal plaatsen in dit boek wordt geciteerd, bestaat daarentegen wel degelijk.

‘Mijn hele leven heb ik verlangd naar een plek als deze.’

PER PETTERSON, *Paarden stelen*

I

1

De dag voor de grote verandering had Ante Valdemar Roos een beeld voor zich gezien.

Het was herfst en hij liep met zijn vader hand in hand door het bos. Zonlicht sijpelde tussen de kronen van de dennenbomen door, die hoog boven hem uittorenden. Ze liepen over een paadje dat tussen vossenbessenstruikjes en bemoste stenen door slingerde. De lucht was helder en her en der rook het naar paddestoelen. Hij moest een jaar of vijf, zes zijn. Wat verderop hoorde je gekwetter van vogels en het blaffen van een hond.

'Dit gebied heet Gråmyren', zei zijn vader. 'Hier staat de eland altijd.'

Het was in de jaren vijftig. Zijn vader droeg een leren gilet en een geruite pet, die hij nu afzette. Hij liet de hand van zijn zoon los om met de mouw van zijn overhemd het zweet van zijn voorhoofd te vegen, haalde zijn pijp en tabak tevoorschijn en begon de pijp te stoppen.

'Kijk goed om je heen, Valdemar, mijn jongen', zei hij. 'Beter dan dit wordt het leven niet.

Beter dan dit wordt het nooit.'

Ante Valdemar wist niet zeker of het echt zo gegaan was, of dit een waarheidsgetrouwe herinnering was of alleen maar een beeld dat uit de raadselachtige bron van het verleden was komen bovendrijven. Het kon net zo goed een verlangen zijn naar iets wat nooit geweest was.

Want op het moment dat hij het beeld voor zich zag, meer dan vijftig jaar later, zat hij naast zijn auto, met zijn ogen gesloten tegen het zonlicht, op een grote, warme kei en was het moeilijk te bepalen wat schijn of werkelijkheid was. Het was augustus, hij had nog een half uur over van zijn lunchpauze. Zijn vader was in 1961 overleden toen hij nog maar twaalf jaar was, en de herinneringen uit die tijd droegen vaak deze glans van idylle en vervlogenheid. Het zou hem daarom niet verbazen als sommige dingen niet echt gebeurd waren.

Maar de woorden hadden wel echt geklonken, hij had niet het gevoel dat hij ze zelf bedacht kon hebben.

Beter dan dit wordt het leven niet.

En de pet en het gilet herinnerde hij zich ook nog goed. Mijn vader was vijf jaar jonger dan ik nu ben, dacht Ante Valdemar. Vierenvijftig is hij maar geworden.

Hij dronk het laatste beetje koffie op, liep naar zijn auto en ging achter het stuur zitten. Verstelde zijn stoel naar ligstand en sloot opnieuw zijn ogen. Liet het zijraam openglijden zodat hij de zwoele wind kon voelen.

Even slapen, dacht hij, ik heb nog een kwartiertje.

Misschien zie ik dat moment in het bos dan weer voor me of misschien komt er iets anders moois.

De firma Wrigmans Elektriska maakte thermoskannen. Vanaf de oprichting, eind jaren veertig, tot een aantal decennia later had de focus gelegen op de productie van allerlei elektrische apparaten zoals ventilatoren, keukenmachines en haardrogers, maar vanaf midden jaren zeventig produceerde het bedrijf thermoskannen. Die omschakeling was vooral te danken aan het feit dat de oprichter, Wilgot Wrigman, haast letterlijk in rook was opgegaan na een transformatorbrand in oktober 1971. Zoiets kan de reputatie van een bedrijf dat elektrische apparaten produceert behoorlijk schaden. Mensen vergeten niet zo snel.

Maar de firmanaam was gebleven, want sommigen waren van mening dat Wrigmans Elektriska een begrip was. De fabriek stond op Svartö, had een dertigtal werknemers en Ante Valdemar Roos was er sinds 1980 hoofd Financiën.

Dat was inmiddels achtentwintig jaar. Elke dag vierenveertig kilometer met de auto; als je ook vierenveertig werkweken per jaar rekende – al was het alleen maar voor het mooie evenwicht – en vijf dagen per week, dan werd dat 271.040 kilometer, wat overeenkwam met ongeveer zeven keer de wereld rond. De verste reis die Valdemar in zijn leven ooit gemaakt had, was die naar het Griekse eiland Samos geweest, in de tweede zomer met Alice, twaalf jaar geleden. Je kon over de tijd zeggen wat je wilde, maar verstrijken deed hij.

Er bestond nog een ander soort tijd; Ante Valdemar Roos filosofeerde soms over de twee soorten.

Je had de tijd die voorbijraasde, de dagen aaneenreeg, rimpel op rimpel stapelde en jaar op jaar. Op die tijd had je niet zo veel grip. Je kon hem alleen maar zo goed mogelijk proberen bij te houden, een beetje zoals jonge honden een loopse teef achternarennen en vliegen achter een koeienkont aan gaan.

En je had die andere tijd. Hij verliep langzaam en was

moeizaam van aard, stond soms zelfs gewoonweg stil, dat kon in ieder geval zo lijken. Zoals de trage seconden en minuten wanneer je als zevende in de rij stond te wachten voor het rode stoplicht bij de kruising Fabriksgatan-Ringvägen, of als je een half uur te vroeg wakker werd en met geen mogelijkheid weer in slaap kwam – alleen maar op je zij in bed kon liggen, terwijl je naar de wekker op het nachtkastje lag te staren en het langzaam licht zag worden.

Die bewegingloze tijd was goud waard; met het ouder worden werd hem dat steeds duidelijker.

In de pauzes, dacht hij dan, in de pauzes tussen de gebeurtenissen in – in een novembernacht als het ijs zich over het water vlijt, zo zou je het in een poëtische bui kunnen zeggen – daar hoor ik thuis.

Mensen zoals ik.

Zo had hij er niet altijd over gedacht. Pas sinds een jaar of tien. Misschien was het inzicht langzaam gegroeid, maar zeker was in elk geval dat hij zich er bewust van geworden was – het voor zichzelf geformuleerd had – tijdens een heel specifieke gebeurtenis. Dat was op een dag in mei geweest, vijf jaar geleden. Hij was op een ochtend onderweg van Kymlinge naar Svartö toen zijn auto het plotseling begaf. Hij was net de tweesprong bij de kerk van Kvartofta gepasseerd. Langs de kant van de weg was hij stil komen te staan. Een paar keer had hij nog geprobeerd te starten, maar er was geen enkel teken van leven gekomen. Als eerste had hij Red Cow gebeld om door te geven dat hij verlaat was, vervolgens had hij naar de hulpdienst Assistance gebeld, waar ze beloofd hadden binnen een half uur met een leenauto bij hem te zijn.

Het was anderhalf uur geworden, en in die negentig minuten – terwijl hij achter het stuur zat en naar de vogels keek die in de heldere lucht vlogen, naar het licht dat verstild boven de akkers hing en naar de aderen op zijn handen, waarin zijn bloed werd rondgepompt door de inspanningen van zijn oude, trouwe hart – was hij erachter gekomen dat zijn geest in dit soort situaties de ruimte kreeg. Juist in dit soort situaties.

Hij had zich er niet druk om gemaakt dat de sleepwagen maar niet kwam. Het had hem niet gestoord dat Red Cow belde om te vragen of hij alweer onderweg was. Hij had niet de behoefte gevoeld om zijn vrouw te bellen of wie dan ook.

Ik had een kat moeten zijn, had hij gedacht. Ja, verdraaid, zo'n dikke boerderijkat die in het zonnetje op het erf ligt, dat zou wat geweest zijn.

Ook nu hij wakker werd en op zijn horloge keek, moest hij weer aan een kat denken. Over vier minuten was zijn lunchpauze afgelopen, hoog tijd dat hij weer naar Wrigmans terugging.

Het was niet meer dan twee minuten rijden. Een jaar geleden had hij deze beschutte open plek langs een stille bosweg en op een paar steenworpen afstand van de fabriek ontdekt. Soms wandelde hij ernaartoe, maar meestal nam hij de auto, want hij vond het fijn om een kwartiertje te slapen en dan was het heerlijk om gewoon de rugleuning naar beneden te kunnen doen en te gaan liggen. Een slapende man op de grond aan de rand van het bos zou immers wat vreemd overkomen.

De personeelsruimte bij Wrigmans Elektriska was maar vijftien vierkante meter groot, er lag donkerbruin linoleum en paars laminaat op de vloer. Na er een oneindig aantal lunchpauzes te hebben doorgebracht, had Ante Valdemar Roos op een nacht gedroomd dat hij dood was en in de hel was beland. Dat was in 2001 of 2002 geweest. De duivel had hem persoonlijk ontvangen. Hij had met een sardonisch glimlachje de deur opengehouden voor de zojuist gearriveerde gast. De inrichting was precies hetzelfde geweest als die in de personeelsruimte bij Wrigmans. Red Cow had al in haar gebruikelijke hoekje gezeten, met haar in de magnetron opgewarmde pastagerecht en de horoscoop, en ze had niet eens opgekeken toen hij binnenkwam.

Sinds die nacht nuttigde Valdemar zijn boterham, yoghurt en koffie aan zijn bureau. Een banaan en een paar peperkoekjes, die hij bewaarde in de bovenste rechterla van zijn ladenblok.

En tegenwoordig pakte hij dus, als het weer tenminste meewerkte, graag de auto om vijftig minuten of een uur even helemaal weg te zijn.

Red Cow vond hem maar vreemd en dat stak ze niet onder stoelen of banken. Maar dat betrof niet alleen zijn lunchgewoontes en hij had zich aangewend zich niets van haar aan te trekken.

De anderen op kantoor, Nilsson en Tapanen en Walter Wrigman zelf, waren trouwens ook niet zo van hem gecharmeerd. Valdemar begreep dat ze hem maar een moeilijk mens vonden. Dat had hij Tapanen een keer horen zeggen toen die met iemand telefoneerde en niet wist dat hij afgeluisterd werd.

'Ja, die Valdemar Roos is maar een moeilijk mens, je mag God op je blote knietjes danken dat je niet met zo'n man getrouwd bent.'

Zo'n man?

Valdemar was bij Wrigmans gearriveerd en parkeerde op zijn gebruikelijke plekje naast een verroeste container, waarvan al sinds midden jaren negentig werd gezegd dat die afgevoerd moest worden. Tapanen was hooguit twee jaar jonger dan hij maar werkte al bijna even lang bij Wrigmans. Hij had vier kinderen bij dezelfde vrouw, maar was sinds kort gescheiden. Hij wedde op paarden en had de afgelopen achttienhonderd weken beweerd dat het een kwestie van tijd was voor hij een grote zak met geld zou binnenhalen en zijn handen van dit vervloekte, mottige bedrijf zou aftrekken. Hij zorgde er altijd nadrukkelijk voor dat zo luid te zeggen dat Walter Wrigman het hoorde. De uitvoerend directeur keerde dan altijd zijn zakje mondtabak om in zijn mond, streek met zijn hand over zijn kale kop en verklaarde dat niets hem meer plezier zou doen. Werkelijk niets.

Valdemar had Tapanen nooit gemogen, niet eens toen hij mensen nog mocht. De man had iets kleingeestigs en boosaardigs; Valdemar ging ervan uit dat hij zo iemand was die zijn vrienden nog in de loopgraven in de steek zou laten. Hij wist zelf niet wat hij met deze uitdrukking bedoelde, maar het was Tapanen ten voeten uit.

Nilsson had hij wel altijd gemogen. De kromme man uit Norrland bracht het grootste gedeelte van de tijd op de weg door, maar zo nu en dan zat hij op zijn plek links van het glazen hok van Red Cow. Hij was nog geen veertig. Een zwijgzame en vriendelijke man, die getrouwd was met een nog zwijgzamere vrouw uit Byske. Het kon ook Hörnefors zijn. Ze hadden vijf of zes kinderen en waren lid van een kerkgenootschap, Valdemar kon nooit onthouden welk. Nilsson was zo'n half jaar voor de millenniumwisseling bij Wrigmans begonnen. Hij had het werk overgenomen van Lasse met het been, die overleden was na een tragisch visongeluk in de buurt van Rönninge.

Nilsson bezat een bepaalde ernst, een grauwe, korstmosachtige hoedanigheid die minder slimme personen, zoals Tapanen, als saaiheid zouden bestempelen, en hoe graag Valdemar het ook wilde, hij kon zich inderdaad niet herinneren dat Nilsson ooit met een geintje was gekomen. Het was zelfs moeilijk te zeggen of hij ooit gelachen had tijdens zijn bijna tien jaar trouwe dienst bij Wrigmans Elektriska.

Dus zei het ook wel iets over hem dat hij zo iemand als Nilsson mocht. Of in het verleden had gemogen, zoals gezegd.

Ante Valdemar zat weer achter zijn bureau en had zijn computer aangezet, maar de herinnering aan de wandeling met zijn vader liet hem niet los: de rechte, hoge dennenstammen, de vossenbessenstruikjes, de natte kuilen met moerasspirea en gagel. De woorden van zijn vader herhaalden zich als een mantra in zijn hoofd.

Beter dan dit wordt het leven niet.

Beter dan dit wordt het nooit.

De middag stond in het teken van somberheid. Het was vrijdag, augustus. Tijd van de hondsdagen. De zomer hield nog aan, de eerste werkweek na de vakantie was bijna afgelopen en de nabije toekomst lag voor hem als een verkeerd gelegde treinrails: het jaarlijkse kreeftenfeest bij de broer en schoonzus van zijn vrouw Alice in Kymlinge kwam eraan.

Dat was een traditie. Op de tweede vrijdag in augustus aten ze kreeft bij Hans-Erik en Helga Hummelberg. Volgens de regelen der kunst: je zette kleine, bontgekleurde hoedjes op, dronk minstens zes soorten bier en zelfgekruide brandewijn en slurpte rivierkreeft, met alles wat daarbij hoorde, naar binnen. Ze waren altijd met een stuk of twaalf personen, soms wat meer, soms wat minder, en Valdemar was de afgelopen drie keer op de bank in slaap gevallen.

Niet door overmatig alcoholgebruik, maar eerder uit verveling. Hij trok het om een uur of twee, drie te converseren, ad rem te zijn en interesse te tonen voor allerhande esoterisch geneuzel, maar daarna was het of hij geen lucht meer kreeg. Hij begon zich dan zo ongelukkig te voelen als een zeehond in de woestijn. Meestal ging hij dan naar het toilet om er een half uur te blijven zitten, en als niemand in de gaten had dat hij weggeweest was, gunde hij zichzelf nóg een half uur. Daar zat hij dan, op de bruingelakte toiletbril van anderen, met zijn broek op zijn enkels gezakt, te peinzen hoe hij het aan zou pakken als hij op een dag besloot zelfmoord te plegen. Of om zijn vrouw te vermoorden. Of om naar Kathmandu te vluchten. Hij had inmiddels geleerd om het zogenaamde 'kindertoilet' te gebruiken in het deel van het huis dat voor de tieners bestemd was, want die waren toch nooit thuis als hun ouders een feest gaven en dus kon hij er zo lang als hij wilde ongestoord blijven zitten, gebukt onder zijn eigen pessimistische gedachten.

Maar er moest iets mis zijn – die gedachte was vorig jaar bij hem opgekomen – er moest iets helemaal mis zijn met het leven zelf, als je rond je zestigste naar een feest ging en geen betere oplossing kon verzinnen dan je op het toilet op te sluiten.

Dus wat te doen? dacht hij, toen zijn werkweek plotseling voorbij was en hij weer achter het stuur zat. *Wat te doen?* Met de vuist op tafel slaan? In opstand komen en vriendelijk maar beslist meedelen dat hij niet van plan was mee te gaan naar Hans-Erik en Helga?

Waarom eigenlijk niet? Waarom niet gewoon duidelijk tegen Alice zeggen dat hij haar broer en zijn vrienden net zo verfoeide als rapmuziek en blogs en sensatiekranten, en dat hij er niet over piekerde ooit nog een voet in het huis van dat quasi-intellectuele wauwelgezelschap te zetten?

Terwijl hij de tweeëntwintig kilometer terug naar Kymlinge aflegde, bleef deze gedachte in zijn hoofd rondmalen. Hij wist dat het een hypothetische was, niet echt; het was gewoon weer het gebruikelijke, laffe protest dat min of meer continu in zijn hoofd plaatsvond. Het waren vragen, formuleringen en giftige uitspraken, die nimmer over zijn bloedeloze lippen kwamen en die geen ander doel dienden dan hem nog somberder te maken dan hij al was.

Ik ben dood, dacht hij terwijl hij de nieuwe Coopsupermarkt in Billundsberg passeerde. Er zit minder leven in mij dan in een plastic kamerplant. Er is niets mis met de anderen, het ligt aan mij.

Zeven uur later zat hij daadwerkelijk op het toilet. Zijn voorspelling was tot in detail uitgekomen, met de kanttekening dat hij dronken was. Van pure verveling en in een poging zin aan het bestaan te geven, had hij vier borreltjes, een grote hoeveelheid bier en twee of drie glazen witte wijn ingenomen. Hij was ten overstaan van het hele gezelschap een lang verhaal begonnen over een hoer uit Odense, maar toen hij bij de clou was aangekomen bleek hij die helaas vergeten te zijn. Zulke dingen komen in de beste families voor, maar de vrouw van een nieuw stel – een geblondeerde, rondborstige psychotherapeute met wortels in Stora Tuna – had hem met een professionele glimlach bestudeerd en hij had gezien hoe Alice haar kiezen zo hard op elkaar geklemd hield dat haar kaken wit werden.

Hij wist niet hoelang hij op de bruingelakte bril gezeten had, maar het was inmiddels kwart voor een op zijn horloge en hij geloofde niet dat hij in slaap gedommeld was. Naar zijn ervaring was het namelijk min of meer onmogelijk om op een toiletpot in slaap te vallen. Hij trok door, stond op en schikte zijn kleding. Plensde een paar keer koud water in zijn gezicht en probeerde de paar dunne slierten haar die nog her en der op zijn hoofd groeiden te kammen. Pikte een likje tandpasta en gorgelde.

Vervolgens wankelde hij voorzichtig het toilet uit en zette koers richting de grote woonkamer, waar Spaanse gitaarmuziek zich vermengde met luide stemmen en vrolijk gelach. Als niemand anders zich had verstopt, zouden er nu elf mensen in de kamer moeten zijn, dacht Valdemar; een heel voetbalelftal van mensen van rond de middelbare leeftijd, succesvol, slagvaardig en welverdiend aangeschoten.

Plotseling voelde hij onzekerheid opkomen. Hij voelde zich oud en geenszins slagvaardig. Zijn vrouw was elf jaar jonger dan hij, de andere leden van het gezelschap waren tussen de veertig en vijftig, die psychotherapeute was vast zelfs nog maar in de dertig. Zelf werd hij over een paar maanden zestig.

Ik heb helemaal niemand iets te melden, dacht hij. En niemand van dit gezelschap heeft mij iets te melden.

Ik wil er niet meer bij zijn, ik wil hooguit nog een kat zijn.

Hij keek in de hal om zich heen. Die was uitgevoerd in wit en aluminium. Er stond niet één voorwerp dat hem interesseerde. Er stond niet één ding dat hij gejat zou hebben als hij een inbreker was geweest. Het was te triest voor woorden.

Hij maakte rechtsomkeert en sloop door de huisdeur naar buiten, waar de heldere, koele nachtlucht hem begroette.

Erger dan dit is er niet, dacht hij.

2

Het was half één de volgende dag en Ante Valdemar Roos zat op de bank in de woonkamer, waar hij de krant probeerde te lezen.

Dat lukte niet zo goed. De letters dansten voor zijn ogen. Zijn hoofd voelde als iets wat veel te lang in de oven had gestaan. Met zijn buik was het al niet veel beter gesteld.

Zijn vrouw Alice had de hele ochtend niet tegen hem gepraat, maar zijn jongste dochter Wilma had – net voor ze samen met haar moeder vertrok – meegedeeld dat ze een paar uur gingen winkelen. Ze was zestien, misschien had ze een beetje medelijden met hem gehad.

Oudste dochter Signe stond buiten op het balkon te roken. Zowel Wilma als Signe was niet Valdemars echte kind, ze hadden bij het pakketje Alice gehoord toen hij elf jaar geleden met haar getrouwd was. Toen waren de meisjes vijf en negen geweest. Nu waren ze zestien en twintig. Dat maakte een zeker verschil, vond Valdemar. Je kon niet zeggen dat het met de jaren gemakkelijker werd. Er ging nauwelijks een dag voorbij waarop hij niet bad tot een hogere macht – waarin hij eigenlijk niet geloofde – dat Signe eindelijk eens aanstalten zou maken om het huis uit te gaan. Ze had het er namelijk al minstens drie jaar over, maar er was nog steeds niets van gekomen.

Ante Valdemar Roos had ook nog een eigen kind. Een zoon die de naam Greger droeg en die was voortgekomen uit een verwarrend eerste huwelijk met Lisen. Lisen was zelfs in die tijd geen gewone naam geweest, en Valdemar bedacht altijd dat ze ook niet bepaald een gewone vrouw was geweest.

Ze was inmiddels overleden. Verongelukt tijdens een klimexpeditie in het Himalayagebergte twee jaar voor de millenniumwisseling. Het idee was geweest, als hij het goed had begrepen, dat ze de een of andere top precies op haar vijftigste verjaardag zou bereiken.

Na zeven jaar huwelijk had ze hem opgebiecht dat ze er al bijna al die tijd een andere man op na hield, en ze waren daarna zonder veel omhaal gescheiden. Toen ze vervolgens naar Berlijn vertrokken was, had ze Greger met zich meegenomen, maar Valdemar was toch contact met de jongen blijven houden in diens jeugdjaren.

Niet veel contact, maar in elk geval een beetje. Zo waren ze tijdens schoolvakanties een paar keer samen op reis gegaan, hadden ze weleens een bergwandeling gemaakt, een regenachtige week in Schotland doorgebracht en ooit vier dagen in pretpark Skara Sommarland vertoefd.

Greger was inmiddels rond de veertig en woonde in Maardam, waar hij bij een bank werkte en met een donkere vrouw uit Suriname samenwoonde. Valdemar had haar nooit ontmoet, maar hij had haar wel op foto's gezien. Ze hadden twee kinderen en Valdemar stuurde Greger om de drie, vier maanden een e-mail. De laatste keer dat hij hem gezien had was tijdens de begrafenis van Lisen geweest op een winderig kerkhof in Berlijn. Sinds die dag waren er tien jaren verstreken.

Signe kwam naar binnen vanaf het balkon.

'Hoe gaat het met je?' vroeg ze.

'Goed', antwoordde Valdemar.

'Je ziet er nogal slapjes uit.'

'Is dat zo?'

'Mamma zei dat je een beetje veel ophad gisteravond.'

'Ach', zei Valdemar en hij liet de krant op de grond zakken.

Signe ging in de stoel tegenover hem zitten. Ze fatsoeneerde de handdoek die ze om haar hoofd gebonden had. Ze had haar grote, gele badjas aan en hij begreep dat ze vóór deze eerste sigaret van de dag een douche moest hebben genomen.

'Ze zegt dat je ertussenuit geknepen bent tijdens het kreeftenfeest.'

'Ertussenuit geknepen?'

'Ja.'

Valdemar pakte de krant op en voelde hoe zijn hoofd begon te bonken toen hij zich vooroverboog.

'Ik ... ik ben een wandelingetje gaan maken.'

'Helemaal vanaf dat dorp?'

'Ja, het was een mooie avond.'

Ze gaapte. 'Ik heb je horen thuiskomen.'

'O?'

'Tien minuten na mij, om precies te zijn. Om half vijf.'

Half vijf? dacht hij en een golf van misselijkheid trok door hem heen. Dat kon toch niet waar zijn?

'Het is een eindje vanaf dat dorp', zei hij. 'Zoals gezegd.'

'Tuurlijk', grijnsde Signe. 'En daarna ben je in Prince geweest, waar je een paar biertjes gedronken hebt. Duurde zeker ook eventjes.'

Valdemar besefte dat wat ze zei waar was. Signe was zoals altijd goed op de hoogte. Hij was in Drottninggatan langs een kroeg gekomen, had gezien dat die nog open was en was naar binnen gegaan. Hij wist niet dat die kroeg Prince heette, maar plotseling herinnerde hij zich dat hij aan een glimmende bar bier had zitten drinken. En dat hij had zitten praten met een vrouw met een grote bos rood haar en een palestinasjaal of in elk geval een soort geruite hoofddoek, en misschien had hij haar wel een drankje aangeboden. Of twee. Als hij het zich goed herinnerde stond op de binnenzijde van haar onderarm de naam van een man getatoeëerd. *Hans*? Nee. *Hugo*, was dat het? Ai, dacht Valdemar.

'Mijn vriendin Cilla heeft je gezien. Je was nogal bezopen, vertelde ze.'

Valdemar besloot niet te reageren. Hij bladerde door de krant alsof het gesprek hem niet meer interesseerde. Alsof het niets met hem te maken had.

'Ze zei ook dat je vijftien jaar ouder was dan alle anderen in de kroeg. Die heks met wie je in gesprek was, volgde op de tweede plaats.'

Valdemar vond de sportpagina's en begon de uitslagen te lezen. Signe bleef een paar seconden zwijgend naar haar nagels staren en stond toen eindelijk op.

'Mamma 'is volgens mij een beetje boos, hè?' zei ze, waarop ze meteen naar haar kamer verdween zonder nog op een antwoord te wachten.

Er zijn van die dagen, dacht Ante Valdemar Roos en hij sloot zijn ogen.

Vroeg in de middag deed hij een dutje en toen hij rond vier uur wakker werd, constateerde hij tot zijn verbazing dat hij alleen thuis was. Geen idee waar Wilma en Signe uithingen, maar Alice had in elk geval een briefje op de keukentafel achtergelaten.

Ben bij Olga. Ben waarschijnlijk laat terug. A

Valdemar verfrommelde het briefje en gooide het in de vuilnisbak. Vervolgens nam hij twee pilletjes tegen de hoofdpijn en dronk een glas water. Even zag hij Olga voor zich. Ze was Russische en een van de talloze vriendinnen van zijn vrouw. Ze had donkere ogen en sprak langzaam, met een mysterieuze, diepe stem, bijna een bariton, en hij had een keer gedroomd dat hij met haar vrijde. Het was een bijzonder levensechte droom geweest: ze hadden samen in een zee van varens gelegen, zij had hem bereden en haar zwarte, lange haren hadden gewapperd in de wind. Maar net voor het hoogtepunt was hij wakker geworden doordat Alice de stofzuiger op slechts een halve meter afstand van het bed had aangezet en had geïnformeerd of hij soms ziek was, wat er met hem aan de hand was.

Het voorval was een paar jaar geleden, maar hij kon die varens maar moeilijk vergeten.

Hij opende de deur van de koelkast en vroeg zich af of er van hem verwacht werd dat hij avondeten voor de meisjes zou klaarmaken. Misschien wel, misschien niet. Er waren genoeg ingrediënten in huis om een simpele pasta te maken; hij besloot nog even te wachten. Een van de gezinsleden zou uiteindelijk wel komen opdagen. Misschien gaven ze er de voorkeur aan om ieder een briefje van 100 kronen te krijgen, zodat ze in de stad aan hun trekken konden komen. Je kon het nooit weten.

Hij haalde zijn totoformulier tevoorschijn en liet zich in de stoel voor de tv vallen.

Ante Valdemar Roos had op dat moment geen flauw vermoeden dat zijn leven op het punt stond een ingrijpende en noodlottige wending te nemen.

Dit was een rare formulering, die de daaropvolgende weken af en toe in zijn hoofd zou opduiken, en elke keer zou hij er met alle recht van de wereld om moeten glimlachen.

Zijn vader was ermee begonnen. Voor hij zichzelf had opgehangen, was hij acht jaar lang elke week naar de sigarenboer in Gartzvägen in K. gelopen om zijn rijtje in te leveren. Elke woensdag vóór zes uur, en soms had Valdemar mee gemogen.

'Zelfde rijtje?' had de flegmatische sigarenboer Pohlgren dan gevraagd.

'Zelfde rijtje', antwoordde zijn vader steevast.

De meesten die meededen met de toto, had Valdemar begrepen, beproefden graag hun geluk met vijf of acht rijtjes, of met een soort systematiek, maar Eugen Roos was tevreden geweest met één enkel rijtje.

'Vroeg of laat, mijn jongen', beweerde hij altijd. 'Vroeg of laat komt die knaller. Juist als je het het minst verwacht, het is een kwestie van geduld.'

Geduld.

Na de dood van zijn vader had Valdemar deze traditie overgenomen, reeds de woensdag na de tragische gebeurtenis was hij bij Pohlgren naar binnen gelopen en had hij dat ene rijtje op het formulier ingevuld en de 40 öre betaald die het destijds kostte.

En zo was hij doorgegaan; week na week, jaar na jaar. Toen de toto was uitgebreid van twaalf naar dertien spellen, had Valdemar ook zijn spel uitgebreid. Van één naar drie rijtjes. En bij het dertiende spel speelde hij op zeker.

Hetzelfde rijtje sinds 1953 dus. Soms vroeg hij zich af of dit misschien een wereldrecord was. Het ging inmiddels immers om meer dan vijftig jaar, toch een bijzonder lange tijd.

Het opmerkelijke was evenwel dat noch hij noch zijn vader ooit een cent gewonnen had. In totaal had hij er tweeëntwintig keer negen goed gehad en drie keer tien, maar in de gevallen dat hij er tien goed had, was er nooit uitgekeerd.

Geduld, placht hij te denken. Als ik het rijtje als erfenis aan Greger doorgeef, wordt hij vast op een mooie dag miljonair.

Hij dommelde even weg, dat was onvermijdelijk en het gebeurde tussen de twintigste en vierenveertigste minuut van de tweede helft ongeveer, maar hij was op tijd wakker voor de uitslagen. Nog steeds was hij alleen thuis. Hij tastte naar een pen en bedacht dat, mocht hij in zijn volgende leven geen kat worden, hij dan toch in elk geval wenste in dat leven vrijgezel te zijn.

En toen, terwijl de wereld gewoon bleef draaien, terwijl onberekenbare winden uit alle mogelijke richtingen waaiden en er van alles in de wereld plaatsvond of niets, geschiedde het wonder.

Spel na spel, uitslag na uitslag, cijfer na cijfer; Valdemars eerste gedachte toen het voorbij was, was dat de hele gang van zaken in feite door zijn oplettendheid kwam. Dat het zijn verdienste was – en die zorgvuldige oplettendheid – waar het aan gelegen had. Want normaal deed hij dit nooit, of in elk geval keek hij tegenwoordig nog maar uiterst zelden naar de uitslagen op tv; meestal controleerde hij de rijtjes even via teletekst of in de krant van zondag of maandag. Om dan te constateren dat er vier, vijf of zes juist waren, zoals gewoonlijk, en dat het zaak was een nieuwe kans te wagen.

Dertien.

Hij proefde het woord. Sprak het hardop voor zichzelf uit.

Dertien goed.

Plotseling vroeg hij zich af of hij niet droomde. Of hij niet dood was. Het schemerlicht in de kamer kwam opeens onwerkelijk op hem over; het leek op het licht dat door een doodskleed schijnt. Misschien was hij inderdaad dood. Behalve de tv was er geen enkele lichtbron en nu merkte hij ook dat het buiten regende en dat de hemel boven Kymlinge zo donker was als pasgestort asfalt.

Hij kneep in zijn neus, schraapte luidruchtig zijn keel, wiebelde eens met zijn tenen en nadat hij zijn naam en geboortedatum met heldere stem had uitgesproken, durfde hij voorzichtig de conclusie te trekken dat hij niet sliep en ook niet dood was.

Toen werden de prijzen opgenoemd.

Eén miljoen ...

Valdemar voelde een steek in zijn hoofd, zijn ogen werden groot toen hij zich dichter naar de tv toe boog.

Eén miljoen negenhonderdvier ...

De telefoon rinkelde. *Alexander Graham Bell, go and play with yourself*, schoot het door zijn hoofd. Je kon je afvragen waarom nu net die gedachte, ook nog in een vreemde taal, in hem opkwam, maar het was een feit, al was de gedachte meteen weer verdwenen ook.

1.954.120 kronen.

Hij pakte de afstandsbediening, zette de tv uit en bleef vervolgens tien minuten lang bewegingloos in zijn stoel zitten. Als mijn hart het nu niet begeeft, word ik minstens honderd, dacht hij.

Toen Alice thuiskwam van haar bezoekje aan Olga was het inmiddels half negen in de avond en was Valdemar weer helemaal zichzelf.

'Het spijt me van gisteren', zei hij. 'Ik had een paar borrels te veel naar binnen gekregen.'

'Gekrégen?' antwoordde Alice. 'Je bedoelt zeker genómen?'

'Wat je wilt', zei Valdemar. 'Het was in elk geval te veel.'

'Zijn de meiden niet thuis?'

Hij haalde zijn schouders op. 'Nee.'

'Wilma heeft me op mijn mobiel gebeld en beloofd dat ze om negen uur thuis zou zijn.'

'O', antwoordde Valdemar. 'Nee, geen van beiden is thuis geweest vanavond.'

'Heb je voor de was gezorgd?'

'Nee.'

'De bloemen water gegeven?'

'Ook niet', moest Valdemar toegeven. 'Ik voelde me niet helemaal fit, zoals je weet.'

'Ik neem aan dat je Hans-Erik en Helga ook niet gebeld hebt om je excuus aan te bieden.'

'Dat klopt', zei Valdemar. 'Dat heb ik ook verzuimd.'

Alice liep naar de keuken, hij liep haar achterna, want hij wilde kijken welke kant dit opging.

'Weet je', zei ze. 'Weet je dat je me soms zó verdrietig maakt dat ik maar gewoon in bed wil gaan liggen en dood wil? Begrijp je dat?'

Ante Valdemar Roos dacht na.

'Het was niet de bedoeling', zei hij. 'Het was niet mijn bedoeling om daar weg te gaan. Maar het was zo'n mooie avond en ik wilde ...'

'Dat verhaal dat je vertelde, vond je dat bij de gelegenheid passen?'

'Ik weet dat ik de clou vergeten ben,' gaf hij toe, 'maar die is echt heel grappig. Ik herinner me hem weer, als je wilt kan ik ...'

'Stop maar, Valdemar', onderbrak ze hem. 'Ik kan er nu even niet meer tegen. Weet je zeker dat je nog met me getrouwd wilt zijn?'

Hij ging aan de tafel zitten, maar zij bleef staan en staarde door het raam naar buiten. Een hele tijd gebeurde er niets. Hij zat daar maar, met zijn ellebogen op het tafelblad, en staarde naar het kleine, halfdode slaapkamergeluk en naar de zoutvaatjes die ze zeven of acht jaar geleden tijdens een regenachtig weekend in Stockholm in Västerlånggatan gekocht hadden. Een peper-en-zoutstel was het natuurlijk. Alice stond met haar dikke achterwerk naar hem toegekeerd, en hij bedacht dat hun huwelijk nu juist op dat omvangrijke lichaamsdeel gebaseerd was. Ja, echt. Ze was weliswaar pas achtenveertig, maar het was niet gemakkelijk om een nieuwe partner te vinden als je twintig kilo te zwaar woog, niet in deze tijd, die zo duidelijk gekenmerkt werd door uiterlijk en slank zijn – maar misschien in andere tijden ook wel niet. Hij wist dat niets haar meer angst aanjoeg dan om alleen te moeten leven.

De rekensom was al gemaakt toen ze gingen trouwen. Valdemar was tien jaar te oud geweest, maar daarentegen was Alice vijfentwintig kilo te zwaar geweest; ze hadden geen van beiden ooit die trieste waarheid uitgesproken, maar Valdemar was ervan overtuigd dat Alice zich daar net zo bewust van was als hij.

Volgens diezelfde trieste waarheid – kon je vervolgens constateren, terwijl je ellebogen op het tafelblad rustten en je afwachtte wat er komen ging – was Alice tijdens hun huwelijk een aantal kilo verloren, terwijl hij er niet evenredig jonger op was geworden.

'We hebben al meer dan een jaar geen seks gehad', zei ze nu. 'Vind je me zo weerzinwekkend, Valdemar?'

'Nee,' zei hij, 'maar ik vind mezelf weerzinwekkend, daar wringt de schoen.'

Hij vroeg zich even af of het waar was wat hij zei, of dat het alleen maar een spitsvondigheid was. Kennelijk deed Alice dat ook, want ze keek hem met een wat zorgelijke, onderzoekende blik aan. Het leek of ze nog iets wilde zeggen, maar toen zuchtte ze diep en verdween ze de bijkeuken in.

Twee miljoen, dacht Ante Valdemar Roos. Met de rijtjes van 'twaalf goed' erbij moet het meer dan twee miljoen worden. Wat ga ik in hemelsnaam doen?

Plotseling kwam het beeld van zijn vader in hem op. Opnieuw. Zijn vader had zijn pijp in de hand en zijn gezicht leek dichterbij te komen. Toen Valdemar zijn ogen sloot kon hij zien hoe zijn vaders lippen bewogen. Het was net of hij iets tegen zijn zoon wilde zeggen.

Wat? dacht hij. Wat wil je zeggen, pappa?

En echt waar, op het moment dat hij zijn vrouw de droogtrommel hoorde aanzetten, hoorde hij ook zijn vaders stem. Ze klonk zwak en van ver weg door alle ruis van de verstreken decennia, maar was duidelijk herkenbaar – en helder genoeg om zonder moeite de boodschap te kunnen overbrengen.

'Volgende week hoef je geen rijtje meer in te leveren, mijn jongen', zei hij.

'En je hoeft niet langer geduld te hebben.'

3

Na drie weken in het Elvaforshuis besefte Anna Gambowska dat ze weg moest.

Het kon niet anders.

De eerste week had ze van de vroege ochtend tot de late avond gehuild. Af en toe ook 's nachts. Het was net of iets in haar hart bevochtigd moest worden door al die tranen, zodat het weer zacht en levend kon worden. Zo voelde dat. Het was een goed huilen, bedoeld om genezing te brengen, zelfs al kwam het voort uit een groot verdriet.

Anna dacht niet voor het eerst op deze manier over haar hart: als een armzalig plantje dat water en voeding nodig had om te kunnen overleven, om te kunnen groeien en zijn rechtmatige plaats in deze schrale en ongastvrije wereld in te kunnen nemen. Maar als het leven te moeilijk werd, was het beter dat haar hart verborgen bleef in die harde grond en mocht doen alsof het niet bestond. Haar hart in harde grond. Of andersom 'haar verharde hart', zo kon je het ook stellen. Het klonk als een spellingsoefening op de basisschool.

Zo was de situatie nu al een tijd. In elk geval de hele lente en zomer al, misschien zelfs wel langer. Haar hart had vergeten op de bodem van die put gelegen, haar innerlijk, en als ze niet naar het Elvaforshuis was gekomen, dan was ze nu misschien wel dood geweest.

Als ze daaraan dacht kwamen er nog meer tranen. Het was net of haar hart zich voedde met haar eigen verdriet. Ondanks alles bezat het overlevingskracht.

Anna's moeder had op een gegeven moment doorgekregen wat er met haar aan de hand was. Anna had namelijk geld van haar gestolen om heroïne te kopen. Haar moeder was ook degene geweest die uiteindelijk de instanties had ingeschakeld.

4.000 kronen had Anna gestolen. Het was onbegrijpelijk geweest dat haar moeder zo veel geld in huis had, en telkens als Anna er tijdens de eerste dagen in het huis aan dacht wat ze had gedaan – dat werd in het twaalfstappenprogramma 'het morele breken' genoemd – ging dat niet zonder dat haar hart samentrok en weer terug wilde de diepte in. Haar moeder werkte op een kinderdagverblijf, en 4.000 kronen was meer dan ze in een week verdiende. Ze had het geld opzij gelegd om een nieuwe fiets voor Marek te kopen.

Marek was Anna's kleine broertje van acht. In plaats van een fiets was het dus heroïne voor zijn grote zus geworden.

Daar moest ze ook om huilen. Om de schaamte, om haar laaghartige gedrag, haar ondankbaarheid. Maar haar moeder hield van haar, dat wist ze. Haar moeder hield ondanks alles van haar. Zelfs al had ze zelf ook zo haar problemen. Toen ze merkte dat het geld weg was, was ze natuurlijk razend geworden, maar haar boosheid was overgegaan. Ze had Anna in haar armen genomen, had haar getroost en gezegd dat ze van haar hield.

Zonder haar moeder zou ze er nooit in slagen om haar

leven een andere wending te geven, wist Anna Gambowska.

Misschien zou het zelfs mét haar niet lukken, maar zonder haar in elk geval niet.

Op 1 augustus was ze naar Elvafors gekomen. Dat was acht dagen nadat haar moeder haar betrapt had en precies op haar eenentwintigste verjaardag. Onderweg waren ze bij een café gestopt en hadden ze dat met koffie en gebak gevierd. Haar moeder had haar handen vastgepakt en ze hadden allebei gehuild en elkaar beloofd dat dit een nieuw begin was. Het moest nu maar eens klaar zijn.

'Op jouw leeftijd droeg ik ook een groot verdriet', had haar moeder verteld. 'Maar je kunt het overwinnen.'

'Hoe heb je dat van jou overwonnen?' had Anna gevraagd.

Haar moeder had even geaarzeld. 'Ik kreeg jou', had ze ten slotte geantwoord.

'Dus je vindt dat ik ook zwanger moet worden?' had Anna willen weten.

'Als je het waagt!' had haar moeder uitgeroepen, en toen hadden ze allebei zo moeten lachen dat het personeel van het café elkaar had aangekeken.

Het had goed gevoeld om daar zo anoniem koffie te zitten drinken en te lachen om het hele bestaan, dacht Anna. Het was een goed moment geweest. Alle moeilijkheden en alle ellende gewoon een grote schop onder de kont geven was misschien wel de manier om dit verdomde leven de baas te worden. Misschien was er geen betere manier.

Ze was vijftien geweest toen ze voor de eerste keer

hasj geprobeerd had. De afgelopen drie jaar, nadat ze er op de middelbare school de brui aan had gegeven en baantjes had gehad in een kiosk, in een café en bij een benzinestation, had ze minstens drie keer per week geblowd. En sinds ze in februari het huis uit was gegaan nagenoeg elke dag. In april had ze Steffo ontmoet en vanaf die tijd was ze gaan dealen. Hij had contacten, was zes jaar ouder dan zij en was in de maand mei al bij haar ingetrokken. Hij had bovendien zwaarder spul meegebracht: amfetamine, morfine en een paar keer ecstasy. Heroïne was op de een of andere manier de logische volgende stap, ze had het spul in totaal vier keer gebruikt en als ze huilde om die ervaringen leek het alsof haar tranen uit zuiver bloed bestonden.

Of eerder uit onzuiver bloed.

Haar moeder wist niet veel over Steffo, alleen dat hij er was. Anna had hem weggehouden van de hulpverleners en de politie, en ze vroeg zich af waar hij gebleven was nadat haar moeder naar haar appartement was gegaan en het had leeggeruimd.

Maar voor mensen als Steffo waren er plekken genoeg, daarvan was ze overtuigd. Slaapplaatsen ook, ze hoefde zich nergens zorgen om te maken.

Ze hoopte trouwens dat hij een ander meisje gevonden had. Dat hoopte ze voor zichzelf. Want iets aan Steffo beangstigde haar, een heleboel eigenlijk, en waarschijnlijk had ze hem daarom ook van haar omgeving weggehouden.

'Je bent van mij', had hij gezegd. 'Vergeet nooit dat je nu van Steffo bent.'

Hij had ook gezegd dat ze zijn naam op haar been moest laten tatoeëren, het liefst aan de binnenkant van haar dij, maar dat had ze weten uit te stellen. 'Het is een kadootje', had hij beweerd. 'Een kadootje van mij voor jou.' Ja, ze hoopte echt dat hij inmiddels een ander meisje gevonden had.

Door aan Steffo te denken kwamen natuurlijk ook die andere vragen in haar op. Ze dreven rond in haar tranen en ze wist dat ze op zoek waren naar hun antwoorden als een verdwaald kalfje dat zijn moeder zoekt.

Waarom? Waarom wil je je leven verpesten? Waarom zoek je bewust de hel op? Wat is de reden, Anna?

Ze stelde zichzelf die vragen en iedereen om haar heen deed dat ook: haar moeder, de mensen van de hulpverlening, tante Majka. Ze had geen antwoorden. Als die er geweest waren, hadden de vragen ook niet gesteld hoeven worden, dacht ze altijd.

Duisternis was het. Duisternis met een enorme aantrekkingskracht.

Een kracht die sterker was dan zijzelf, precies zoals ze tijdens de groepstherapie zeiden.

Toen ze het Elvaforshuis voor de eerste keer zag, had ze gevonden dat het een plaatje uit een sprookje leek. Het huis stond bij een rond meer dat was bedekt met waterlelies. Een grasveld met knoestige fruitbomen leidde omhoog naar het huis, dat verder door bos werd omgeven. Het hoofdgebouw bestond uit een oud, charmant houten huis geschilderd in geel en wit; acht kleinere kamers op de bovenverdieping, een keuken en vier iets grotere beneden. Op de hoek stond een kleiner huis, waarin een kantoor en twee slaapruimtes voor het personeel waren gesitueerd. Hoger, tegen de bosrand aan, stond nog een gebouwtje: een rood huisje met een kamer en een keuken, waarover werd gesproken als 'de tussenfase' en dat werd bewoond door de twee cliënten die het verst waren in de behandeling. Die spoedig naar 'de eindfase' in Dalby zouden verhuizen en vervolgens weer terug zouden keren in het normale leven.

Er waren hier alleen maar vrouwen. Een leidster genaamd Sonja Svensson, een zestal medewerksters, veel van hen ex-verslaafden, en de cliënten: jonge vrouwen die gered moesten worden uit hun schaamtevolle misère veroorzaakt door drugs en alcohol. Op dit moment waren het er acht. Tegelijkertijd met Anna was er ook een achttienjarig meisje uit Karlstad gekomen dat Ellen heette.

Ze kwamen uit verschillende delen van het land, maar voornamelijk uit Midden- en West-Zweden. Anna had meteen de eerste middag hun namen moeten leren, dat was een basisstap van de therapie, had Sonja duidelijk gemaakt en daarbij had ze haar korte, droge lachje laten horen.

Hoe kunnen we elkaar respecteren als we niet eens elkaars naam weten?

Respect was een belangrijk punt in het Elvaforshuis.

In ieder geval op papier.

En toch was het het gebrek aan respect dat Anna er zo langzamerhand toe deed besluiten om weg te lopen.

Nietwaar? vroeg ze zich af.

Ja, dat was precies de reden.

Er golden een aantal simpele regels in het Elvaforshuis. Direct bij haar opname kreeg Anna een papier te ondertekenen waarmee ze bekrachtigde dat ze deze regels accepteerde. De behandeling was vrijwillig, maar ze werd bekostigd door de gemeentelijke dienst jeugdzorg in de woonplaats van elke vrouw en als het niet klikte was het natuurlijk beter dat je de plaats afstond aan iemand anders die het nodig had.

Want er waren genoeg anderen die ook hulp nodig hadden, daar kon je vergif op innemen. De behandeling nam tussen de zes maanden en een jaar in beslag en je mocht altijd contact met het huis blijven houden, ook als je niet meer ingeschreven was. Het was niet ongebruikelijk dat dankbare oud-cliënten op bezoek kwamen, deelde Sonja Svensson meteen de eerste dag al mee. Helemaal niet ongebruikelijk.

De belangrijkste regel was overigens dat je zo min mogelijk contact met de buitenwereld had. Want in de buitenwereld hadden de meisjes – geen van hen was ouder dan drieëntwintig en Anna vond het moeilijk hen 'vrouwen' te noemen – hun schrammen opgelopen, daar hadden ze ook allemaal hun slechte contacten en hun destructieve netwerken. Het ging erom patronen te doorbreken, zowel in de binnen- als in de buitenwereld. Mobiele telefoons waren daarom in het Elvaforshuis niet toegestaan, een enkeling kreeg toestemming voor één telefoontje per week – naar een van tevoren opgegeven nummer van een familielid, meestal een van de ouders. Familieleden mochten weliswaar van zich laten horen, maar ze kregen het advies om het contact beperkt te houden. Als compensatie werden twee keer per jaar de zogenaamde 'familiedagen' georganiseerd.

Er waren geen computers en er was geen internet in het Elvaforshuis, behalve in een kamertje van het kantoor, waar de cliënten geen toegang toe hadden.

Radio en tv was er wel, de kanalen 1, 2 en 4.

Gedurende de eerste twee maanden werd er geen

toestemming gegeven voor verlof, en als die later wel verleend werd, was dat onder de gezamenlijke verantwoordelijkheid van de medecliënten en ten minste één familielid.

Koken, afwassen, schoonmaken en de andere huishoudelijke klusjes werden allemaal door de cliënten zelf gedaan. Minstens twee keer per week werd er een gezamenlijk uitje georganiseerd, doorgaans naar het dichtstbij gelegen dorp, Dalby, achttien kilometer verderop. Meestal stond er bowlen, een cafébezoek of zwemmen op het programma.

Elvafors lag afgelegen en dat was niet zomaar. Toen Sonja Svensson dertien jaar geleden haar werkzaamheden was gestart had de geografische ligging van het huis haar prioriteit gehad.

Er was geen contact met de samenleving. Geen gevaar.

De behandeling op zich rustte op vier pijlers: openheid, positieve vriendschappen, hulp bij zelfredzaamheid en het twaalfstappenprogramma. Na het ontbijt verzamelden ze altijd in de grote gemeenschappelijk ruimte, ze zaten op stoelen in een kring en vertelden hoe ze zich voelden. Het mocht zo lang duren als nodig was. Daarna was het tijd voor individuele opdrachten en vervolgens bespraken ze nog een tijdje het twaalfstappenprogramma.

Na de lunch volgde er een activiteit, dat kon een uitstapje zijn maar ook iets dicht bij huis. Op de dinsdag en vrijdag kwam er een psycholoog om met ieder van de meisjes apart te praten. Soms nam Sonja Svensson ook zelf het initiatief om met een van haar protegees een gesprek te hebben.

Dan volgde het avondeten met alle bijkomende werkzaamheden, en ten slotte opnieuw een kringgesprek rond tien uur 's avonds om de positieve en negatieve ervaringen van de voorbije dag te bespreken.

Ondanks het drukke programma bleef er nog genoeg tijd over voor andere dingen. Om iets alleen te doen. Te lezen, te schrijven of tv te kijken. Er was een piano en Anna had haar gitaar meegenomen. Van gezamenlijk musiceren kwam het echter nooit, want geen van de andere meisjes leek erg muzikaal, maar veel meisjes vonden het fijn als Anna speelde, en er zaten elke dag wel een of meer meisjes een tijdje bij haar op de kamer.

In elk geval in het begin.

Toen de huilweek voorbij was, kwam er in eerste instantie een soort rust over haar. Ze ervoer de gelijkmatige, niet stressvolle routine in het huis als prettig. Ervaringen uitwisselen met andere meisjes voelde ook waardevol, al was het wel een beetje eng. Algauw had ze in de gaten dat ze, wat moeilijke ervaringen in het leven betrof, nog maar een beginneling was.

Vier meisjes, de helft van het totale aantal, hadden eerder in een verslavingskliniek gezeten. Marit uit Göteborg was nu voor de vierde keer opgenomen en ze beweerde dat ze niet meer huilen kon. Dat was waarschijnlijk waar, want ze lachte graag luid, bijna bulderend, maar haar ogen lachten nooit. Totaal het tegenovergestelde van hoe Anna en haar moeder in het café gelachen hadden.

Twee van de anderen, Turid en Ebba, hadden in de prostitutie gezeten, hoewel ze nog geen twintig waren, en Malin was vanaf haar twaalfde de heimelijke minnares van haar stiefvader geweest.

Maar, zoals Sonja Svensson en de andere medewerksters altijd benadrukten: achteromkijken was geen kunst, het was zaak om vooruit te kijken.

Toen Anna op een avond de salade voor het avondeten stond klaar te maken, kreeg ze door Maria, die de oudste en meest geroutineerde van het stel was, een wat cynischer kijk op het huis.

'Ze verdienen geld aan ons, besef je dat wel?' zei ze, terwijl ze over haar schouder keek om er zeker van te zijn dat niemand meeluisterde. 'De gemeente betaalt 1.000 kronen per dag voor ieder van ons! Sonja en haar vent hebben meer dan een miljoen op de bank.'

Zou dat waar kunnen zijn? Maria stond erom bekend niet altijd aardige dingen te zeggen, maar misschien had ze in dit geval wel gelijk. 'Dit is mijn laatste opname', verklaarde ze altijd als het personeel niet in de buurt was. 'Als ik hier weg ben, neem ik zo veel drugs dat ik binnen een paar weken de pijp uit ben, dat wordt feest.'

Ze was drieëntwintig jaar oud.

Er vielen Anna nog meer dingen op, ze kon er niet omheen.

Dat ze zelfs in dit wereldje een vreemde eend in de bijt was, bijvoorbeeld. Zoals ze dat altijd overal geweest was. Geen van de andere meisjes las boeken, en toen ze Ludmilla, een twintigjarig meisje uit Borås, eens vertelde dat ze gedichten schreef, was die plotseling woedend geworden en had ze haar een arrogante aap genoemd.

Anna had dat de volgende dag bij de ochtendbijeenkomst ter sprake gebracht. Dat ze verdrietig was over Ludmilla's woorden. Daarop hadden ze elkaar alle acht, gezeten op hun harde stoelen, bijna een uur lang voor van alles en nog wat uitgemaakt. Sonja Svensson was daar niet bij geweest, op dat moment had iemand anders de leiding, een zachte vrouw die Karin heette en die de gemoederen had proberen te sussen.

Naderhand voelde het niet alsof er veel opgelost was en de volgende dag had Anna een gesprek onder vier ogen met Sonja Svensson gehad.

'Je hoeft toch niet voortdurend met je neus in de boeken te zitten?' had Sonja gezegd. 'Je moet proberen je aan te passen.'

'Maar ik hou van lezen', had Anna gezegd.

'Dat is een deel van je problematiek', had ze als antwoord gekregen. 'Je onttrekt je aan de groep. Met je gitaar, het schrijven van gedichten enzovoort. Morgen gaan we voetballen in het gymnastieklokaal van de Dalbyschool, dat soort dingen heb je meer nodig in je leven.'

Ze had haar droge lachje laten horen en Anna weggestuurd.

Wat is de bedoeling hiervan? had Anna gedacht. Meende ze het serieus? Wat kon er nu mis zijn met muziek? Poëzie en boeken konden toch niet een probleem vormen?

Vanaf die dag lette ze erop de deur van haar kamer dicht te doen als ze gitaar speelde of gewoon maar lag te lezen of te schrijven. Om niemand te storen en om niet verwaand over te komen. Maar kennelijk was dat niet de juiste reactie, want op een avond toen ze thuiskwamen na een bezoek aan Dalby, waar ze hadden gezwommen, kwam ze erachter dat Sonja haar gitaar had weggenomen en in het kantoor achter slot en grendel had gezet.

'Je zult het een week zonder dat ding moeten doen', verklaarde ze. 'Je zult merken dat dat beter voor je is.'

Tijdens het kringgesprek de volgende morgen vertelde Anna dat ze zich verdrietig en gekwetst voelde omdat haar gitaar van haar afgenomen was. Sonja Svensson gaf de andere meisjes niet de gelegenheid om commentaar te leveren; ze zei dat het nu niet het moment was om het daarover te hebben en ging verder met het bespreken van de gevoelens en ervaringen van de anderen.

Diezelfde avond belde haar moeder. Om haar niet ongerust te maken vertelde Anna niet over het incident met de gitaar. Ze zei alleen maar dat alles oké was, dat ze zich steeds beter begon te voelen en dat ze bezig was met een lange brief aan Marek. Haar moeder vertelde dat haar broertje ondanks alles toch zijn fiets gekregen had, maar dat het met haarzelf wat minder goed ging doordat haar knie weer begon op te spelen. Misschien zou ze zich weer ziek moeten melden, en als er iets was waar ze een hekel aan had, dan was dat het wel.

Die nacht lag Anna urenlang wakker en huilde op een nieuwe manier. Eerst begreep ze niet wat er nieuw aan was, behalve dat het ongewoon voelde.

Maar toen begreep ze het.

Ze huilde niet om zichzelf en haar arme, kapotte hart, ze huilde om de wereld.

Om haar omstandigheden. Om het leven zelf, om de bekrompenheid, de domheid en de hardheid – en om gitaren die in kantoortjes achter slot en grendel werden gezet omdat ze onderdeel waren van een problematiek.

Maar niet alles aan het Elvaforshuis was slecht, Sonja was er absoluut met goede bedoelingen aan begonnen, dat besefte Anna, maar hoe minder vat de drugs op haar hadden, des te duidelijker zag ze ook de barsten. Niemand van het personeel had bijvoorbeeld een opleiding genoten; alle begeleidsters waren ex-verslaafden of goede vriendinnen van Sonja. Twee van hen waren zelfs familieleden. Het was ook niemand toegestaan een afwijkende mening te hebben, en Sonja had met betrekking tot de behandeling altijd het laatste woord. Weliswaar wist ze het altijd zo te brengen dat het leek alsof het voor iedereen de beste beslissing was en alsof iedereen een stem in het kapittel had, maar het tegendeel was waar: Sonja was de baas en alles moest van haar in groepsverband. Als je niet mee wilde doen – geen zin had om een of andere docusoap te kijken of om mens-erger-je-niet te spelen – dan werd dat beschouwd als afwijkend gedrag en als een teken van terugval. Misschien dan niet een terugval in het gebruik van drugs, maar wel in de patronen die daartoe konden leiden en die daarom doorbroken moesten worden. Het was een soort terreur van de meerderheid, dacht Anna, en dat kon toch nooit het oorspronkelijke idee geweest zijn.

En 1.000 kronen per persoon per dag? 8.000 per etmaal, dat liep al na een paar weken op tot een duizelingwekkend bedrag. Zo veel kon het toch niet kosten? Zat er wellicht toch een kern van waarheid in wat Maria had gezegd?

In een weekend aan het eind van augustus benutte Ludmilla een verlof om ervandoor te gaan. Een aantal dagen later meldde Sonja hun dat ze naakt en bewusteloos in een greppel gevonden was in een zuidelijke buitenwijk van Stockholm. Ze was verkracht, had een overdosis genomen en haar toestand was kritiek.

Sonja vertelde dit tijdens het kringgesprek na het avondeten, en er was iets aan de manier waarop ze het vertelde. Het was een subtiel signaal. Anna keek om zich heen naar de andere meisjes, die met stomheid geslagen waren, en vroeg zich of zij het ook opgemerkt hadden.

Die lichte zweem van ..., wat was het eigenlijk? Tevredenheid?

Maar de anderen keken alleen maar bang en ontdaan.

Dat was ze zelf ook, en dat was waarschijnlijk precies Sonja's bedoeling geweest.

Bedoeling? dacht ze toen ze een kwartier later in haar bed lag. Hoezo bedoeling, verdomme?

En die avond kwam voor het eerst de gedachte bij haar op dat ze niet langer in het Elvaforshuis wilde blijven.

4

Toen Ante Valdemar Roos op donderdagmiddag uit het kantoor van de Swedbank kwam en Södra torg in Kymlinge op stapte, werd hij een kort moment verblind door de zon en hij begreep dat dat een teken moest zijn. Hij was in harmonie met de hogere machten, zijn leven bruiste als een zojuist geopende fles champagne en hij had wel een dansje willen maken over het plein.

Of in elk geval zo'n elegant sprongetje in de lucht, waarbij je met je hakken tegen elkaar slaat, zoals die Stina op tv dat altijd deed, of hoe ze ook heten mocht. Allemachtig, dacht hij. Zo levenslustig heb ik me niet meer gevoeld sinds ... sinds wanneer eigenlijk? Hij kon het niet zeggen.

Sinds hij Lisen een aanzoek had gedaan en ze ja had gezegd misschien? Alhoewel, ze was toen al zwanger en het antwoord was daardoor niet zo verrassend geweest.

Ja, toen hij de teentjes van zijn pasgeboren Greger had geteld, had geconstateerd dat het er tien waren en dat het jongetje zo te zien volkomen gezond was, dat was een groots en geweldig moment geweest. Toen had hij hetzelfde bruisen in zijn lijf gevoeld.

Die levenslust. Die wil om aan de slag te gaan, om dingen te doen.

Alles was soepel verlopen. Op een zojuist geopende rekening had hij nu 2.100.000 kronen staan. Er was geregeld dat er op elke vijfentwintigste van de maand een automatische overboeking naar zijn gewone betaalrekening werd gedaan – 18.270 kronen, exact het bedrag dat normaal van Wrigmans Elektriska kwam na aftrek van de loonbelasting. Als hij die overboeking gewoon liet doorlopen, zou het voldoende zijn voor honderdtwintig maanden, rente niet meegerekend.

Tien jaar, hemeltjelief!

Maar hij was niet van plan het zo lang te laten doorgaan. Niet bepaald. Over een paar jaar zou hij zijn rechtmatige en zuurverdiende pensioen opnemen. Alice zou nooit iets in de gaten krijgen. Ze had een eigen pasje van zijn rekening, en zolang het geld volgens het gebruikelijke patroon binnenkwam, zou er voor haar geen enkele reden zijn om iets te controleren. Ze kende geen van zijn collega's en hij kon zich niet herinneren dat er ooit telefonisch contact met zijn huis geweest was. In al die tijd dat hij en Alice een gemeenschappelijk nummer hadden niet, misschien was dat best wel een beetje raar.

Hij belde haar bovendien nooit vanaf zijn werk, en zij belde hem nooit. Misschien had een van zijn dochters ooit naar kantoor gebeld, maar dan was het altijd via zijn mobiel gegaan. Hij had Alice wel een keer gewezen waar de fabriek lag toen ze er toevallig langs waren gereden, maar dat was dan ook alles. De meisjes zouden niet eens met de wegenkaart in hun hand de weg erheen weten te vinden.

Valdemar glimlachte. Hij liep langs een lotenverkooppunt, maar ging niet naar binnen. Veel succes, zielepoten, dacht hij. Geduld is waar het om draait.

Eén miljoen zou hij op deze manier onbelast houden. Dat moest ruim voldoende zijn tot aan zijn pensioen over een paar jaar. Op zijn drieënzestigste, vierenzestigste, dat zou prima zijn. Of op zijn vijfenzestigste, als hij daar zin in had, zo levendig als hij zich op dit moment voelde kon hij wel honderd worden.

Maar het tweede miljoen, dat zou hij verbrassen. In alle stilte, discreet en ongezien.

En hij wist al hoe; hij wist al waar hij het voor gebruiken zou. Dat had hem niet veel hoofdbrekens gekost en al evenmin veel tijd. Maar alles op zijn tijd, eerst moest hij de zaken met Walter Wrigman regelen.

Toen hij het knuppelbruggetje Oktoberspången over Kymlingeån overstak, merkte hij tot zijn schrik dat hij liep te fluiten.

Ik moet wel kalm blijven, dacht Ante Valdemar Roos. Mijn best doen om ... hoe formuleerden ze dat tegenwoordig? Low profile te blijven? Zoiets?

Ach, het maakte ook geen donder uit hoe het heette, en haastige spoed was zelden goed.

Hij trok zijn gezicht weer in de plooi en liep met kalme pas naar huis.

'Hoe bedoel je?' vroeg Walter Wrigman de volgende ochtend terwijl hij zijn bril omhoogschoof en op zijn kale hoofd plaatste. 'Wat wil je eigenlijk zeggen?'

'Ik stop ermee', zei Valdemar. 'Ik ben het zat.'

Walter Wrigmans kaken bleven even stationair draaien, maar er kwamen geen woorden uit zijn mond. Zijn bril gleed van zijn hoofd, om met een dof plofje op zijn neus te belanden, waarin inmiddels een diepe, paarsgekleurde rimpel was verschenen.

'Ik zeg op', verduidelijkte Valdemar. 'Ik zou het liefst per direct stoppen als dat mogelijk is, maar ik zou nog een week kunnen blijven, als je dat nodig vindt. Een vertrekpremie is niet nodig.'

'Wat ... maar wat ga je dan doen?' vroeg Walter Wrigman verbaasd.

'Ik heb zo mijn plannen', zei Valdemar.

'Hoelang heb je hierover nagedacht?'

'Een tijdje al', zei Valdemar. 'Ik denk dat Tapanen mijn werkzaamheden wel kan overnemen.'

'Het komt bijzonder ongelegen', zei Wrigman.

'Dat vind ik niet', antwoordde Valdemar. 'Er lopen op dit moment immers geen grote orders en je kunt altijd nog een jongere kracht aannemen.'

'Het is verdomd klote', zei Wrigman.

'Ik hoef geen taart of bloemen of van dat soort onzin', vervolgde Valdemar. 'Ik was van plan vanmiddag te blijven om mijn spullen te pakken, als je daar niets op tegen hebt.'

'Het is verdomd klote', herhaalde Wrigman.

Jij bent anders ook geen lieverdje, dacht Valdemar en hij stak zijn hand uit.

'Bedankt voor de afgelopen achtentwintig jaar. Het had erger gekund.'

Walter Wrigman schudde zijn hoofd, maar nam de uitgestoken hand niet aan. Bleef alleen maar zwijgend op zijn lip bijten.

'Flikker op', gooide hij er toen uit.

Dat was ik inderdaad van plan, dacht Ante Valdemar Roos. Klootzak die je bent!

Nadat hij Wrigmans Elektriska had verlaten, reed Ante Valdemar Roos voor de laatste keer naar de open plek in het bos waar hij vaak had geluncht. Hij zette de motor af, liet het zijraampje naar beneden glijden en verstelde de rugleuning van zijn stoel naar ligstand.

Hij keek om zich heen, naar de open plek, naar de rotsige helling met de jeneverstruiken en naar de bosrand. Het licht was nu anders, het was ook al bijna vijf uur in de middag en hij besefte dat hij nooit eerder op dit tijdstip van de dag op deze plek gestaan had. Het was altijd midden op de dag geweest, tussen twaalf en een. Opeens vond hij dat het net leek alsof hij zich op een heel andere plek bevond: de sparren baadden niet in het zonlicht zoals normaal, de grond had een diepere kleur en de jeneverstruiken leken bijna zwart.

Zo werkt dat, dacht hij. Tijd en ruimte ontmoeten elkaar maar één keer per dag op een bepaald snijpunt. Een uur eerder of later betekent een heel ander snijpunt.

Zo werkt het met de tijd en de dingen, filosofeerde hij verder. Met wat er om je heen is en wat daar dwars doorheen loopt. Je hoeft dus niet zelf te bewegen, want het bestaan om je heen verandert al helemaal vanzelf. Je kunt gewoon op dezelfde plek blijven zitten. Dus.

En hij besefte dat deze waarheid – die hij nog niet echt goed kon bevatten, maar op een dag wel – op de een of andere mysterieuze manier verband hield met de woorden van zijn vader.

'Beter dan dit wordt het leven niet.'

Beter dan die dag en dat moment, die misschien niet eens hadden plaatsgevonden.

Toen Valdemar de voordeur opendeed kon hij direct vaststellen dat beide stiefdochters thuis waren.

Hun kamers lagen namelijk rechts en links van de hal, en beiden hadden ze hun deur op een kier staan. Vanuit Signes kamer klonk een bepaald soort muziek, dat hij voor zichzelf 'techno' noemde. Het klonk in elk geval als een traag, elektronisch geluid dat vastliep. Ze had de muziek behoorlijk hard staan, want dat hoorde zo. Over dat laatste hadden ze al een paar keren woorden gehad. Vanuit Wilma's kamer kwamen Amerikaanse lachsalvo's van een talkshow die een beetje op de Zweedse talkshow *Hylands hörna* uit de jaren zestig leek, alleen was deze wat luidruchtiger en platter, vond Valdemar altijd. Met thema's als 'zwaarlijvigheid' en 'incest' en zo.

Hij passeerde de vuurlinie en bereikte de woonkamer. Daar stond de tv ook aan, maar er was niemand die keek, dus raapte hij de afstandsbediening van de vloer en zette het toestel uit.

Alice lag in een rode joggingbroek op een geel matje in de slaapkamer en was met sit-ups bezig. Het deed een beetje denken aan een schildpad die op zijn rug ligt en op zijn achterpoten probeert te gaan staan. Zonder al te veel resultaat. Hij zag dat ze oordopjes in had en nam daarom niet de moeite iets tegen haar te zeggen. In de keuken lagen een aantal ingrediënten voor iets wat kennelijk een wokschotel moest worden, groentenprutje met kip en rijst, noemde hij dat altijd in zichzelf. Hij vroeg zich even af of het de bedoeling was dat hij de groenten zou gaan hakken, maar besloot te wachten op nadere instructies.

Hij ging achter de computer zitten. Die stond aan,

klaarblijkelijk had een van de dames, of allebei, op deze vrijdagavond gechat, geskypet, gefacebookt of hoe het ook mocht heten, want er knipperde hem vanaf het scherm een berichtje omlijst met rode hartjes tegemoet – *schatje, je bent zo lief, je maakt me gek!!!* – en hij wist heel zeker dat dat niet voor hem bestemd was. Hij sloot een stuk of vijf, zes programma's en opende zijn mailbox. Er waren geen berichten – dit was al de tiende dag op rij dat hij niets binnen had gekregen en hij vroeg zich af waarom hij eigenlijk een e-mailadres had aangeschaft. Je kon dan toch minstens wel wat spam verlangen, daar had men het toch altijd over?

Signe kwam achter hem de kamer binnen.

'Ik heb 500 kronen nodig.'

'Waarvoor dan wel?' vroeg Valdemar.

'Ik ga uit vanavond, maar mijn geld is op.'

'Dan moet je maar thuisblijven', reageerde Valdemar.

'Verdomme, wat héb jij?' vroeg Signe. 'Ben je niet helemaal goed wijs of zo?'

Valdemar trok zijn portemonnee tevoorschijn en gaf Signe een briefje van 500 kronen. 'Heb je je loon niet gekregen?'

'Ik ben gestopt bij die stomme winkel.'

O? dacht Valdemar. Ook deze keer heeft het niet langer dan een maand geduurd.

'Dus nu ben je op zoek naar een nieuwe baan?'

Ze grijnsde.

'We zien elkaar vast wel in Prince vanavond, toch?'

Ze stopte het briefje in haar bh en ging weg. Valdemar zette de computer uit en besloot een douche te nemen.

'Er is niets mis met Signe', verklaarde Alice vier uur later toen het inmiddels relatief rustig in huis was. De beide dochters waren weggegaan, het enige wat je hoorde waren de vaatwasser en de wasmachine, die op hun gebruikelijke plek in verschillende toonsoorten stonden te brommen. 'Het hoort bij de leeftijd.'

Buurman Högerberg die piano oefende met zijn dochter hoorde je ook nog, constateerde Valdemar. Moesten zesjarigen niet slapen rond deze tijd? Alice zat op de bank in een boek over de glykemische index te bladeren, hij wist niet wat dat was. Zelf zat hij in een van de twee fauteuils zijn best te doen wakker te blijven, in afwachting van de film die ze zouden gaan kijken. Het betrof een Amerikaanse actiekomedie volgens de beschrijving in de tv-bijlage. TV3, hij vroeg zich af hoeveel reclameblokken ertussendoor zouden komen, maar hij begreep dat hij het antwoord op die vraag nooit zou krijgen, want hij was van plan in te dommelen zodra de ellende begon.

'Nee, inderdaad', antwoordde hij een seconde voor hij vergeten zou zijn waar ze het eigenlijk over hadden. 'Ze heeft gewoon een vent en een baan nodig.'

'Wat bedoel je daarmee?' vroeg Alice. 'Een vent en een baan?'

'Tja', zei Valdemar. 'Wat ik zeg zo ongeveer ... een vent en een baan. Een baan, in elk geval.'

'Het is in deze tijd niet gemakkelijk om jong te zijn', zei Alice.

'Het is door de eeuwen heen niet gemakkelijker geweest te leven dan vandaag de dag', weersprak Valdemar haar. 'In ieder geval in dit land niet.'

'Ik weet niet wat er met jou aan de hand is', zei Alice.

'De meisjes zeggen het ook, je bent zo mopperig de laatste tijd. Wilma zei vandaag dat ze je haast niet herkende.'

'Zei ze dat?'

'Ja.'

'Maar ik ben altijd zo geweest', zei Valdemar zuchtend. 'Ik ben gewoon een ouwe vent. Zo zijn wij.'

'Dat is helemaal niet om te lachen, Valdemar.'

'Ik lach niet.'

'Ze zijn op een gevoelige leeftijd, Valdemar.'

'Ik dacht dat ze van verschillende leeftijden waren?'

'De film begint. Kun je de tv aanzetten en ophouden zo gemeen te doen, Valdemar?'

'Sorry, lieve Alice, dat was niet mijn bedoeling.'

'Maakt niet uit, zet die tv nou maar aan, anders missen we het begin. En help me die chocola opeten, die is eigenlijk niet eens lekker.'

Valdemar drukte op het knopje en zakte dieper weg in zijn stoel. Fijn dat we weer praten, dacht hij. Want zo was het: het maakte niet uit wat ze zei, als ze hem maar niet voor straf doodzweeg. Hij gaapte, merkte dat zijn maagzuur opspeelde door de groenten en vroeg zich af of hij het kon opbrengen om op te staan en een glas water te halen.

Maar inmiddels was het over tienen en nog voor het eerste reclameblok dommelde hij al in.

Als je een beetje optimistisch van aard was, kon je stellen dat Ante Valdemar Roos een goede vriend had.

Hij heette Espen Lund, was even oud als Valdemar en werkte als makelaar bij makelaarskantoor Lindgren, Larsson en Lund in Vårgårdsvägen te Kymlinge.

Espen Lund was vrijgezel en hij en Valdemar kenden elkaar van de middelbare school. Ze zagen elkaar niet meer sinds Valdemar met Alice getrouwd was, maar er was een periode geweest tussen Lisen en Alice in – zo'n vijftien à twintig jaar – dat ze veel met elkaar hadden opgetrokken. Voornamelijk hadden ze kroegen bezocht, maar ze hadden ook af en toe een uitstapje naar een voetbalstadion of de renbaan gemaakt. Espen Lund was een sportfanaat en een speler, hij kon alle gouden medailles van de Olympische Spelen in de mannensport vanaf Melbourne en daarna opnoemen en had altijd moeten lachen om Valdemars systeem van drie rijtjes. Maar dat was niet de reden waarom Valdemar hem die zondagavond opbelde.

Hij had gewacht tot hij helemaal alleen thuis was. Alice en Wilma waren net vertrokken naar bioscoop Zeta om een film met Hugh Grant te gaan zien. Valdemar had een enorme hekel aan Hugh Grant. Signe had naar alle waarschijnlijkheid sinds zaterdagavond een nieuw vriendje en had zich al een etmaal niet vertoond.

'Kan ik je vertrouwen?' vroeg Valdemar.

'Nee', antwoordde Espen Lund. 'Ik zou mijn grootmoeder nog voor een appel en een ei verkopen.'

Dat was nu typisch een grapje voor Espen Lund. In elk geval hoopte Valdemar maar dat het een grapje was. Espen zei namelijk altijd precies het tegenovergestelde van wat je verwachtte – als je hem privé sprak tenminste, niet als hij vanuit zijn functie sprak, want dan was hij juist gedwongen om precies te zeggen wat er van hem verwacht werd. Hij beweerde altijd dat dat nu juist de oorzaak was van zijn gedrag. Als je zei dat het mooi weer was, antwoordde Espen Lund dat hij vond dat het zo verdomd hard regende en waaide. Vertelde je hem dat hij er goed uitzag, dan kon hij zomaar zeggen dat hij zojuist te horen had gekregen dat hij een hersentumor had en nog maar twee maanden te leven had.

'Ik heb je hulp nodig', verklaarde Valdemar.

'Dan heb je een probleem', zei Espen.

'Ik wil dat het netjes gebeurt en dat niemand erachter komt.'

Espen kuchte even in de hoorn en Valdemar kon horen hoe hij een sigaret opstak als tegengif. 'Oké,' zei hij uiteindelijk, 'laat horen.'

Gelukkig, dacht Valdemar, hij is klaar met geinen.

'Ik zoek een huis.'

'Ga je scheiden?'

'Natuurlijk niet, ik heb een klein huisje nodig om me in terug te trekken ... met mijn project.'

Dat laatste woord was er zomaar uit gefloept. Een project? dacht hij. Ach ja, waarom niet, dat kon immers van alles betekenen. Bijvoorbeeld op een stoel zitten en de veranderingen in tijd en ruimte waarnemen.

'Wat had je in gedachten?' vroeg Espen Lund.

'Een huisje in het bos', zei Valdemar. 'Zo afgelegen mogelijk. Maar toch niet te ver van de stad.'

'Hóé ver van de stad?' vroeg Espen.

'Een aantal kilometers', zei Valdemar. 'Maar niet meer dan dertig of zo.'

'Grootte?' vroeg Espen.

Valdemar dacht even na. 'Klein', zei hij toen. 'Gewoon een klein stulpje. Een vakantiehuisje of zo. Hoeft niet van alle gemakken voorzien te zijn, al is het natuurlijk wel gemakkelijk als er water en elektriciteit aanwezig is.'

‘Riolering?’ vroeg Espen.

‘Kan ook geen kwaad’, bevestigde Valdemar.

‘Prijsklasse?’

Valdemar kon horen hoe Espen ergens op begon te zuigen. Waarschijnlijk een keeltabletje, hij gebruikte daarvan ongeveer twee doosjes per dag.

‘Tja,’ zei hij, ‘ik betaal gewoon de vraagprijs, maar geen onredelijke bedragen, natuurlijk.’

‘Is het je zo voor de wind gegaan?’

‘Ik heb wat opzij gelegd’, zei Valdemar. ‘Maar het is dus vooral belangrijk dat ... dat Alice er niet achter komt. En ook niet iemand anders. Denk je dat je dat voor elkaar krijgt?’

‘De koop moet wel volgens de wettelijke regels geregistreerd worden’, zei Espen. ‘Maar dat is alles, je hoeft het niet officieel bekend te maken. Te zijner tijd zul je er bij je belastingaangifte melding van moeten maken.’

‘Wie dan leeft, wie dan zorgt’, zei Valdemar.

‘Hm’, bromde Espen. ‘Zeg, is er soms een vrouwtje in beeld?’

‘Absoluut niet’, zei Valdemar. ‘Ik ben te oud voor de vrouwtjes.’

‘Zeg dat niet. Heb je internet?’

‘Ja, hoezo?’

‘Je kunt zelf op onze website kijken. Alles staat erop en ik denk dat er wel een paar objecten zijn die je interessant zou kunnen vinden. Slim ook om in de herfst te kopen, dan is het een heel stuk goedkoper.’

‘Ja, dat vermoedde ik zelf ook al’, zei Valdemar.

‘Als je op internet iets gevonden hebt, bel je me maar. Dan rijden we er samen heen om het te bekijken. Je kunt er natuurlijk ook zelf heen rijden. Zullen we het zo afspreken?'

'Helemaal goed', zei Valdemar. 'En geen woord, hè. Tegen niemand.'

'Het zou niet bij me opkomen', zei Espen Lund en hij gaf Valdemar het webadres, waarna ze ophingen.

Eenmaal in bed kon Valdemar de slaap maar moeilijk vatten.

Alice lag op haar rug naast hem en ademde op haar gebruikelijke, licht gespannen manier, ze verstond de kunst om in slaap te vallen zodra haar hoofd het kussen raakte. Valdemar kon daarentegen op elke plek en op elk moment van de dag zo in slaap sukkelen – maar als het er echt op aankwam, als hij eindelijk onder de dekens gekropen was en het licht na een lange, betekenisloze dag had uitgedaan, gebeurde het zo nu en dan dat hij lag te woelen.

Als een kurk die wil zinken, maar dat niet kan, dacht hij dan, want zo ongeveer voelde het. De slaap was ergens in de diepte te vinden, die goede, verkwikkende slaap, maar boven op het gladde, wakkere oppervlak lag Ante Valdemar Roos en dreef radeloos rond.

Maar deze avond had hij natuurlijk alle reden om wakker te liggen. Morgen zou het de eerste dag van de rest van zijn leven zijn, zoals dat in de jaren tachtig ooit op zo'n rare sticker gestaan had, als hij het zich goed herinnerde. De rest van mijn leven? dacht hij. Hoe zullen al die dagen gaan worden? Hij herinnerde zich hoe Alexander Mutti, zijn stoïcijnse filosofieleraar op de middelbare school, geprobeerd had zijn gouden regel in hun langharige hoofden te hameren.

Alleen jijzelf kunt het leven zin geven. Als je de besluiten in andermans handen legt, is dat net zo goed je eigen besluit.

Espen, dacht hij opeens. Heeft die zijn leven in eigen hand?

Misschien, misschien niet. Naar de kroeg gaan, voetbal kijken, geld vergokken. Hemingway lezen – want dat deed hij ook, dezelfde boeken, jaar in jaar uit. Veertig à vijftig uur per week ronddraven en huizen en appartementen bezichtigen met veeleisende speculanten.

Kon dat iets zijn?

Voor Espen wellicht, dacht Valdemar, voor hem, maar niet voor mij.

Dus, wat wil ik dan doen?

Wat wil je in godsnaam doen met de jaren die je nog resten op deze aarde, Ante Valdemar Roos?

De vraag beangstigde hem een beetje, dat was zo. Of misschien veroorzaakte het antwoord die druk op zijn borst.

Want er was immers geen antwoord. Of in ieder geval niet een dat echt verstandig leek.

Ik wil op een stoel voor mijn huisje in het bos zitten en om me heen kijken. Misschien af en toe een wandelingetje maken. Naar binnen gaan als het koud wordt.

De open haard aansteken.

Zou dat zijn doel zijn? Hoe zou de wereld er verdomme uitzien als alle mensen alleen maar op een stoel zaten, om zich heen keken en de haard aanstaken?

Nou ja, dacht Valdemar, dat is mijn probleem niet. Ik ben anders dan anderen, maar ik hoop in elk geval dat ik ergens binnen in me nog een beetje goedheid bezit.

Al is het maar een heel klein beetje.

Hij wist niet waarom dat van die goedheid in hem opkwam, maar na deze samenvatting van de stand van zaken duurde het nog maar enkele minuten voor hij in een diepe en barmhartige slaap viel.

5

De maandag begon met een paar lichte buien; zowel Alice als Wilma had een regenjas aan toen ze zich van huis weghaastten, maar toen Valdemar zelf de straat overstak naar de parkeerplaats aan de achterzijde van de Liljebakkerij, was de lucht weer stabiel. Een gelijkmatige, bleekgrijze massa strekte zich naar alle kanten uit, de temperatuur leek rond de twintig graden te liggen en Valdemar verwachtte niet dat hij de trui die in zijn tas zat, nodig zou hebben.

Het leek er ook niet op dat er nog meer regen komen zou en er stond een zwak, zwoel windje vanuit het zuidwesten. Toen hij zijn portier opende voelde hij het weer bruisen in zijn lijf, hetzelfde wat hij had gevoeld toen hij de bank uit gekomen was en wel over het plein had willen dansen. Er gebeurt iets in me, dacht hij. Hoe noemde je ze ook alweer, die planten waarvan de zaden alleen maar begonnen te ontkiemen als er een hevige bosbrand was geweest? *Pyrofila,* was dat het niet?

Ik behoor tot de pyrofila, dacht Ante Valdemar Roos, dat is het probleem. Ik word maar ongeveer eens in de honderd jaar wakker.

Hij reed in noordelijke richting naar de Rockstarotonde. Het was de vertrouwde weg die hij al achtentwintig jaar nam, maar deze keer sloeg hij links af in westelijke richting in plaats van rechtdoor te gaan, en die onbeduidende, kleine verandering maakte dat hij zomaar door het half geopende raam 'Joepie!' naar buiten riep. Hij kon het gewoon niet laten, zijn ziel trilde van geluk in zijn borst.

Hij riep zichzelf weer tot de orde en keek op zijn horloge. Het was precies half negen, zoals altijd als hij de Rockstarotonde nam. Maar hier op de 172 was minder verkeer, merkte hij; beduidend minder dan op Svartövägen. De meeste voertuigen reden ook naar de stad, slechts af en toe was er een die de andere kant op reed.

Zoals hij. Weg van de stad.

Bij Flatfors kwam hij bij het meer Kymmen, en een paar kilometer verderop, in het dorp Rimmingebäck, stopte hij bij de Statoilpomp om te tanken. Hij kocht ook wat proviand: een verpakte boterham met gehaktballetjes en bietensalade, een flesje Ramlösa en een stuk chocoladecake. Hij had natuurlijk zijn gewone lunchpakketje in zijn tas, maar je wist maar nooit. Misschien zou een dag in de buitenlucht hem hongeriger maken dan normaal.

Voor hij verder reed haalde hij zijn kaarten tevoorschijn. Zowel zijn wegenkaart als de twee kaartjes die hij van internet had gehaald. Het moest niet moeilijk zijn om de twee locaties te vinden. De eerste heette Rosskvarn en lag vlak bij het meer Kymmen – aan de noordzijde, ongeveer vijftien kilometer van de stad, als hij het juist inschatte. Hij kreeg de indruk dat het enigszins in open gebied lag en dat er meer huizen stonden.

Valdemar vermoedde dat het andere object, dat 'Lograna' genoemd werd volgens de informatie van de makelaar, het interessantst was, maar hij had zich voorgenomen om toch eerst langs Rosskvarn te gaan en dat te bekijken.

Hij had immers de tijd.

Alle tijd van de wereld had Ante Valdemar Roos. Toen hij op deze historische morgen voor de tweede maal zijn auto startte, zag hij kort zijn gezicht in de achteruitkijkspiegel, die verkeerd stond afgesteld. Hij constateerde dat er een brede grijns op stond.

Niemand in heel de wijde wereld weet waar ik ben, dacht hij.

En ergens in de buurt van zijn strottehoofd, waar alle sterke gevoelens hun voeding vinden en hun uitdrukking krijgen, voelde hij een trilling van iets wat wel geluk moest zijn.

Zijn vermoeden bleek aardig te kloppen.

Rosskvarn was een huis dat in een langgerekt dal stond bij het meer, dat je vanaf enkele honderden meters afstand door een dunne haag loofbomen kon zien liggen. Er stond een kudde schapen te grazen en verderop was het indringende geluid van een brommer te horen. Of misschien was het een zaagblad. Er was op zich niets mis met het huis, vond Valdemar, terwijl hij er langzaam langsreed, maar het lag vlak bij de weg en je zag minstens drie andere huisjes in de directe omgeving. Hij nam niet eens de moeite om uit te stappen, reed er alleen maar langs en was al een paar minuten later weer op de grote weg.

Hij keek op zijn horloge. Nog niet eens tien over negen, hij besloot meteen door te rijden naar Lograna. Dat huis moest hooguit twintig à vijfentwintig kilometer verderop staan, eerst nog een stukje over de 172, daarna, net even voor Vreten, de 818 richting Dalby. Hij was vergeten de kilometerteller op nul te zetten toen hij van huis was gegaan, maar op de kaart had hij de volledige afstand geschat op zo'n vijfendertig, veertig kilometer. Vanuit Kymlinge welteverstaan.

Hooguit, dacht hij, maar het ging hem uiteindelijk natuurlijk niet om de afstand. De ligging was allesbepalend, zoals hij ook aan Espen Lund duidelijk gemaakt had. Of had hij dat niet? Hoe dan ook, dacht Valdemar, ik ben zelfs bereid een bouwval te kopen, als die maar op een plek staat waar ik met rust gelaten word.

Hij merkte dat er een beslistheid in zijn gedachten was die ochtend waar hij niet echt aan gewend was. Een soort kracht. Maar gezien de omstandigheden was dat waarschijnlijk niet verwonderlijk of zorgelijk. *Money talks*, zoals iemand met opeengeklemde kaken had gesist in een gangsterkomedie die hij samen met Alice een paar dagen geleden op tv gezien had; waarschijnlijk helemaal aan het begin van de film, want hij herinnerde zich niets meer van de rest van het verhaal.

Op internet hadden twee slechte foto's van Lograna gestaan, de ene was van buitenaf genomen, de andere was van het interieur, maar ze waren nogal nietszeggend. En in de beschrijving stond alleen maar 'boerderijtje'; de vraagprijs was slechts 375.000 kronen, ruim de helft van wat er voor Rosskvarn gevraagd werd. Hij nam aan dat dat kwam doordat er geen meer in de buurt was.

Na krap twintig minuten, net na het dorp Rimmersdal, kwam hij bij de afrit naar Dalby, waar hij een beduidend smallere, maar nog steeds geasfalteerde weg op draaide. Hij begon zin in koffie te krijgen en realiseerde zich dat het bij Wrigmans nu bijna tijd was voor de gebruikelijke koffiepauze. Kwart voor tien. Het was natuurlijk niet vreemd dat hij in al die jaren een innerlijke klok had ontwikkeld.

Helemaal niet vreemd. Ik heb mijn leven verpest in dat verdomde thermoshol, dacht Valdemar Roos. Ik hoop dat het niet te laat is om daarvan te herstellen.

Hij miste bijna de volgende afslag en ook dat was niet zo verwonderlijk. Die kwam namelijk vlak na een bocht naar rechts – met dicht en niet uitgedund sparrenbos aan beide kanten van de weg. Het was een klein weggetje met een afgebladderd en verroest bord waarop RÖDMOSSEN stond. Hij reed het weggetje op, zette zijn auto stil, controleerde de kaart en las de beschrijving. Het klopte; deze weg moest hij volgen. Er lag hier grind en de weg was zo smal dat je bij een tegenligger moest nadenken hoe je het ging aanpakken. Na ongeveer zevenhonderd meter zou er een nog smallere weg moeten volgen, aan zijn linkerhand, vlak na een veld. Geen bord, slechts een kleine bosweg, en dan nog eens ongeveer vijfhonderd meter. Daar zou het moeten liggen. *Lograna.*

Ideaal, dacht Valdemar. Verdorie, het lijkt werkelijk ideaal.

Hij kwam geen andere voertuigen tegen en op de zevenhonderd meter naar de laatste afslag had hij ook al geen rekening hoeven houden met tegemoetkomend verkeer. Als hij erover nadacht was het sowieso een hele tijd geleden dat hij een auto gezien had. Minstens tien of vijftien minuten. Wat kon Zweden toch verlaten zijn, zelfs als je niet in het afgelegen Norrland was.

En zo veel bos. Hij herinnerde zich de orkaan Gudrun,

die een paar jaar geleden over het land getrokken was en grote schade had aangericht voor de boseigenaren. Hier leek het meeste bos intact, maar hij bevond zich dan ook iets noordelijker dan de ergst getroffen gebieden.

De bosweg waar hij nu voorzichtig overheen hobbelde werd waarschijnlijk niet al te vaak gebruikt. Een strook hoog opgeschoten gras liep over het midden van het pad, hij kon de sprieten tegen de onderkant van zijn auto horen schrapen. Mooi bos aan beide zijden, constateerde hij; op een paar plekken waren bomen weggehaald, maar alleen om het bos wat uit te dunnen, een nette stapel gekapte bomen lag langs de kant van de weg. Hij reed ervoorbij en voelde hoe de opwinding in zijn lijf toenam.

Om een rotsige heuvel heen. Hier was het landschap wat meer open, je zou de heuvel op kunnen gaan om over het landschap uit te kijken, dacht hij. Daarna volgde een flauwe bocht naar rechts, een klein beetje aflopend, en dan was er een laatste knikje naar links.

Daar stond het.

Ik neem het, was zijn eerste gedachte. Hij had de motor nog niet afgezet en was de auto nog niet uit gestapt.

Het eerste half uur bleef hij alleen maar stil zitten kijken om alles in zich op te nemen, te luisteren naar de geluiden en de geuren op te snuiven. Terwijl hij zijn handen vouwde, voelde hij hoe zijn zintuigen ontwaakten. De pyrofiele zaadjes in zijn binnenste braken door hun vlies.

Hij zat op een laag hakblok, dat veel kerven bevatte en naast een schuurtje stond, waartegen een behoorlijke hoeveelheid hout lag opgestapeld.

Hij dronk een kop koffie, een paar slokken van de Ramlösa en at langzaam zijn boterham met gehaktballetjes op.

Wat later kwamen er opeens tranen. Ante Valdemar Roos had zeker twintig jaar niet gehuild en in eerste instantie probeerde hij ze tegen te houden; hij snoot resoluut zijn neus en wreef zijn ogen droog met de mouw van zijn overhemd.

Maar toen liet hij ze de vrije loop.

Ik zit hier gewoon te janken, dacht hij en lange tijd was dat de enige gedachte waarvoor plaats was in zijn hoofd.

Ik zit hier gewoon te janken.

Toen herinnerde hij zich iets wat hij jaren geleden in een boek gelezen had; het was niet een van die meer of minder gecompliceerde romans geweest die hij normaal gesproken las, maar een reisverhaal. Hij herinnerde zich de naam van de schrijver niet, maar hij wist zeker dat het een Engelsman geweest was. De man schreef over de Aboriginals, de oorspronkelijke bewoners van Australië. Er werd over hen beweerd dat ze het leven als een lange reis zagen, en dat ze, wanneer ze voelden dat hun einde naderde, de plek moesten zien te vinden waar ze zouden sterven. De voorbestemde plek.

Songlines, was dat niet de titel?

Lograna, dacht hij. Wat een wonderlijke weg heeft me hiernaartoe geleid.

Groot was het niet. Het was maar een armzalig stulpje met een stenen fundering en een pannendak. Het zag er min of meer hetzelfde uit als alle huisjes in dit land. Het typisch Zweedse rood en de witte kozijnen, een beetje afgebladderd her en der. Een woonkamer en een keuken, waarschijnlijk, wellicht nog een extra kamertje. Misschien had hier honderdvijftig jaar geleden een soldaat gewoond, dacht Valdemar. Een soldaat met zijn vrouw.

Het terrein eromheen – hoog gras onder twee knoestige appelbomen en rond een paar aalbessenstruiken – was niet groter dan vijfentwintig bij vijfentwintig meter. Naar één kant toe, naar het zuiden voor zover hij kon beoordelen, was een ongeveer even groot stuk grond gerooid, maar daar stonden de scheuten van berken en espen inmiddels alweer manshoog. Verder was er rondom alleen maar bos. Het waren voornamelijk sparren en dennen, maar er stonden ook scheuten van berken en misschien nog andere soorten loofbomen tussen. Aan de rand van het terrein, aan de noordkant, stond een ouderwetse 'aardkelder', een gedeeltelijk ondergrondse opslagplaats.

En dan was er nog het vervallen schuurtje, waar hij naast zat, met een toilethuisje aan de korte zijde. Dat was alles.

Valdemar vroeg zich af hoelang het al te koop stond. Het leek in elk geval alsof het al jaren onbewoond was. Aan de buitenkant liep een leiding naar de uit bakstenen opgetrokken schoorsteen, dus kennelijk was er elektriciteit. Of misschien was het wel een oude telefoonleiding, hij wist het niet. Een pomp in het midden van de tuin gaf een aanwijzing over de watervoorziening. Er was vast niet een leiding naar het huis doorgetrokken.

Was dat een grondwaterput? Dat woord had hij eens door iemand horen gebruiken. Ik hoop in elk geval dat het water drinkbaar is, dacht hij en hij bemerkte dat het huilen inmiddels gestopt was en dat hij al plannen aan het maken was.

Opeens werd hij bang. Stel dat iemand anders hier al geweest was en het gekocht had? Stel dat het te laat was? Hij stond op en haalde zijn mobieltje uit zijn zak, maar moest constateren dat hij geen bereik had.

Rustig nou, dacht hij. Wie, behalve ikzelf, zou zoiets als dit nu willen hebben?

Iemand die net zo is als ik? Daarvan zijn er niet zo veel.

Maar misschien was er toch een enkeling. Beter nog maar niet te vroeg juichen.

Voorzichtig maakte hij een rondje om het huis. Hij probeerde naar binnen te gluren; voelde ook even aan de deur, maar die was op slot. Er waren maar vier ramen, voor drie daarvan waren de rolgordijnen naar beneden gelaten, maar bij het vierde raam was het rolgordijn omhoog. Toen hij zijn gezicht tegen het glas aan drukte en met zijn handen de zon afweerde, kon hij binnen het een en ander zien staan.

Een tafel met een gehaakt tafelkleed erop en drie stoelen eromheen.

Een buffetkast.

Een bed.

Een schilderij en een spiegel aan de muur, en de opening van een deur naar wat de keuken moest zijn.

Verder een schoorsteenmantel met een open haard. Zo erg uitgewoond zag het er nu ook weer niet uit. De ramen waren nog heel. De dakpannen leken ook in redelijke staat, al moest er wellicht her en der een vervangen worden.

Valdemar liep terug naar de pomp en bewoog de zwengel een paar keer op en neer. Het piepte, pruttelde en reutelde in de diepte, de pomp was ongetwijfeld al lange tijd niet meer in gebruik, maar Valdemar wist dat pompen tijd nodig hadden.

Waar hij die kennis vandaan had wist hij echter niet.

Pompen die tijd nodig hadden?

Hij bleef even stil in het hoge gras staan en keek nog eens goed om zich heen. Sloot zijn ogen en spitste zijn oren.

Het zwakke geruis van de bomen, dat was het enige wat je hoorde. Het klonk bijna als de zee, maar dan van ver, ver weg.

Je rook de geur van gras en aarde. En van iets wat waarschijnlijk gewoon boslucht was. Opeens brak de zon door, Valdemar opende zijn ogen, hij moest knijpen tegen het licht. Hij liep naar het schuurtje en opende de deur, het slot bestond slechts uit metaalbeslag en een spijker in een kram. Er lag alleen maar rotzooi binnen en het rook er naar schimmel en vocht. Hij vond een oude vouwstoel, zette hem buiten neer en ging erop zitten.

Hij hief zijn gezicht naar de zon.

Sloot zijn ogen weer en hoorde zijn vaders stem vanuit het verleden.

Beter dan dit wordt het nooit.

Een uur later stond hij op de kleine rotsheuvel waar hij onderweg naar het huis langs was gereden. Hij had goed uitzicht naar alle kanten. Nergens zag hij bebouwing. Lograna lag beschut achter een kleine heuvelrug en alleen in noordelijke richting kon hij open veld onderscheiden, maar dat was zeker twee kilometer verderop.

Verder zag hij alleen maar bos, bos en nog eens bos.

En precies zoals hij gehoopt had, had zijn mobieltje hierboven wel bereik. Hij belde naar de informatiedienst en verzocht doorverbonden te worden met Lindgren, Larsson en Lund.

Lindgren nam op, Lund was met klanten op pad, deelde hij mee.

Valdemar kreeg zijn mobiele nummer en toetste dat onmiddellijk in. Espen Lund nam na een paar keer overgegaan op.

'Met Lund. Het komt niet helemaal gelegen.'

'Met Valdemar', antwoordde Valdemar en hij ging op een stronk zitten. 'Ik koop Lograna.'

'Sorry, vriend', zei Espen. ''t Is net verkocht vanochtend.'

Ante Valdemar Roos viel om van schrik en belandde met zijn knieën in een stapel takken, rijshout en schilfers. Hij voelde hoe het bloed uit zijn hoofd wegtrok en hoe zijn blikveld zich vernauwde.

'Dat kan niet waar zijn ...' perste hij eruit.

'Ik maak maar een geintje', zei Espen. 'Je bent de eerste bieder sinds de lente.'

'Verdomme', hijgde Valdemar en hij ging weer op de stronk zitten. 'Maar bedankt.'

'Probleem is dat het ouwe mens niet in prijs wil zakken', ging Espen onverstoorbaar verder. 'Je zult driehonderdvijfentwintig neer moeten tellen.'

'Dat is geen probleem', zei Valdemar. 'Helemaal geen probleem. Wanneer kunnen we het regelen?'

'Je zit als een bok op de haverkist', zei Espen. 'Kun je morgenochtend langskomen ... nee, je moet werken natuurlijk.'

‘Ik kan wel een paar uur vrij nemen’, verzekerde Valdemar hem. ‘Hoe laat?’

‘Ik moet eerst even met dat oude mensje praten. Als je niets van me hoort, kun je om tien uur komen.’

‘Ik wil ...’

‘Ja?’

‘Van die discretie, weet je nog?’

Espen pauzeerde om een paar keer te hoesten. ‘Dat is geen probleem’, stelde hij toen vast. ‘Zowel Lindgren als Larsson is er dan niet. Alleen jij, ik en die vrouw zullen er zijn.’

‘Perfect’, antwoordde Valdemar. ‘Hoe ... hoe heet ze eigenlijk?’

‘Anita Lindblom’, zei Espen Lund. ‘Net als die zangeres van “Zo is het leven”. Maar ze is het niet, hoor. Deze vrouw is de vijfentachtig al gepasseerd. Ze heeft trouwens maar één arm. God mag weten hoe dat komt, maar zo kan het gaan.’

‘Zo is het leven’, grapte Valdemar.

‘Inderdaad’, zei Espen.

Nadat het gesprek was beëindigd keek Valdemar op zijn horloge. Kwart voor één. Hoogste tijd om naar het huisje terug te gaan om te lunchen.

Zijn lijf leek wel te zingen toen hij de heuvel af liep. Bijna zoals Anita Lindblom.

6

Laat op de avond van 28 augustus stond Friheten in brand.

Friheten was een witgeschilderd, houten gebouwtje, iets tussen een tuinhuisje en een speelhuisje in, en het stond naast seringenstruiken een tiental meters van de rand van het meer. Eigenlijk bestond het alleen maar uit een houten vloer met een houten dak, dat door vier grove palen in de hoeken werd ondersteund. Twee lage banken tegenover elkaar en een piepkleine tafel ertussen. De meisjes zaten hier altijd te praten en te roken. Waar de naam vandaan kwam wist Anna niet, maar het werd Friheten, De Vrijheid, genoemd, zo was het gewoon.

Alle meisjes in het huis rookten, drugsmisbruik was vrijwel ondenkbaar als je niet ooit met gewone tabak was begonnen. Anna herinnerde zich hoe op de middelbare school de schoolleiding eens het plan opgevat had om alle leerlingen die rookten te registreren; men had een brief naar de ouders gestuurd en aangegeven dat hun kinderen zich in de zogenaamde risicozone konden bevinden. Dat was een hele rel geworden. Schending van de persoonlijke integriteit, fascistenpraktijken, valse verdachtmaking; een aantal rokers waren lid van de SSU, een sociaal-democratische jongerenorganisatie, en hadden een cursus democratie en recht gevolgd. Het had er zelfs in geresulteerd dat de leerlingen een halve dag hadden gestaakt.

Toch had die arme rector in zekere zin gelijk gehad, had Anna achteraf gevonden. Jonge mensen die niet met roken begonnen, begonnen ook niet aan drugs.

Hoewel er natuurlijk mensen waren die rookten zonder ooit aan de drugs te gaan. Genoeg mensen zelfs, het merendeel, om precies te zijn.

Maar in het Elvaforshuis was roken in elk geval toegestaan. Buiten en onder het dak van Friheten; om de meisjes zowel drugs als tabak te verbieden zou te veel gevraagd zijn. Eén ding tegelijk, eerst de grote problemen, daarna de kleine, zei Sonja Svensson altijd. Ze rookte zelf niet, maar meerdere medewerksters deden dat wel en voor zover Anna wist, had geen van hen daar problemen mee.

Dat had ze zelf ook niet, afgezien van het feit dat het geld kostte. Ze kregen een soort zakgeld in het huis. 200 kronen per week. Met geld omgaan was een basisvaardigheid als je je leven op orde wilde krijgen. Alle meiden, zonder uitzondering, hadden schulden: grote stapels incassobrieven en onbetaalde rekeningen. In de eerste weken had Lena-Marie, een nicht van Sonja, die financieel onderlegd was – in ieder geval had ze twee jaar het profiel economie op de middelbare school gevolgd – met ieder van hen een gesprek gehad om orde te brengen in die chaotische kant van hun chaotische leven. Het was de bedoeling dat de meisjes op een gegeven moment zelf contact opnamen met hun schuldeisers en een afbetalingsregeling troffen. Dat klonk duizelingwekkend beangstigend, dat vonden ze allemaal, Anna incluis.

Hoe dan ook, van het zakgeld ging meer dan de helft op aan sigaretten, zo was het gewoon.

Slordigheid met een sigaret was echter niet de oorzaak van het afbranden van Friheten. Integendeel, het was de volgende ochtend al bij iedereen bekend dat de brand was aangestoken.

Conny, Sonja's man en de enige van zijn sekse die voet zette in Elvafors, had namelijk een lege jerrycan achter de voorraadschuur aangetroffen. De jerrycan was afkomstig uit diezelfde schuur, waar van alles bewaard werd dat in het huis nodig was: gereedschap, grootverpakkingen toiletpapier enzovoort.

De deur was niet op slot geweest, dat was nooit het geval, want er stonden geen waardevolle dingen in de schuur. Iedereen kon dus rond elven naar binnen geslopen zijn – de brand was rond kwart over begonnen – de jerrycan gepakt hebben, de inhoud over Friheten hebben uitgegoten en er een aansteker bij gehouden hebben. Conny zat bij de vrijwillige brandweer en had heel wat branden gezien, er bestond geen twijfel over de toedracht.

Het moest dus een van de meisjes zijn geweest. In theorie kon het natuurlijk iemand van buitenaf zijn, maar dat was alleen maar theorie. Sonja Svensson wees die mogelijkheid meteen van de hand, want welk motief kon een vreemde hebben om Friheten in brand te steken?

Over het motief dat een van de meisjes dan zou moeten hebben, weidde ze verder niet uit. Tijdens het kringgesprek hield ze een scherp betoog en verklaarde ze dat het gevolgen voor iedereen zou hebben als de schuldige zich in de loop van de dag niet bij haar meldde.

Als je als individu niet je verantwoordelijkheid nam, moest de hele groep die maar delen, vond Sonja. Dat was een simpele regel, die in het leven gold en ook hier in het Elvaforshuis.

's Middags stond Anna bij het meer een sigaretje te roken samen met Turid, een meisje uit Arvika dat in de tussenfase woonde, en ze vroeg haar of ze dacht dat de politie ingeschakeld zou worden.

'De politie!' snoof Turid. 'Nooit ofte nimmer. Sonja is schijtbenauwd voor alles wat Elvafors een slechte reputatie kan bezorgen, heb je dat niet in de gaten?'

'Hoezo dan?' vroeg Anna.

'Als die geitewollen sokken de conclusie trekken dat het hier niet goed functioneert, sturen ze hier geen cliënten meer naartoe. We zijn 1.000 kronen per dag waard, vergeet dat niet. En we zitten nou niet bepaald vol.'

Anna dacht even na en knikte toen. Dat klopte, na Ludmilla's verdwijning waren ze nog maar met vijf meisjes in het grote huis, er was nog plaats voor vier. En Turid en Maria zouden binnenkort naar de eindfase in Dalby overgeplaatst worden, zo gingen de geruchten.

'Misschien begint er wel een tekort aan junkiegrietjes in dit land te ontstaan', zei ze in een poging om grappig te zijn.

'In de hel ook', zei Turid, die bijna nooit ergens om lachte, en Anna meende dat dat met haar achtergrond misschien niet zo raar was. 'Maar ze vinden vast dat het niet loont om geld in meiden zoals wij te investeren. Beter dat we jong doodgaan, zodat we de samenleving niet meer tot last zijn.'

Anna kreeg een krop in haar keel en slikte.

'Wie denk jij dat de brand heeft aangestoken?' vroeg ze.

'Wie denk je zelf, verdomme?' antwoordde Turid en ze gooide haar peuk in het water. 'Die gestoorde klote-Marie natuurlijk, dat weet toch iedereen.'

'Marie?' zei Anna verbaasd. 'Weet je het zeker?'

'Ik heb haar gezien', zei Turid. Ze keerde Anna haar rug toe en begon naar het huis te lopen.

Marie? dacht Anna. De krop in haar keel kwam weer terug. Waarom zou Marie Friheten in brand steken? Als ze een van de meisjes had moeten uitkiezen om in vertrouwen te nemen – of om samen mee in het huisje van de tussenfase te zitten – dan had ze Marie gekozen. Zonder aarzelen. Ze mocht haar, zo was het gewoon. Sommige mensen mocht je, andere niet. Zo iemand als Turid zou Anna van haar levensdagen nooit aardig kunnen vinden, al deed ze nog zo haar best.

Marie was geboren in Korea, een schattig popje dat door Zweedse ouders geadopteerd was toen ze een jaar of twee, drie was. Het meisje wist niet op welke dag of in welk jaar ze geboren was. Ze was rustig en vriendelijk, maar in het verleden was ze zowel door vriendjes als door een oom misbruikt; ze had bovendien een kind, waarover ze de voogdij was kwijtgeraakt. Toen ze in Elvafors kwam – dat was een paar weken voor Anna's komst geweest – was ze in God gaan geloven. Dat beweerde ze in elk geval, op haar stille en verlegen manier. Anna had haar ook in de bijbel zien lezen.

Waarom zou Marie in hemelsnaam Friheten in brand steken?

Anna realiseerde zich dat ze haar eigenlijk niet echt kende en ze kwam plotseling tot het besef dat dat ook gold voor de andere meisjes. Iedereen kon van alles zeggen over een ander, en zij zou niet kunnen uitmaken of het waar was of niet.

Dat kwam voor een groot deel door haarzelf, dat zag ze wel in. Terwijl ze langzaam achter Turid aan naar het huis toe liep, moest ze denken aan wat haar neef Ryszard, die in Canada woonde en op Johnny Depp wilde lijken, tegen haar gezegd had in die ene zomer dat ze elkaar ontmoet hadden.

'Je bent een loner, Anna, geef het nu maar gewoon toe. Jij en die verdomde geest van je, jullie hebben zo veel met elkaar te bepraten dat jullie nooit tijd hebben voor iemand anders.'

Hij had het in het Engels gezegd, want hij sprak niet goed Pools meer.

'You and your fucking soul, Anna.'

Klopte dat? Ja, toch wel, gaf ze voor zichzelf toe. Het was waarschijnlijk waar.

Misschien kon je ook wel een letter van het Engelse woord 'loner' vervangen.

Loser.

Diezelfde avond kwam Sonja naar haar kamer om te zeggen dat er telefoon voor haar was in het kantoor.

Het was haar moeder. Anna hoorde meteen aan haar stem dat er iets mis was. Iets wat voor één keer niet haar schuld was.

'Ik kan je volgende week niet komen bezoeken.'

Er was afgesproken dat ze een halve dag op bezoek zou komen die vrijdag. Om geïnformeerd te worden over hoe het met Anna ging, om te zien welke vooruitgang ze tijdens haar eerste weken in het Elvaforshuis had geboekt en om even met haar samen te kunnen zijn. Er was geen speciale dag voor familiebezoek, maar het was gebruikelijk dat een ouder of ander familielid na ongeveer een maand kort op visite kwam.

'Waarom niet?' vroeg Anna, met een onwillekeurige snik in haar stem. Ze hoopte dat haar moeder het niet zou merken.

Dat deed haar moeder inderdaad niet. Ze zei: 'Mamma, je oma dus, is ziek. Ik moet naar Warschau om voor haar te zorgen.'

'Is ze ... is het ...?'

'Ik weet het niet', antwoordde haar moeder. 'Nee, ze gaat vast niet dood. Zo ernstig klonk het niet. Maar ik moet wel naar haar toe, Wojtek zegt dat hij het niet langer redt om voor haar te zorgen en ik zit toch in de ziektewet vanwege mijn knieën. Ik heb eigenlijk geen keuze, Anna, je moet het me vergeven.'

'Natuurlijk neem ik het je niet kwalijk. Hoe moet het met Marek?'

'Hij kan zolang bij Majka en Tomek logeren. En, Anna?'

'Ja?'

'Ik beloof op bezoek te komen zodra ik terug ben.'

Ze spraken nog een paar minuten voor ze ophingen en Anna moest al die tijd tegen haar tranen vechten. Maar ze kon zich inhouden, godzijdank, het laatste wat ze wilde was haar moeder nog meer schuldgevoel bezorgen dan ze al had. Nadat ze had opgehangen, bleef ze nog een tijdje in het halfdonkere kantoor zitten om tot zichzelf te komen. Ze probeerde te begrijpen waarom ze zich plotseling zo vertwijfeld verdrietig voelde. Natuurlijk speelden er veel dingen mee; het afgebrande Friheten, Turids bewering dat Marie de brand gesticht had, haar arme moeder, haar oma en de kleine Marek, haar hopeloze leven in het algemeen – hoewel ze haar gitaar teruggekregen had – het was veel, alles bij elkaar.

Er was nog iets; ze bedacht het pas later, alsof ze het niet echt had willen toegeven, maar misschien was het ook wel het moeilijkste om mee om te gaan: haar moeder was niet nuchter geweest. Ze moest zeker vier of vijf glazen rode wijn achterovergeslagen hebben voor ze had opgebeld.

Zij ook, dacht Anna toen ze het erf overstak. Ik heb het van beide kanten geërfd.

Een uur later in bed lag ze nog een hele tijd aan haar familie te denken. Ze lag op haar zij en staarde door het raam naar buiten, naar de bosrand aan de andere kant van de weg en naar de paar sterren die daarboven stonden te glinsteren.

Haar familie en haar leven.

Dat er zo veel kon gebeuren binnen slechts enkele generaties. Dat het zo snel ging. Haar oma, die nu dus ernstig ziek was, was in 1930 geboren in het kleine dorp waar ze nog steeds woonde. Het lag op enkele tientallen kilometers afstand van Warschau. Anna was er twee keer geweest, beide keren had ze het gevoel gehad dat ze in de tijd was teruggereisd, naar 1930 of nog verder terug. Een andere tijd en een heel ander leven. In totaal had ze haar oma vijf of zes keer ontmoet, en alle keren had de vrouw iets beangstigends voor haar gehad. Ze deed haar een beetje denken aan de Morre uit de boeken over de Moomins. Er was ook iets mis met haar hoofd, met haar psychische gezondheid, maar meer had haar moeder daar nooit over verteld.

En nu lag haar oma kennelijk in een ziekenhuis in Warschau. En had ze een kleindochter die in een huis voor vrouwelijke drugsverslaafden zat, in een vergeten gat in Zweden – een land waarover ze elke keer dat ze het noodgedwongen bezocht negatiever was gaan denken. Er was geen religie en geen fatsoen, zei ze altijd. God had het land verlaten. En het gat waar haar kleinkind gevangengehouden werd, was zelfs nog kleiner dan haar Poolse dorp.

Gevangengehouden? Anna schudde haar hoofd en probeerde te lachen, maar het lukte niet.

Anna's moeder was in 1984 naar Zweden gekomen. Toen Anna in 1987 geboren werd, was haar vader, Krzysztof, al met een andere vrouw geweest. Maar de scheiding was pas definitief geworden toen Anna zes jaar was. Haar moeder was er nooit helemaal in geslaagd uit te leggen wat daar de reden voor was. Voor zijn veertigste had Krzysztof in elk geval al bij vier verschillende vrouwen kinderen, allemaal Poolse vrouwen die in de jaren tachtig naar Zweden geëmigreerd waren. Allemaal woonachtig in Örebro of Västerås en omgeving.

Hij was een mooie, zachte man, vrouwen verdronken graag in zijn weemoedige ogen, had haar moeder eens gezegd. Zelf verdronk hij in de alcohol.

Geboren met een grote kunstenaarsziel, had haar moeder ook gezegd. Helaas zonder te beschikken over enig talent.

Misschien geldt voor mij hetzelfde, dacht Anna. Met mijn gitaar en die stomme, pathetische liedjes van me.

Marek, haar kleine broertje, had een andere vader, die Adam heette; een zoveelste onbetrouwbare man, volgens haar moeder. Het leek op te gaan voor alle mannen in het Pools-Zweedse milieu waarin Anna was opgegroeid. De vrouwen waren de sterken, die hielden de gezinnen bij elkaar, onderhielden de sociale contacten, zorgden voor de kinderen en gingen verder met het leven. Onder alle omstandigheden. De mannen dronken, deden diepzinnig, voelden zich onbegrepen en bespraken de politiek.

Maar Anna was níét sterk geweest, en ze vroeg zich af hoe het eigenlijk met haar moeder ging. Het feit dat ze tijdens het telefoongesprek aangeschoten had geklonken liet haar maar niet los.

Als haar moeder niet eens sterk genoeg was, hoe zou Anna dan haar eigen kracht kunnen vinden?

Zweeds of Pools, het maakte in feite geen verschil. Toen ze het op de middelbare school niet naar haar zin had gehad, had ze het prettig gevonden om alles aan haar dubbele nationaliteit te wijten, maar later, en ook omdat de eerlijkheid dat gebood, begreep ze dat dat alleen maar een laffe uitvlucht was geweest. Zo'n groot verschil was er in feite niet tussen Zweden en Polen. Je kon bijvoorbeeld niet aan haar zien waar ze vandaan kwam, ze zou net zo goed voor een kind van oer-Zweedse ouders uit Stockholm of Säffle kunnen doorgaan.

Ze had haar leven in eigen hand, dat was de waarheid, en als ze het wilde vergooien was dat haar eigen keuze – precies zoals ze altijd zeiden als ze tijdens een kringgesprek hun tekortkomingen analyseerden. De omstandigheden waren niet bepalend. Jijzelf was dat.

Zo verdomd gemakkelijk gezegd, zo moeilijk om naar te leven.

Als je het twaalfstappenprogramma niet volgde, welteverstaan. Dat was de redding. Een kracht sterker dan jezelf ...

Ze moest aan Steffo denken. Dat was ook een kracht.

Hoe had ze in godsnaam iemand als Steffo in haar leven kunnen toelaten? Dat was de onbehaaglijkste van alle vragen die ze zichzelf stelde; die waar ze de meeste hekel aan had. Ze was bij hem zelfs nooit in de buurt van verliefdheid gekomen. Ze had hem niet eens bijzonder knap gevonden.

Maar het antwoord was simpel. Hij had haar met drugs aan zich gebonden, daarmee was hij belangrijker geweest dan wie of wat dan ook. Met de andere meisjes was het net zo, in dat patroon kwam je onvermijdelijk terecht als je drugsverslaafd was en van het zwakke geslacht. Zoals dat heette. Alle meisjes in Elvafors waren met jongens omgegaan die klootzakken waren, de een nog gemener en egoïstischer dan de ander. Steffo was misschien niet eens de ergste, maar ze waren slechts een paar maanden samen geweest, dus wist Anna niet hoe hij zich ontpopt zou hebben als de relatie langer had geduurd.

Al was hij wel gemeen geweest. Ze herinnerde zich plotseling een voorval, en als ze beter nadacht, begreep ze dat het veel over hem zei.

Hij had ooit eens wat verteld. Hij was bij een soort psychologe geweest, een vrouw die hij openlijk verachtte. Ze had met hem over empathie gesproken, over het vermogen om te begrijpen hoe anderen zich voelen en over bepaalde zaken denken.

'Sommige kinderen doen bijvoorbeeld dieren pijn',

had ze blijkbaar gezegd, 'zonder te beseffen dat dieren pijn voelen. En er zijn mensen die dat ook later in hun leven niet beseffen.'

'Denkt u dat ik zo iemand ben?' had Steffo gevraagd. De vrouw had geantwoord dat ze hoopte dat hij niet zo was.

Toen had Steffo geantwoord dat ze daar helemaal gelijk in had, want toen hij op twaalfjarige leeftijd de vleugels van de twee kanariepietjes van zijn zus gebroken had, had hij heel goed geweten dat dat pijn deed.

Dat was nou juist verdomme de clou geweest!

Hij had gelachen toen hij het verhaal aan Anna vertelde. Alsof hij er trots op was. Zowel op wat hij met de arme vogeltjes gedaan had als op wat hij tegen die lachwekkende psychologe had gezegd.

Anna kreeg kippenvel als ze aan dat voorval dacht. Met het verdwijnen van het gif uit mijn bloed begin ik te begrijpen hoe bang ik eigenlijk voor hem ben, dacht ze.

Nooit meer. Wat er ook gebeurt, Steffo wil ik nooit meer zien.

Geen van de meisjes had bekend Friheten in brand te hebben gestoken, verklaarde Sonja tijdens het kringgesprek de volgende morgen. Maar de zaak zou toch opgelost worden. De andere meisjes hoefden alleen maar te besluiten om samen te werken.

En ze hadden toch allemaal besloten aan het twaalfstappenprogramma deel te nemen en de regels van het Elvaforshuis na te leven, nietwaar? Begrepen ze niet allemaal, diep van binnen, dat juist dat de enige weg voor hen was om te ontsnappen uit de hel waarin ze vele jaren geleefd hadden?

Anna begreep niet waar Sonja het over had. Wat had het twaalfstappenprogramma met de brand te maken? Wat bedoelde Sonja ermee dat ze moesten samenwerken omdat het anders helemaal mis met hen zou gaan? Ze zei dat letterlijk: samenwerken of anders gaat het mis. Anna keek om zich heen en merkte dat de andere meisjes net zo in de war waren als zij. Behalve misschien Turid dan.

Maar na afloop werd alleen Anna gevraagd om te blijven. De anderen stonden op, zetten de stoelen terug en liepen naar buiten om te roken. Anna bleef zitten wachten op wat Sonja haar nu weer te zeggen had. *Nu weer*, zo voelde het. Ze merkte dat ze niet verbaasd was, en ze hoefde niet lang te wachten om erachter te komen waarover het ging.

'Ik ben ervan op de hoogte dat jij weet wie Friheten in brand gestoken heeft', zei Sonja. 'Waarom vertel je het me niet gewoon?'

'Dat weet ik helemaal niet', antwoordde Anna.

'Je hoeft niet te liegen', zei Sonja. 'Vertel me nu maar de waarheid, anders maak je het jezelf alleen maar moeilijk.'

'Ik lieg niet', zei Anna.

'Een van de andere meisjes heeft gezegd dat jij het weet. Dat je het haar verteld hebt.'

Opeens begreep Anna wat er gebeurd was.

Turid.

Hoe kon ze ... hoe kon ze, in godsnaam? Eerst had ze Maries naam genoemd, en vervolgens had ze ... vervolgens had ze tegen Sonja gezegd dat Anna wist wie de dader was.

Zo was het gegaan. Zo moest het in elkaar steken, en

zo ... ja, zo gemeen en berekenend kon Turid kennelijk zijn. Anna schudde haar hoofd terwijl ze zich afvroeg hoe die meid eigenlijk in elkaar stak. Waarom deed iemand zoiets? Ze moest het op Marie gemunt hebben. Op haar ook misschien. Waarom? Was het alleen maar omdat Marie zo schattig was en door iedereen aardig gevonden werd?

Ze dacht na. Ja, dat was waarschijnlijk de reden. Turid was niet bepaald knap, ze had wat kilo's te veel rond haar middel en ze had al die slechte huid die zo kenmerkend was voor een verslaafde. Voor zover Anna wist was er bovendien niemand die haar erg graag mocht. Lag het zo simpel?

Ja, dacht ze, zo banaal was het waarschijnlijk. Tweeëntwintig jaar en dan al verbitterd. Misschien was zij zelf wel degene die de brand gesticht had?

'Ik wacht', zei Sonja. Ze had haar armen voor haar borst gekruist en zat te wiebelen op haar stoel. Ze leek enorm ingenomen met haar harde maar rechtvaardige houding. Anna kreeg plotseling zin om naar haar te spugen, maar ze wist zich te beheersen.

'Sorry', zei ze in plaats daarvan en ze rechtte haar rug. 'Ik ben bang dat je in de maling genomen bent. Ik heb Friheten niet in de brand gestoken en ik heb ook geen idee wie het wel gedaan heeft.'

'Ik weet dat je liegt', zei Sonja Svensson.

'Denk wat je wilt', zei Anna. 'Mag ik gaan?'

'Je kunt gaan', zei Sonja. 'Het is spijtig dat je niet wilt meewerken. Spijtig voor jouzelf.'

Toen Anna de tuin in liep was het inmiddels gaan regenen. De andere meisjes waren klaar met roken en gingen net weer naar binnen. Alleen met Marie had ze nog even oogcontact. Die leek op het punt te staan in huilen uit te barsten.

Waarom zou ik hier nog blijven? dacht Anna. Ik begin al afgestompt te raken.

7

De vier daaropvolgende dagen, van dinsdag tot en met vrijdag, reed Ante Valdemar Roos de achtendertig kilometer van Fanjunkargatan in Kymlinge naar Lograna. Heen en terug, elke dag. Hij bracht acht uur in de buurt van het huisje door, zonder er naar binnen te gaan – behalve op woensdag, toen hij op het kantoor van Espen Lund in de stad de papieren ondertekende en hij er maar vijf uur doorbracht. Het contract werd op de eerste september van kracht; Anita Lindblom tornde niet aan de regels en dacht er niet aan de sleutels eerder af te staan.

Valdemar benutte deze zachte, behaaglijke, laatste dagen van de zomer om nu eens in het omliggende bos rond te wandelen en dan weer in het zonnetje tegen de wand van het schuurtje te zitten met zijn gezicht naar de zon. Hij dronk koffie uit zijn thermoskan en at zijn broodjes, een met kaas, een met cervelaatworst, terwijl hij overdacht welke wendingen het leven toch kon nemen.

En het maakte niet uit: of hij nu alleen maar voor die rode houten wand zat, of dat hij wandelde – onder de statige dennen door naar Rödmossevägen, door het wat drassiger gedeelte met jonge boomscheuten richting het zuiden, of naar het hoger gelegen gebied in het westen – al die tijd was er iets wat van binnen klopte.

Ja, *kloppen* was het juiste woord, dacht Ante Valdemar Roos. Bijna alsof hij bevrucht was, alsof er een tot dan toe onbekende lege ruimte in hem gevuld was met nieuw leven. Zwanger zou je het kunnen noemen. Op je oude dag, het was waarachtig nog niet te laat.

Zo kan het gaan, dacht hij grinnikend. Zelfs dat soort wonderbaarlijkheden kan ons pyrofila overkomen. Zo is het leven.

Hij had een speciale plattegrond van het gebied gekocht, schaal 1:50.000, waarop hij de kleinste details in het landschap kon zien: bossen, open gebied en bebouwing tot op het niveau van tuinen en huizen. Wegen, paadjes, water en hoogtelijnen, hij kon zich niet herinneren zo'n type kaart bestudeerd te hebben sinds de verplichte oriëntatietochten in de herfst tijdens zijn middelbareschooltijd op het Bungelyceum.

Hij vergeleek de kaart met de werkelijkheid, om tot zijn tevredenheid te kunnen constateren dat Lograna precies zo afgelegen lag als hij had gedacht. Een zwart stipje in een zee van bos. Het dichtstbijzijnde erf lag op meer dan twee kilometer afstand, dat was Rödmossen, de naam die op het roestige bord bij Dalbyvägen stond. Hij was op een ochtend door het bos naar het boerenbedrijf toe gelopen en had het vanaf de bosrand staan bekijken, een heel gewoon boerenbedrijf, voor zover hij kon beoordelen, met een hoofdgebouw, een stal en een soort hal voor de machines. Op de velden eromheen was net geoogst, behalve het westelijke deel, waar een tiental koeien liep te grazen. In een kennel blaften twee honden.

De smalle en hobbelige weg waar Lograna aan lag liep door in een langgerekte U-bocht en kwam uit op Rödmossevägen, op een paar honderd meter afstand van deze boerderij. Behalve zijn eigen huis stuitte hij maar op één ander gebouwtje langs de bosweg: een huisje dat ongeveer even oud was als Lograna, maar in beduidend slechtere staat verkeerde. Het stond een krappe kilometer verderop naar het westen, diep het bos in, de schoorsteen was half ingestort en men had houtvezelplaten voor de ramen gespijkerd. Valdemar betwijfelde of er de afgelopen vijfentwintig jaar nog een mens een voet binnen had gezet.

Er waren weinig andere wegen. Op een dag probeerde Valdemar in een rechte lijn naar het zuiden te lopen om zo bij de 172 te komen, de autoweg tussen Kymlinge en Brattfors ter hoogte van Vreten. Het zou volgens de kaart ongeveer 2,5 kilometer moeten zijn, maar het terrein was nauwelijks begaanbaar vanwege dik kreupelbos en zompige moerasgrond. Na een uur kon hij niet anders dan omkeren.

Op zowel de dinsdag als de donderdag ondernam hij twee wandeltochten. Een langere in de ochtend en een kortere in de middag. Ik verover mijn gebied. Dat is het, dit is het beslissende punt en wat ik gemist heb.

Iedere dag na de lunch sliep hij ook een poosje, twintig minuten of een half uur, in de stoel. Bij het wakker worden had hij dan een beetje moeite om zich te oriënteren, maar dat ging over. Op vrijdag wist hij onmiddellijk waar hij was toen hij zijn ogen opendeed.

Lograna. Zijn plekje op aarde.

Op vrijdag maakte hij geen middagwandeling. In plaats daarvan bleef hij in zijn stoel zitten nadenken over van alles en nog wat; dat deed hij ook wel als hij wandelde, maar op deze dag voelde het heel speciaal om alleen maar te zitten, met de zon op zijn gezicht, die precies de juiste sterkte had, en niets anders te doen dan adem te halen en er te zijn.

Niets te moeten. Als de appelbomen of de aalbessenstruiken of de pomp het vermogen tot spreken hadden gehad, dan hadden we wat met elkaar kunnen babbelen, dacht hij.

Niet omdat dat nodig was, maar het had interessant kunnen zijn om te horen wat ze te zeggen hadden. Misschien hadden ze hem het een en ander kunnen leren. Hij proefde de appels, maar ze waren zuur en hard. Waarschijnlijk een soort winterfruit, vermoedde hij; misschien moest je ze plukken, in papieren zakken stoppen om ze pas met Kerst weer tevoorschijn te halen. Hij herinnerde zich dat ze zoiets in zijn jeugd in K. deden.

Zijn gedachten gingen graag terug in de tijd, maar af en toe ook vooruit. Hij bemerkte dat hij zich precies op het kruispunt tussen het heden, het verleden en dat wat komen ging scheen te bevinden, en hij vermoedde dat dat zowel met zijn leeftijd als met zijn nieuwe levensomstandigheden van doen had.

Het hier en nu. Dat wat voor me ligt. Dat wat geweest is.

Alles woog even zwaar. En bovendien: het voelde absoluut ondeelbaar. Dat had hij nooit eerder zo gevoeld. Haast een soort drie-eenheid.

Hij moest ook aan de vrouwen in zijn leven denken:

Lisen en Alice. Beiden waren ze immers zowel in het heden, als in het verleden en de toekomst aanwezig. Dat wil zeggen, de gedachten aan hen, Lisen was immers dood, dat viel niet te ontkennen. Maar als hij beter over de zaak nadacht, besefte hij dat hij geneigd was ze in het verleden te plaatsen, allebei. Niet alleen Lisen dus, maar ook Alice, want zij en haar dochters waren in feite totaal onverenigbaar met zijn nieuwe bestaan in Lograna. Incompatibel, zoals dat tegenwoordig heette, het klonk als een soort voorstadium van incontinentie, had hij eerder al eens gedacht.

Wat een ongelukkige woorden had je tegenwoordig toch. Wat was er mis met 'overhoop liggen' en 'moeilijk samengaan'?

Vooral als hij zijn ogen gesloten had na zijn laatste slokje koffie en alleen nog maar wachtte tot de slaap kwam, kregen zijn gedachten een soort frisse en onverschrokken vrijheid.

Ik zou tegen Alice moeten zeggen dat ze naar de maan kan lopen, kon hij dan bijvoorbeeld denken. Net zoals ik Wrigman heb gezegd dat hij naar de maan kan lopen. Als ze niet van die verdomd idiote winkelwagentjes bij de ICA hadden gehad, zou ik haar überhaupt nooit hebben ontmoet.

En zij mij niet, dat vooral.

Want het was als volgt gegaan: op een vrijdag, twaalfenhalf jaar geleden, liep hij met zijn winkelwagentje in de ICA Stubinen bij Norra torg in Kymlinge, en toen hij rechtsaf het pad van de soepen en sauzen insloeg, kwam er een vrouw recht op hem afgedenderd. Ze kwam met een waanzinnige vaart van links en hun karretjes waren in elkaar vast geraakt.

Het was onbegrijpelijk, had het personeel verklaard, zoiets was nooit eerder gebeurd. De struif van haar gebroken eieren liep uit over zijn worstjes, en het had bijna een half uur geduurd voor het personeel erin geslaagd was de wagentjes van elkaar los te krijgen. Tegen die tijd waren Valdemar en Alice druk in gesprek geraakt. Ze bleken allebei alleenstaand te zijn. Van het een kwam het ander en acht maanden later waren ze in de Helga Trefaldighetskerk getrouwd. Ze waren geen van beiden bijzonder gelovig, maar Alice vond dat ze in de kerk moesten trouwen. De vorige keer had ze genoegen genomen met een burgerlijk huwelijk en kijk maar wat daarvan terechtgekomen was.

Wat Lisen betrof was het zo lang geleden dat Valdemar zich bijna niet meer kon herinneren hoe ze elkaar voor het eerst ontmoet hadden. Ze waren zo ongeveer als twee ronddrijvende kwallen samengevloeid in die *sea of love, peace and understanding* aan het eind van de jaren zestig. Wat dat ook geweest mocht zijn. In elk geval hadden ze voor het eerst gevrijd op een grasveld in Göteborg na een openluchtconcert van de een of andere Engelse rockband en een paar nationale bands, en aangezien Lisen daarop zwanger raakte, waren ze gaan samenwonen. Vervolgens had ze een miskraam gehad, maar toen waren ze al een stel geweest en daarom maar op de ingeslagen weg verdergegaan. Een paar jaar later was Greger ter wereld gekomen.

Heb ik dat werkelijk allemaal meegemaakt? was een gedachte die vaak bij hem opkwam. Is dit mijn leven?

Het voelde niet zo, zowel wat de eerste als de tweede relatie betrof.

Maar als het toch zo was, dan kon het toch nooit de bedoeling, de zin van het leven zijn geweest?

Maar wat was dan de zin?

Als je bijna zestig was, werd het natuurlijk weleens tijd dat je jezelf die vraag stelde. Mensen zochten dat uit als ze naar de middelbare school of in dienst gingen. Om zich daarna voor de rest van hun leven aan belangrijker zaken te wijden. Aan hun huis, hun werk, hun kinderen en wat niet al.

Dat nam Ante Valdemar Roos tenminste aan. Want hij had zijn vrouwen, zowel Lisen als Alice, nooit gevraagd – ook zijn zoon en zijn stiefdochters trouwens nooit – hoe ze tegen die vraag over de zin van het leven aankeken.

En hij had het gevoel dat in ieder geval Alice pisnijdig zou worden als hij dat wel zou doen.

'Je bent bijna zestig', zou ze waarschijnlijk zeggen. 'Denk na over wat je zegt.'

Nee, wat zijn existentiële zoektocht betrof zou het waarschijnlijk meer opleveren als hij zich tot de pomp, de appelbomen of de aalbessenstruiken wendde.

Zijn vader zou het ongetwijfeld met deze gedachte eens geweest zijn. Voor hij zich ophing had hij als magazijnchef in een schoenenfabriek gewerkt. Dat was natuurlijk een baan als elke andere, maar Eugen Sigismund Roos had niet zijn hart en ziel in de schoenen kunnen leggen.

Zo had zijn oudere broer Leopold het in ieder geval verwoord tijdens zijn begrafenis; Valdemar kon het zich nog letterlijk herinneren.

'Je was een groot mens, Eugen, broertje van me, veel

te groot voor je omgeving. En je ziel was niet op haar plek in Larssons grauwe schoenenfabriek, nee, je ziel moeten we op heel andere plekken zoeken.

In het ruisen van de bomen, in het bruisen van de rivieren, in de ongeneeslijke eenzaamheid van het hart, waar ze nu ook haar definitieve thuis gevonden heeft.'

Destijds, op twaalfjarige leeftijd, had Valdemar gevonden dat dat 'ruisen van de bomen' en dat 'bruisen van de rivieren' zo mooi geklonken had, en het had hem geïrriteerd dat 'de eenzaamheid van het hart' helemaal niet even goed had geklonken, niet eens had gerijmd op de rest. Leopold had toch wel zijn best kunnen doen om het einde wat beter te maken.

Maar misschien viel er inderdaad wel niet te rijmen op 'de ongeneeslijke eenzaamheid van het hart', had hij toen hij wat ouder was gedacht, en was het dus met opzet zo gedaan.

Leopold was echter maar een jaar na zijn jongere broer overleden en Valdemar had nooit de gelegenheid gehad om het hem te vragen.

Hij had ook zijn vader Eugen natuurlijk niet meer kunnen vragen wat er belangrijk was in het leven en wat minder belangrijk. Spijtig, want Valdemar had het gevoel dat zijn vader heel wat over dat soort zaken geweten had. Dat hij op vierenvijftigjarige leeftijd had besloten niet langer te willen leven was een duidelijk teken dat hij bepaalde zaken had ingezien.

Beter dan dit wordt het leven niet.

Valdemar moest opeens aan een voorval denken. Het was in de herfst geweest en ze woonden in Väster. Het moest vóór de brand in de kelder geweest zijn, want hij was in zijn herinnering een jaar of zeven, acht.

Hij kwam van buiten, had misschien met zijn buurjongens in het park gevoetbald, en hij stapte de keuken binnen. Het schemerde al een beetje en ook in de keuken was het wat donker. Zijn vader zat aan de keukentafel. Hij had kennelijk een paar borrels op, want er stonden een fles en een glas voor hem op het geblokte tafelzeil. Hij nam een trek van zijn kromme pijp.

'Blauwe schemering, mijn jongen', zei hij. 'Jij weet vast wel waarom de schemering blauw is.'

Valdemar had moeten toegeven dat hij het niet wist.

'Omdat ze treurt om de dag', had zijn vader beweerd terwijl hij een wolkje rook uitblies. 'Op dezelfde wijze als een man treurt om een vrouw die hij aan het verliezen is.'

Aan zijn stem was te horen geweest dat hij een beetje dronken was, maar zelfs dan deed hij doorgaans niet van dit soort wonderlijke uitspraken. Valdemar had niet geweten wat hij moest antwoorden, maar dat had ook niet gehoeven, want zijn moeder was op dat moment de keuken binnengelopen.

Vreemd genoeg was ze naakt.

'Je had wel even kunnen zeggen dat hij thuis was', zei ze tegen haar man, maar die glimlachte alleen maar terwijl hij haar met toegeknepen ogen en zijn pijp bungelend in zijn mondhoek bekeek.

Ze deed geen moeite om zich te bedekken, liep heen en weer, leek iets in kastjes en laatjes te zoeken; haar zachte borsten schommelden mooi heen en weer en de roodbruine haarbos tussen haar benen zag eruit als ... ja, als het tegenovergestelde van een blauwe schemering.

Het was zijn vader die die gedachte ook uitsprak, natuurlijk.

'Daar zie je het absoluut tegenovergestelde van de droeve, blauwe schemering, mijn jongen', zei hij en hij wees met de steel van zijn pijp.

Valdemar gaf ook nu geen antwoord, maar zijn moeder liep op zijn vader af en gaf hem een pets. Het was niet een echte oorvijg, maar ook geen vriendelijk tikje, haar half samengebalde hand trof hem in zijn nek, en naderhand, toen ze de keuken had verlaten, had zijn vader nog een hele poos de plek waar hij geslagen was gemasseerd.

Hij had niets meer tegen Valdemar gezegd. Had een nieuwe borrel ingeschonken en weer uit het raam gestaard. Buiten werd het steeds donkerder. *Beter dan dit wordt het nooit?*

Waarschijnlijk stond dit voorval diep in Ante Valdemar Roos' geheugen gegrift doordat dit de enige keer in zijn hele jeugd was geweest dat hij zijn moeder naakt gezien had.

En hij had geen flauw benul van wat er aan die korte scène in de keuken voorafgegaan kon zijn.

Zowel destijds als later had hij het niet gesnapt. Zijn vader was volledig gekleed geweest, maar het was moeilijk te geloven dat zijn moeder net een bad genomen had. Een douche hadden ze destijds in Väster niet gehad, en in bad ging je maar één keer per week. Of het nu nodig was of niet, Valdemars ouders gingen altijd op zaterdagavond in bad, als Valdemar op bed lag.

Maar zijn licht aangeschoten vader aan de keukentafel, diens vreemde woorden over een blauwe schemering en het verdriet om een vrouw, zijn moeders naaktheid, haar roodbruine contrast en de klap in zijn vaders nek – veel later had Valdemar gedacht dat hij zijn eigen leven wellicht beduidend beter had kunnen hanteren als hij die wonderbaarlijke scène uit zijn jeugd maar had weten te duiden.

Op dit moment, gezeten voor zijn vooralsnog vergrendelde huisje in een vreemd bos, was er een halve eeuw verstreken sinds die dag in de keuken. Waar waren de jaren gebleven?

Bij Wrigmans Elektriska stopte hij altijd om half vijf – hij had weleens overgewerkt, maar dat was sporadisch voorgekomen en was nooit langer dan een uur of twee geweest.

Deze eerste dagen maakte hij er een gewoonte van om Lograna rond dezelfde tijd te verlaten. Elke keer weer met enige blauwe droefheid in zijn borstkas, maar het was te verdragen. Hij wist immers dat hij de volgende morgen terug zou komen.

Behalve op vrijdag. Op vrijdag 29 augustus stapte Ante Valdemar Roos met een duidelijk merkbare krop in zijn keel in zijn auto om van Lograna weg te rijden. Het weekend dat voor hem lag scheen hem oneindig lang en triest, en onwillekeurig vroeg hij zich af hoe dat in de toekomst zou zijn.

Zou hij ooit een nacht op deze plek doorbrengen? Ooit in het ochtendlicht gewekt worden door vogelgezang, de haard aansteken en koffie zetten?

Ach, wie dan leeft, wie dan zorgt, dacht hij. Je moet sommige dingen een beetje op hun beloop kunnen laten, niet alle besluiten hoeven op stel en sprong genomen te worden. Die maandag daarop, de eerste september, net even na negen uur 's ochtends, stak Ante Valdemar Roos voor de eerste keer de sleutel in het slot en nam hij het huisje Lograna in bezit.

8

In de week die verstreken was nadat hij de papieren had ondertekend en daarmee eigenaar van het huisje was geworden, was er geen druppel regen gevallen, en ook deze maandag bracht stralend weer. Geen wolkje aan de hemel. Toen Valdemar in de auto zat, na de sleutels bij Espen Lund opgehaald te hebben, en de inmiddels zo welbekende veertig kilometer naar het westen reed, betrapte hij zichzelf erop dat hij aan het zingen was.

Zo is het leven, die regel leek zich in hem te hebben vastgezet, wat natuurlijk niet zo vreemd was gezien de omstandigheden. Hij herinnerde zich dat oom Leopold eens gezegd had – hijzelf moest op zijn hoogst negen of tien geweest zijn en oom Leopold was waarschijnlijk een beetje teut geweest – dat het leven, het echte leven, in tegenstelling tot wat velen dachten, niet achter elkaar doorging. Je had een paar uur per week, daar moest je van uitgaan, veertien dagen per jaar als je het bij elkaar optelde. De rest van de tijd was een grijze, trage, vreselijke ellende. Als pap die koud was geworden terwijl je op je koffie wachtte, of als een hardnekkige verstopping.

'Maar ...' had oom Leopold benadrukt terwijl hij met zijn nicotinegele wijsvinger in Valdemars borst had geprikt, 'maar het is zaak dat je weet wanneer het menens is. Dat je er op tijd bij bent als het leven opeens vaart maakt. Anders loop je datgene mis waar het nu eigenlijk allemaal om draait. Verdomme!'

De deur knarste bij het opendoen. Met de jaren was ze een beetje kromgetrokken en ze bleef klem zitten tegen de vloer. Valdemar moest zijn schouder tegen de deur zetten en stevig duwen. Dat had hij natuurlijk kunnen verwachten.

Maar verder zag het er goed uit. Een halletje, een keuken, een kamer. Dat was het. Brede, grijsgeschilderde planken op de vloer. Een paar kleedjes. Lichtbruine muren. Een klein, op hout gestookt, ijzeren fornuis, maar ook twee elektrische kookplaatjes. Een kleine koelkast, een tafel met twee windsorstoelen, een aanrecht met kastjes erboven. In de kamer, waar hij eerder door het raam naar binnen had gekeken, waren een open haard, een bed in een alkoof achter de open haard, een tafel, drie stoelen met rechte ruggen, een rieten stoel en een buffetmeubel met erboven een klein boekenrek.

Aan de muren in de kamer hingen, behalve een spiegel, twee kleine schilderijen, hij vermoedde originele olieverfschilderijen, beide met een natuurmotief. Een weiland in de winter met een haas, een oever met riet en grazende koeien. In de keuken hingen een keukenklok die stilstond op kwart voor vier, een kalender van Sigges & Bennys Autoreparaties AB uit 1983, en een geborduurde rand met het devies 'Leef voor elkaar'.

Bij het koopcontract was bepaald dat alle roerende goederen inbegrepen waren. De weduwe Lindblom had geen zin gehad om naar Lograna te rijden om alles uit te zoeken. Wel, dacht Ante Valdemar Roos terwijl hij om zich heen keek, wat heeft een mens nog meer nodig?

Hij probeerde de rieten stoel. Die kraakte.

Daarna probeerde hij het bed. Het gaf geen geluid, maar was wel wat hobbelig.

Vervolgens trok hij de rolgordijnen op en opende de ramen om het te laten doorluchten. Het ging wat stroef, maar zonder al te veel moeite kreeg hij ze toch open, zowel in de keuken als in de kamer. Hij snoof en constateerde dat het een beetje bedompt rook, maar ook niet meer dan dat. Geen stank van verrotting. Geen rattenstront. Hij opende ook de voordeur, zodat de wind door het hele huis kon waaien.

Daarna ging hij aan de keukentafel zitten, schroefde de dop van zijn thermosfles en schonk koffie in.

Beter dan dit wordt het nooit. Hij voelde hoe hij volschoot, maar toen hij een hap van zijn boterham met kaas nam ging het weg.

De rest van de dag besteedde hij aan praktische zaken. Hij bekeek wat er aan keukengerei en andere gebruiksvoorwerpen was. In lades en keukenkastjes en in het buffetmeubel in de kamer vond hij bijna alles wat hij nodig had: serviesgoed, bestek, steelpannen, een koekepan. Lakens, dekens, kussens. Hij snoof aan alle textiel, het moest natuurlijk gelucht worden, maar meer was volgens hem niet nodig. Hij was niet van plan hier te overnachten, maar het kon natuurlijk ook heerlijk zijn om overdag even op het bed te gaan liggen.

Bij de gedachte dat hij hier nooit zou overnachten, raakte hij droevig gestemd, en hij begreep dat hij voor dat probleem een oplossing moest vinden. Het liefst binnen afzienbare tijd.

Want de nacht is de moeder van de dag.

De elektriciteit was nog niet aangesloten, maar er zou dinsdag een man langskomen om de situatie te bekijken. Dat had Espen geregeld, niet zozeer omdat dat bij zijn taken als makelaar behoorde, maar omdat hij een fatsoenlijke vent was. Valdemar overwoog even of hij zou proberen het fornuis aan te steken, maar besloot dat nog een paar dagen uit te stellen. Hij vermoedde dat het een delicaat klusje was, want er konden zich na al die jaren vogelnestjes en wat niet al in de schoorsteen bevinden.

Hij maakte die eerste dag geen wandeling door het bos, maar gunde zich wel na de lunch zijn gebruikelijke middagdutje buiten in de zon. Toen hij om kwart over een wakker werd, voelde hij een lichte pijn in zijn rug en besloot hij een comfortabeler ligstoel te kopen. Hij schreef het op de boodschappenlijst waaraan hij al begonnen was, en aangezien er nog meer dingen aangeschaft moesten worden, vertrok hij iets eerder dan normaal van Lograna, zodat hij een deel ervan al bij Lograna kon afleveren voor hij terug moest naar Alice en haar dochters.

Misschien vandaag geen ligstoel, die zou moeilijk in de auto te krijgen zijn, maar een paar tassen met andere algemene benodigdheden kon hij gemakkelijk 's nachts in de kofferbak laten liggen. Alice had haar eigen auto, er was geen risico dat ze hem zou betrappen.

Geen enkel risico.

Op dinsdagochtend kwam de elektricien, een chagrijnige jongeman met lang haar, die een tijdje in de stoppenkast zat te prutsen, zijn geld ving en weer wegreed.

Valdemar controleerde of de lampen in de keuken en de kamer aan konden en of de kookplaten het deden. Hij zette de koelkast aan, die met een verbaasd gebrom tot leven kwam, maar alle tekenen van een goede gezondheid vertoonde.

Vervolgens ging hij aan de slag met de pomp. De afgelopen week had hij al geprobeerd water naar boven te krijgen, maar zonder resultaat. Hij herinnerde zich dat hij eens gehoord had dat je er van bovenaf water in moest gooien om dergelijke oude mechanismen weer op gang te krijgen, dus probeerde hij dat. Hij goot vanuit de jerrycan die hij bij het Statoilbenzinestation had gevuld voorzichtig water in de put, en al na een paar liter kon hij horen dat er beneden in de diepte iets gebeurde. Het sissen veranderde in een dieper geluid en na twintig, dertig pompbewegingen kwamen de eerste druppels.

En stroomde het water uit de pomp. In het begin was het bruinzwart, maar al snel werd het lichtbruin, en vervolgens grijsgeel om ten slotte in helder, doorschijnend water te veranderen. Valdemar maakte van zijn linkerhand een kommetje terwijl hij met zijn rechterhand bleef pompen. Hij vulde zijn hand met water en proefde.

Aarde en ijzer, constateerde hij. Misschien nog een ander mineraal, het smaakte niet zoals het water in de stad, want dat had geen smaak, maar slecht smaakte het niet. En het was helder en koud.

Hij nam nog een paar grote slokken. Dit water lest absoluut de dorst, dacht hij. Hij voelde hoe er iets binnen in hem in beweging kwam bij die gedachte, een snaar die begon te vibreren en een grondtoon had die zo laag was dat hij aan het leven zelf vastzat. Hij pakte de twee emmers die hij gekocht had, vulde ze en bracht ze naar de keuken.

Zo, dacht hij, tijd om met het fornuis aan de slag te gaan.

Het duurde een tijdje, maar niet eens zo heel erg lang; hij had gevreesd dat hij het dak op zou moeten – er was een bruikbare ladder in de schuur – maar het bleek niet nodig. Toen hij de eerste stukken krantenpapier aanstak, wilde de schoorsteen niet trekken, maar nadat hij er met behulp van een bezemsteel een groot, ondefinieerbaar voorwerp uit gehaald had – mogelijk een verlaten wespennest – ontstond er ruimte, en uiteindelijk begon zowel het fornuis als de open haard in de kamer goed te branden. Hij waste het vuil van zich af en leegde de teil met vies water via het keukenraam. Toen hij even later buiten stond en de rook uit de schoorsteen zag kringelen en zich zag verspreiden in de heldere herfstzon, moest hij aan de pijp van zijn vader denken.

Hij wenste opeens dat hij een roker was geweest. Dat hij nu pijp en tabak uit zijn broekzak tevoorschijn had kunnen halen, de pijp had kunnen stoppen en opsteken. Die bedachtzame handelingen leken opeens zo merkwaardig vertrouwd. Alsof ze al in zijn handen waren vastgelegd en daardoor deel uitmaakten van iets wat van levensbelang was en tegelijkertijd geheimzinnig.

Hij wist niet waar deze gedachten vandaan kwamen, maar hij besloot dat hij daadwerkelijk pijp zou gaan roken als ze terug bleven komen. Het was natuurlijk nooit te laat om van tabak te gaan genieten; integendeel, als je zo laat in je leven begon, liep je beduidend minder risico om door een van de altijd genoemde bijwerkingen getroffen te worden. Geen enkel risico, eigenlijk.

Ante Valdemar Roos had in zijn jeugd natuurlijk weleens een sigaretje gerookt, maar het was nooit echt serieus geworden.

Zo was het ook met drinken. Alcohol en dronkenschap hadden hem nooit genoegen verschaft. Dat hij onlangs tijdens dat onverdraaglijke kreeftenfeest bij de familie Hummelberg een beetje te diep in het glaasje had gekeken, was werkelijk eenmalig geweest.

Zo is het, dacht hij terwijl hij buiten op het gras stond en naar de dunne rookspiralen op hun reis naar de hogere luchtlagen keek. Weinig dingen in mijn leven zijn echt serieus geworden.

Weinig is geworden zoals het zou moeten zijn of zoals ik het me voorgenomen had.

Op woensdag maakte hij geen lunchpakketje klaar. Hij deed natuurlijk wel thuis in de keuken in Fanjunkargatan alsof hij de gewone rituelen uitvoerde, om geen argwaan te wekken, maar zodra Alice en haar dochters weg waren, stopte hij met rommelen. Hij nam wel zijn gebruikelijke tas mee, maar hij vulde hem pas bij de kleine ICA-winkel in Rimmersdal. koffie, boter, brood en beleg kocht hij. Verder een doos eieren, zout, peper en wat fruit. Toen hij betaalde en de vriendelijke vrouw achter de kassa bedankte, meende hij in haar warme glimlach een teken van verstandhouding te bemerken.

'Hier zit ik en daar sta jij', leek ze te willen zeggen. 'Ik zie aan je dat je een goede dag voor de boeg hebt, tot ziens, ik zit hier morgen ook. En alle andere dagen.'

Ze leek van Alice' leeftijd, maar ze was een heel ander type vrouw. Misschien was ze een immigrante. Ze had donker, halflang haar, haar ogen waren bruin en stonden een beetje ondeugend. De volgende keer dat ik boodschappen doe zal ik wat tegen haar zeggen, besloot Ante Valdemar Roos.

Niets bijzonders, iets over het weer of over Rimmersdal. Vragen of het een leuke plaats is om te wonen, zoiets.

'En jijzelf?' zou ze vragen. 'Ben je hier pas komen wonen?'

'Ik heb een stekkie hier een eindje vandaan', kon hij dan antwoorden. 'Jullie winkel is goed gesorteerd, je zult me nog wel vaker zien.'

Ze zou hem vriendelijk toelachen en zeggen dat hij altijd welkom was.

Altijd, misschien zou daar een diepere betekenis achter zitten.

Hij had in Rimmersdal ook een puzzelblad gekocht en 's middags lag hij ermee op bed. Voor het eerst sinds weken was de hemel bewolkt en net even voor half één vielen de eerste spatjes regen. Maar hij had die ochtend een uur door het bos gelopen en gunde zichzelf wel wat rust binnenshuis. Terwijl hij daar lag en de moeilijke puzzels probeerde op te lossen, kwam er een zeldzaam gevoel van welbehagen over hem. Hij was geen verstokte kruiswoordpuzzelaar, maar hij was ook niet geheel onervaren. Net als Nilsson en Tapanen was hij Red Cow in de kantine bij Wrigmans af en toe te hulp geschoten als ze vastliep met een puzzel.

Maar Wrigman zelf had dat nooit gedaan. Die was geen man van het woord. Hij had moeite met spellen en het vocabulaire dat hij in het dagelijks leven bezigde had op de achterkant van een pleister gepast. Overigens was Red Cow de afgelopen jaren steeds meer richting de horoscopen afgegleden, en daar was zelden enige assistentie bij nodig geweest.

Zo behaaglijk ver weg voelde het allemaal. Zo vreemd en ver weg. En het nu, wat nu gebeurde, voelde tegelijkertijd zo behaaglijk dichtbij. Hier lig ik in mijn huisje een kruiswoordpuzzel in te vullen, dacht Ante Valdemar Roos, midden op de dag in mijn zestigste levensjaar. Straks ga ik een dutje doen en daarna steek ik de haard aan en zet ik een kopje koffie.

Over vier uur hoef ik pas terug te rijden.

Morgen ga ik twee nieuwe kussens kopen en een deken, besloot hij verder. Misschien ook een radiootje; als ik er nu een gehad had, zou ik naar *Echo van de Dag* hebben geluisterd.

Hij bleef een poosje nadenken over het idee van de verschillende tijden – de tijd die gewoon doortikte en de tijd die stil kon staan en de mens een adempauze kon geven – en aan wat oom Leopold ooit gezegd had, maar voor hij erg ver gekomen was met zijn overpeinzingen, was hij al in slaap gevallen en droomde hij over het Bodenmeer.

Dat deed hij soms. Niet vaak, maar af en toe, vier, vijf keer per jaar misschien. Het werd wel steeds minder naarmate het langer geleden was. Destijds, toen het net gebeurd was, kwamen de beelden en de dromen beduidend korter op elkaar dan tegenwoordig.

Het was in de zomer van 1999, ze waren twee jaar getrouwd en de familie Hummelberg had de meisjes onder haar hoede genomen. Alice en Valdemar waren met de auto naar Beieren gereden en misschien zouden ze ook een paar uitstapjes naar Zwitserland en Oostenrijk maken. Ze zouden wel zien, ze hadden niets van tevoren geboekt; het was als een klein, romantisch avontuur bedoeld, in ieder geval zag Alice dat zo. Een week, tien dagen wellicht. De Hummelbergs hadden hun verzekerd dat het niet uitmaakte.

Ze hadden ingecheckt in een klein hotel in Lindau. 's Middags dwaalden ze door het pittoreske stadje en 's avonds dineerden ze in een duur restaurant met uitzicht over het meer en het mooie Zwitserse berglandschap aan de overkant. Alice was zonder twijfel de jongste vrouw in het restaurant; ze hadden niet geweten dat Lindau een geliefd vakantieoord voor senioren was, maar dat merkten ze nu.

Maar toen was het helemaal fout gegaan. Misschien had Alice iets te veel alcohol op, ze hadden een zevengangenmenu genuttigd met bij elk nieuw gerecht dat op tafel kwam een andere wijn. Zeker drie uur hadden ze in het restaurant gezeten en toen ze op de geplaveide promenade kwamen die langs de oever liep, stond er inmiddels een prachtige, volle maan boven het spiegelende meer. Valdemar vond het schouwspel iets weg hebben van een middelmatig, kitscherig schilderij, maar dat zei hij niet. Alice daarentegen raakte direct in een romantische stemming. Ze kuste hem gepassioneerd en wilde met hem aan de waterkant de liefde bedrijven. Dat hadden ze een keer op Samos gedaan en het was een bijzonder gedenkwaardige gebeurtenis geweest.

Valdemar vond het echter in dit geval niet zo'n goed idee. Het leek weliswaar vrij rustig – de meeste gepensioneerden waren waarschijnlijk al hun bed in gedoken – en er was hier en daar ook wel een beschermend stukje groen, maar toch. Er was een zeker verschil tussen een afgelegen Grieks strand en het Bodenmeer. Misschien was het zelfs wel strafbaar.

Hij bracht deze argumenten naar voren zonder lomp te zijn, maar Alice vatte het helemaal verkeerd op. Ze begon luid te huilen en verklaarde dat hij niet meer van haar hield, dat ze getrouwd was met een saaie, impotente ezel en dat ze niet langer wilde leven. Toen trok ze al haar kleren uit, op haar onderbroek en bh na, legde ze netjes opgevouwen op een steen en dook het water in.

Valdemar moest eerst in zijn neus knijpen om zich ervan te vergewissen dat hij niet droomde. Dat had hij in zijn jonge jaren van oom Leopold geleerd. 'De meeste sukkels knijpen in hun arm en denken dan dat ze daar wakker van worden,' had oom Leopold uitgelegd, 'maar alleen wij, die onze neus kiezen en de nagels van onze duim en wijsvinger gebruiken, wij weten het zeker. Niemand, geen enkele ziel, kan nog slapen na zo'n kneep.'

Hij sliep niet. Hij stond aan het Bodenmeer en zag zijn omvangrijke vrouw in het door de maan verlichte water zwemmen. Rustig en doelbewust, met een krachtige schoolslag. Hij probeerde uit te maken wat hij eigenlijk voelde en constateerde dat hij totaal perplex stond.

Wat moest hij doen?

Wat verwachtte zij dat hij zou doen?

Was er een correcte manier van handelen in dit soort situaties?

Terwijl hij zich deze vragen stelde, was Alice al een aardig eind weg gezwommen. Het was in ieder geval te laat om haar achterna te zwemmen, vond Valdemar.

Als hij haar terug wilde roepen, zou hij behoorlijk hard moeten schreeuwen om gehoord te worden – en een schreeuwende man aan de kant van het meer, op maar een meter of dertig afstand van het dichtstbijzijnde restaurant, waar hij nog steeds mensen zag zitten, dat zou ongewild de aandacht trekken.

Hij besloot terug te gaan naar het hotel. Dat leek hem de elegantste oplossing. Toch wilde hij zijn vrouw niet zomaar aan haar lot overlaten, in elk geval vond hij dat hij haar moest melden dat hij wegging. Hij dacht even kort na, toen zette hij zijn handen aan zijn mond en riep zo hard hij kon: 'Alice, ik moet naar het toilet! Ik kom straks kijken hoe het met je is!'

Hij was nog geen tien minuten op de kamer toen ze verscheen. Ze had haar kleren weer aangetrokken, maar ze had niet de moeite genomen zich eerst af te drogen, en het water was door zowel haar rok als haar blouse gedrongen. Haar haren plakten sneu als aangespoeld zeegras tegen haar hoofd, en haar lichte suède schoenen waren modderig geworden. Door haar bh en blouse zag je de tepelhoven van haar zware borsten, die hem woedend als twee boze tartaartjes aan leken te staren. Valdemar vond dat het net leek of zijn vrouw echt verdronken was.

Ze stond wijdbeens midden in de kamer en keek hem met een donkere blik strak aan, haar mascara was in de golven verdwenen, maar niet helemaal, haar rechteroog leek op een vers blauw oog en van haar linkeroog stonden de losse wimpers alle kanten op. Alles bij elkaar leek ze flink uit haar doen.

Toen ze uitgestaard was, schopte ze haar schoenen uit, wierp zich op haar buik op het bed en begon te snikken.

Valdemar aarzelde een paar seconden. 'Kom, kom', zei hij toen, terwijl hij haar wat onhandig over haar rug streek. 'We spelen een potje Yahtzee en vergeten dit verder.'

Ze hield op met snikken, kwam omhoog op haar ellebogen en keek hem met haar scheefstaande ogen aan, met een uitdrukking die hij nog nooit gezien had, om hem vervolgens met haar gebalde vuist een slag recht op zijn neus te geven.

Onmiddellijk begon hij te bloeden als een rund en hij moest een kussensloop grijpen om het te stelpen, want Alice was meteen na de vuistslag de badkamer in gerend en had zich opgesloten. Toen de rust weer enigszins weergekeerd was, keek Ante Valdemar Roos om zich heen. Het leek of er in de hotelkamer een moord gepleegd was.

Zo had de gebeurtenis zich in de werkelijkheid afgespeeld, maar als Valdemar over die gedenkwaardige avond droomde, kon het scenario er enigszins anders uitzien.

Soms sprong hij het water in, zijn vrouw achterna. Soms kreeg hij hulp van een aantal passerende toeristen, die dan altijd algauw oude vijanden of dienstmakkers of – in een enkel geval – leraren van het Bungelyceum van veertig jaar terug bleken te zijn. Een keer droomde hij dat hij om het Bodenmeer heen rende en Alice aan de overkant – de kant van Zwitserland – opving.

Maar hoe de film in zijn dromen ook verliep, één ding was altijd hetzelfde.

Er was nooit een gelukkige afloop. Hoe hij zich ook

gedroeg, vroeg of laat kwam het moment dat ze hem een bloedneus sloeg.

Tegen die tijd werd hij ook meestal wakker, maar vandaag werd zijn droom afgebroken terwijl ze nog bij de waterkant stonden. Om de een of andere reden was hij deze keer degene die zich had uitgekleed; poedelnaakt stond hij tot zijn knieën in het koude water van het Bodenmeer terwijl hij omhoogstaarde naar de ongewoon grote maan – die leek zorgelijk te glimlachen, maar op een bepaalde manier ook afwijzend tegenover hem te staan – toen zijn mobiele telefoon overging.

Het was Wilma.

'Ben je op je werk?' vroeg ze.

Valdemar keek om zich heen. Ging op de rand van zijn bed zitten en gaapte. 'Natuurlijk', antwoordde hij. 'Waar zou ik anders moeten zijn?'

Hij keek op zijn horloge. Het was half drie, dus klopte wat hij zei. Waar zou hij moeten zijn als hij niet op zijn werk was?

'Wat is er?' vroeg hij. Het gebeurde maar zelden dat zijn vrouw of een van haar dochters hem belde als hij bij Wrigmans was, maar de paar keren dat het gebeurd was, was hij altijd op zijn mobiel gebeld. Hij meende dat Alice niet eens het nummer van de fabriek ergens had opgeschreven of ingeprogrammeerd, en waarschijnlijk wist noch Wilma noch Signe precies waar hij werkte, zoals eerder gezegd. Nu was er natuurlijk alle reden om daar dankbaar voor te zijn. Valdemar liet een tevreden zucht ontsnappen.

'Ik ben van plan vannacht bij Malin te slapen', verklaarde Wilma.

‘Dan is het beter als je met mamma overlegt’, zei Valdemar.

‘Ik krijg haar niet te pakken.’

‘Dan moet je maar blijven proberen tot het lukt.’

‘Dat gaat niet’, zei Wilma.

‘Waarom niet?’

‘Omdat we over een kwartier uit zijn en Malins vader ons komt ophalen.’

‘Ben je midden onder de les aan het bellen?’

‘We hebben een invalkracht’, legde Wilma uit. ‘Mijn batterij is bijna leeg. Zeg je dan even tegen mamma dat ik bij Malin slaap?’

‘Zou het niet beter zijn als ...’

‘Doe toch niet altijd zo vermoeiend’, zei Wilma. ‘Doei, ik kan niet langer kletsen.’

Ante Valdemar Roos drukte op de rode knop en stopte zijn mobieltje weg. Hij stond op en liep naar het raam, wreef in zijn ogen.

Buiten stonden twee reeën. De regen was opgehouden en de zon brak door de wolken heen.

Heer, mijn Schepper, dacht hij en hij kneep in zijn neus. Laat me dit nooit kwijtraken.

9

Het duurde nog een week voordat ze daadwerkelijk vertrok, ze begreep eigenlijk niet waarom.

Aan de andere kant, toen het besluit eenmaal genomen was, was er geen haast meer. Beter om goed uitgerust te zijn, te wachten tot de verkoudheid die ze had opgelopen voorbij was en een beetje moed te verzamelen.

Misschien had ze ook onbewust wel gewenst het voorval met Marie en Turid en Friheten uit te zoeken, maar zo ver kwam het niet, want het hele voorval was met een sisser afgelopen. Sonja kwam niet meer op de zaak terug, en Anna en de rest van de groep ook niet, dus wie ook de dader was, ze ontsprong de dans.

Als het al een van de meisjes geweest was. Anna kon dat maar moeilijk geloven. Maar wie zou het anders geweest moeten zijn? Hoe dan ook, de kwestie werd als afgedaan beschouwd en nu was het voor haar zaak om hetzelfde te doen met dat hele Elvafors.

Het maakte haar een beetje droevig dat ze niet alles kon meenemen.

Ze was namelijk samen met haar moeder met de auto naar het huis toe gekomen, maar nu zou ze het te voet verlaten. Een rugzak en haar gitaar, meer kon ze onmogelijk dragen. Laat op de vrijdagavond, toen alle anderen hopelijk sliepen, begon ze haar tas te pakken. Ze probeerde weg te laten wat ze niet nodig had en waar ze niet al te zeer aan gehecht was.

Het probleem was dat ze geen plan had. Ze kon niet inschatten wat ze precies nodig had, en eigenlijk wilde ze helemaal niets achterlaten. Ze vond het zelfs jammer van haar oude gymschoenen, die versleten waren en te groot om mee te nemen. Boeken vond ze ook moeilijk achter te laten, zelfs al had ze sommige een of twee keer gelezen en kon ze gewoon nieuwe exemplaren aanschaffen als ze ze ooit nog een keer zou willen lezen.

Maar uiteindelijk was ze dan toch klaar. Haar rugzak puilde uit en was behoorlijk zwaar, maar hij was te dragen. Zes boeken, een jas, haar laarzen en twee lelijke truien mochten in Elvafors blijven. Dat was alles wat er nog van haar zou zijn als Sonja of iemand anders morgenochtend vroeg in haar kamer kwam om te zien waarom ze niet aan het ontbijt verscheen.

Ze had aan niemand verteld dat ze van plan was weg te gaan, maar ze vroeg zich af of Marie toch niet iets in de gaten had. Ze zou in ieder geval niet verbaasd moeten zijn. Die middag hadden ze namelijk een hele tijd bij het meer samen zitten roken en praten. Marie was gedeprimeerd geweest, zowel door de onuitgesproken verdenking van brandstichting als door andere dingen. Ze had het gevoel dat niet alleen Turid maar ook de andere meisjes tegen haar waren. Dat was altijd al zo geweest, beweerde ze. Al sinds de bovenbouw, toen ze in een nieuwe klas op een andere school was gekomen, was het haar niet gelukt vriendschappen met andere meisjes aan te knopen. Hoewel ze niets liever dan een hartsvriendin had gewild.

Dus was het gegaan zoals het gegaan was. Ze was altijd al populair geweest bij de jongens en ze had zich dus op hen gericht. Ze had leren roken, drinken en hasj gebruiken. Had geleerd wat ze van haar wilden: haar zachte, mooie gezichtje, haar meegaandheid, haar kut. Op haar veertiende was ze haar onschuld kwijtgeraakt en rond haar vijftiende was ze al met tien verschillende jongens naar bed geweest. Of mannen, want de oudste was boven de dertig geweest.

Anna vond het niet moeilijk om te begrijpen wat haar probleem was.

'Je bent te mooi en te lief', zei ze. 'Dat is een hopeloze combinatie.'

'Vind je me aardig?' had Marie met een onschuldige blik gevraagd.

Misschien ben je ook wel niet zo slim, had Anna toen gedacht en ze had Marie een knuffel gegeven. En te zwak, vooral dat, te zwak. Maar waar moesten meisjes als Anna en Marie in hemelsnaam kracht vinden in een wereld als deze?

'Ik zou willen dat jij mijn vriendin was hier in Elvafors', had Marie tegen haar gezegd. 'Ik vind je de aardigste van allemaal.'

Maar zelfs dat had Anna haar niet kunnen beloven. Haar vriendin te zijn. Ze had dus iets vaags gemompeld wat tot niets verplichtte en daarna waren ze teruggelopen naar het huis om te gaan koken.

Misschien had Marie het toch wel doorgehad.

Zo niet, dan zou ze er in elk geval morgenochtend achter komen.

Of eigenlijk: vandaag.

Ze had de wekker op half vijf gezet, maar was uit zichzelf drie minuten te vroeg wakker geworden. Haastig had ze zich aangekleed en was ze met haar rugzak en de gitaar in het zachte, zwarte foedraal de trap af geslopen. Niemand had haar gehoord en om kwart voor had ze al op de weg gestaan. Ze was een paar seconden blijven staan, had haar rugzak goed gedaan en achteromgekeken naar de gele gebouwen, die rustten in de dauw, en naar de ochtendnevel die vanaf het meer kwam opzetten.

Ze huiverde en slikte een paar keer om haar tranen te bedwingen. Hoe moet dat mij, dacht ze. Waar ben ik nu in godsnaam mee bezig?

Iedereen snapt toch dat dit nooit goed kan gaan?

Toch begon ze te lopen.

Naar links. Naar het zuiden, niet de kant van Dalby op. Ze wist dat Göteborg op niet meer dan honderd, honderdvijftig kilometer afstand lag, en kennelijk bepaalde dat, zonder dat het een bewust geformuleerde gedachte was, de richting die ze nu nam. Pas twee keer eerder in haar leven was ze in Göteborg geweest, beide keren vóór haar tienertijd, beide keren in attractiepark Liseberg. Maar Göteborg was hoe dan ook een grote stad, en in grote steden waren altijd mogelijkheden.

En onmogelijkheden, ze moest het niet mooier maken dan het was. Als ze weer de verkeerde kant op wilde gaan, was een grote stad de aangewezen plek.

Zo simpel was het. Maar voorlopig was ze heel ver weg van wat stad heette. Ze sjokte voort over een smalle weg die zich door een dicht bos slingerde. Heuvel op, heuvel af, bocht na bocht; sparren en dennen, bijna geen rechte stukken. Na een half uur was ze nog geen huis of open plek tegengekomen.

Ook geen enkel voertuig, in welke richting dan ook.

Er zat een wijsje in haar hoofd, het waren twee zinnetjes uit een lied waar ze een paar avonden aan had zitten sleutelen.

Young girl, dumb girl, dreaming in the grass
Sad girl, bad girl, wannabe a dead girl

Ze liep op de maat ervan. Af en toe verving ze *wannabe* door *gonnabe*, ze kon niet besluiten wat ze het best vond klinken. Of het ergst, eigenlijk. Het was een oerslechte tekst, dat wist ze, maar ze had er een melodielijn bij die zo gek nog niet klonk. En ze had iets mechanisch nodig om haar hoofd mee te vullen, zodat ze er niet aan hoefde te denken dat ze nu al zweette en dorst had, hoewel het bewolkt was en niet eens erg warm.

En dat ze moe was. Het was iets heel anders geweest om met de rugzak op haar rug in de kamer te staan dan ermee te lopen. De schouderbanden schuurden en iets hards wat uitstak, waarschijnlijk haar toilettas, stootte bij elke stap die ze zette tegen haar onderrug.

Young girl, dumb girl ... ze had 120 kronen in haar portemonnee en er zaten nog zes sigaretten in haar pakje. Na precies een uur ging ze op een grote steen aan de kant van de weg zitten om de eerste op te roken. Ook maakte ze haar rugzak los, en toen haar sigaret op was, vervloekte ze zichzelf dat ze niet in elk geval een flesje water had meegenomen. Hoe dom kon je zijn? Het allerliefst had ze een cola gehad en een ... een groot, zacht bed om in te kruipen.

Dat zal ik nooit van mijn leven krijgen, dacht ze plotseling. Mocht ik ooit weer in een bed kunnen slapen, dan wordt het een aftands exemplaar met gore lakens waar allerlei andere mensen eerder in geslapen hebben, en uit de colablikjes is ook al gedronken.

Een thuis? Het zou mooi zijn als dat woord iets betekend had. Het appartement waar ze het laatste half jaar in gewoond had, was weer opgeëist door de oorspronkelijke eigenaar, en haar weinige bezittingen lagen in een opslagruimte, dat had haar moeder geregeld. Ik wilde dat ik ergens naartoe kon vluchten, dacht ze. Niet alleen ergens vandaan.

Wat is eigenlijk mijn bestemming? Zal ik proberen te liften of zal ik gewoon maar door blijven lopen tot ik bij zonsondergang door een prins op een wit paard gered word?

Of door de politie gevonden word? In een greppel, bewusteloos geraakt van uitputting.

Dat laatste leek haar verdomme zo veel waarschijnlijker. Maar ze begreep dat doorlopen hoe dan ook beter was dan blijven zitten, want door in beweging te blijven kon ze haar tranen en moedeloosheid in toom houden. De versregeltjes hielpen ook ... *sad girl, bad girl* ... zelfs het schuren tegen haar schouders en het bonken tegen haar onderrug hadden nut, want het leidde haar gedachten af van de wanhopige situatie.

Van het moeras van zelfmedelijden, zoals haar moeder altijd zei. En haar moeder wist absoluut heel wat over het leven. Van die dingen waar je maar beter niet van af kon weten.

Ze hees haar rugzak op haar rug, pakte haar gitaar en zette haar tocht voort. Over een uur is het zeven uur, dacht ze. Dan zie ik vast wel ergens een benzinestation of een kroeg en ben ik veel beter in staat om een besluit te nemen.

Maar het liep anders.

Ze was net voorbij een verlaten boerderij gekomen en had een koude windvlaag en een regendruppel op haar wang gevoeld, toen de eerste auto van die ochtend voorbijreed.

Hij reed de goede kant op en bijna zonder nadenken stak ze haar hand op. Niet heel hoog, meer een weifelachtige zwaai, niet echt een teken dat ze om een lift vroeg.

De auto was een blauwe Volvo, niet bijzonder nieuw, niet bijzonder oud. Een man van een jaar of vijftig zat achter het stuur. Anna zag vluchtig zijn gezicht toen hij voorbijreed. Of misschien was hij toch ouder, ze was waanzinnig slecht in het schatten van leeftijden.

Hij stopte tien meter vóór haar langs de kant van de weg. Liet zijn autoraampje zakken en stak zijn hoofd naar buiten.

'Waar moet de jongedame heen?'

Anna's eerste impuls was om zich niet met de man in te laten. Zijn gezicht was een beetje pafferig, maar hij zag er niet direct onverzorgd uit. Een bril, kort, muisgrijs haar, een overhemd en een leren jasje. Alles normaal. Maar er was iets aan zijn stem en de blik in zijn ogen. Toen ze bij de auto stond, bekeek hij haar van top tot teen, keurend leek het wel, voordat hij haar fatsoenlijk in de ogen keek.

'Eerst moet je mensen in de ogen kijken', zei haar moeder altijd. 'Als dat gebeurd is, kun je kijken waar je wilt.'

'Spring erin, dan breng ik je een stukje verder.'

'Bedankt, maar ...'

'Ik hoef maar tot Norrviken, maar dat scheelt je toch in elk geval weer vijf kilometer, nou?'

Hij trapte het gaspedaal licht in en ze begreep dat ze een besluit moest nemen. Zij was degene die hulp nodig had, niet hij.

'Oké.'

Ze liep om de auto heen, opende het achterportier en slingerde haar rugzak en gitaar naar binnen. Er lag al een bruine, oude, versleten tas. De man boog zich over de passagiersstoel heen en opende het voorportier voor haar. Ze ging zitten en deed haar veiligheidsgordel om, hij bleef even stil zitten terwijl hij haar van opzij bestudeerde, daarna knikte hij, liet de koppeling opkomen en reed weg.

'Speel je?'

'Wat?'

Hij wees naar de gitaar op de achterbank. 'Dat daar.'

'Een beetje. Ik ben het aan het leren.'

'Ik heb ooit in een bandje gespeeld.'

'Wat speelde je?'

'Drum. Ik was drummer.'

Hij roffelde even op het stuur. 'Jij bent een Elvaforsmeid, toch?'

'Elva... waarom denk je dat?'

Hij lachte. 'Je bent hem gesmeerd, toch? Dat is niet zo moeilijk te raden. Ik moet zeggen dat ik niet verwacht had dat jullie zo vroeg je bed uit kwamen. Waarom ben je er eigenlijk vandoor gegaan? Je hoeft niet bang te zijn, hoor, ik ben niet van plan je aan te geven.'

Anna dacht snel na. Ze besefte dat het geen zin had

om te ontkennen. Als hij wist wat Elvafors voor iets was, en dat deed kennelijk iedereen in deze streek, dan was het natuurlijk niet moeilijk om de juiste conclusie te trekken.

'Ik ben onderweg naar huis. Elvafors is een plek waar je op vrijwillige basis verblijft, en het past me niet.'

'Wat past de jongedame dan wel?'

Hij gaf twee zachte klopjes op haar dijbeen en bracht toen zijn hand weer naar het stuur. Er ging een huivering door haar heen en ze vroeg zich plotseling af of het nu dan ging gebeuren.

Het ergste.

Het was haar nooit overkomen. Ze was met jongens naar bed geweest ook al had ze geen zin gehad, natuurlijk, maar echt verkracht was ze nooit. Die lichte klopjes bezorgden haar rillingen die haar van binnen ineen deden krimpen. Althans, zo voelde het. RVL, dacht ze. Dat was regel nummer één, had de vrouw die destijds op school over zelfverdediging was komen praten verteld.

Ren Voor je Leven.

Ja, zo hoorde het natuurlijk, maar wat deed je als je in een rijdende auto zat?

'Hoe zou je het vinden om wat geld te verdienen?'

Hij zei het op een heel neutrale manier. Een onschuldig werkaanbod, alsof het ging om afwassen in een restaurant. Of kranten bezorgen.

Maar het ging om het een noch het ander, daarvan was ze overtuigd.

'Kun je stoppen, ik wil eruit.'

Hij leek haar niet te horen.

'500 kronen voor een half uurtje werk, wat zeg je ervan?'

'Nee, bedankt. Wees zo aardig om te stoppen.'

'Aardig kan ik zijn, maar stoppen doe ik pas wanneer het mij uitkomt. Een meisje als jij heeft toch al heel wat meegemaakt?'

Hij gaf gas. Anna drukte haar nagels in haar handpalmen en beet op haar wang. Ze besloot om niets meer te zeggen.

'Een fotoklusje, meer niet. Ik heb achterin een fotocamera liggen. Ik zal je niet aanraken.'

Ze wierp een blik op zijn krachtige handen aan het stuur en besefte dat ze geen schijn van kans tegen de man had. Hij was groot, maar niet dik. Minstens vijftig, zoals gezegd, misschien had ze van hem weg kunnen rennen, maar hem aankunnen? En haar spullen achterlaten? Vergeet het, dacht ze. Ze vroeg zich af of dat van die camera waar was. Zou het kunnen? Dat hij haar alleen maar naakt wilde zien? Dat hij iemand was die genoegen nam met een vluchtige blik?

Ze haalde diep adem en bestudeerde hem. Hij keek van opzij terug en trok één mondhoek op in een grijns. Ze zag dat hij gelijkmatige, witte tanden had. In elk geval was hij geen schooier, maar dat wist ze al.

Gewoon een viezerik. Een wat oudere, enigszins welgestelde viezerik. Misschien had hij kinderen die ouder waren dan zij. Misschien had hij een vrouw en een groot huis en had hij het goed voor elkaar.

Sad girl, bad girl, dacht ze. Hoe kon je verdorie zo dom zijn om in deze auto te stappen? Je bent nog geen twee uur weg uit Elvafors of je hebt je al weer in de nesten gewerkt.

Vreselijk in de nesten gewerkt.

'Zullen we het zo afspreken?' zei hij.

'Zet die auto stil en laat me uitstappen', zei ze. 'Ik weet hoe je eruitziet en ik weet je kenteken.'

Meteen toen ze dat zei, besefte ze dat ze daarmee waarschijnlijk nog een stommiteit beging. Als hij zich daadwerkelijk aan haar vergreep, moest hij haar nu ook vermoorden. *Gonnabe a dead girl*, plotseling voelde die belabberde tekstregel heel realistisch aan.

'Onzin', zei hij. 'Je bent op de vlucht, ik wil alleen maar een paar foto's van je nemen. Je krijgt er 500 kronen voor, je kunt vast wel wat geld gebruiken, toch?'

Ze had hem in elk geval niet bang gemaakt. Aan de andere kant maakte hij niet de indruk te gaan stoppen of zelfs maar vaart te minderen. Hij zat nog steeds rustig met zijn handen aan het stuur terwijl zijn ogen op de weg gericht waren en hij af en toe een blik op haar wierp.

'Mag ik de camera zien?' zei ze na een halve minuut.

Hij reikte naar achteren en tastte in de bruine tas. Er kwam een systeemcamera tevoorschijn die er behoorlijk oud uitzag. Maar toch ook professioneel, misschien was hij echt fotograaf. Hij gaf haar de camera aan, terwijl hij tegelijkertijd vaart minderde en rechts afsloeg een bosweggetje in. Het bestond uit niet meer dan twee bandensporen met een strook gras ertussen. Anna dacht dat ze waarschijnlijk wel uit de auto zou kunnen springen zonder zich al te veel te bezeren, maar wat zou hij dan doen? Als ze het bos in rende en hij niet de moeite nam haar achterna te rennen, zou ze haar rugzak en gitaar kwijt zijn.

En haar portemonnee met haar totale vermogen van 120 kronen zat in de rugzak.

'Stop', zei ze, ze wist niet voor de hoeveelste keer,

maar nu deed hij wat ze vroeg. Ze waren zeker niet meer dan honderd meter het bosweggetje opgereden. Hij reed de auto naar een kleine, kale plek tussen vier dennen, zette de auto in zijn achteruit en keerde, zodat die met de neus weer richting de weg stond. Anna probeerde het portier te openen, maar dat lukte niet; centrale vergrendeling natuurlijk, zelfs daar had ze niet aan gedacht. De man pakte zijn portemonnee uit zijn binnenzak, haalde er een briefje van vijfhonderd uit en zette dat op het dashboard voor zijn stuur.

'Toe, stap uit en doe je kleren uit. Ik blijf hier zitten wachten, en dan krijg je dit als we klaar zijn. Twintig minuten, je hoeft niet eens een half uur te werken.'

Ze dacht na.

'Ik wil dat je eerst mijn spullen buiten de auto zet', zei ze. 'Ik ben niet van plan daarna nog een meter met je mee te rijden.'

Hij knikte. 'Ik zet ze buiten de auto terwijl jij je uitkleedt.'

Hij drukte op een knop en haalde haar portier van het slot, ze deed het open en zette haar ene voet buiten de auto. Toen nam ze een besluit waarvan ze later niet kon begrijpen hoe ze erop gekomen was.

Ze had zijn camera nog steeds op haar schoot. Voor ze de auto uit stapte, pakte ze het behoorlijk zware voorwerp in haar rechterhand, deed even alsof ze het aan hem terug wilde geven, maar sloeg het toen met alle kracht tegen zijn hoofd.

De slag trof hem schuin tegen zijn rechterslaap. Anna hoorde zijn brillenglazen breken en zijn adem in één keer wegvloeien. Het klonk als een diepe zucht, heel beangstigend. De man viel achterover tegen de rugleuning en het zijraam, zijn mond hing open en er stroomde bloed uit één kant van zijn gezicht langs zijn leren jasje op de stoelzitting. Zijn handen lagen op zijn dijbenen voor hem en schokten zacht.

Even dacht Anna dat ze ging flauwvallen, maar toen stapte ze de auto uit, opende het achterportier en pakte haar spullen. Ze deed de rugzak om, pakte haar gitaar op en begon te rennen. Het bos in.

Het ging moeizaam. Ze struikelde een paar keer over takken en twijgen, maar ze keek niet om. Haar hart bonkte luid in haar borst en haar mond stond open van het hijgen, maar ze stopte niet. Ze vond geen echt pad, maar bleef toch doorrennen. Wankelend sleepte ze zich voort tot ze niet meer kon. Toen zonk ze neer achter een bemoste steen. Zo voelt het om een opgejaagd dier te zijn, ging het door haar hoofd, zo voelt een prooidier zich.

Ze bleef nog een paar minuten zitten. Als hij komt, dan komt hij maar, dacht ze. Ik kan niet meer. Ik kan geen stap meer zetten, als hij opduikt, dan is dat maar zo. *Young girl, dumb girl.*

Ten slotte was haar polsslag onder de honderd gezakt en durfde ze op te staan en om de steen heen te kijken in de richting waar ze vandaan gekomen was.

Het zicht was niet meer dan twintig, dertig meter, maar er leek geen beweging te zijn. Een verwilderd berkenbos, stenen, twijgen, niet echt mooi, slechts her en der een wat hogere spar of den. Misschien was het een oude kaalslag. Ze hield haar adem in en luisterde. Het geruis van het bos, het klonk bijna als een ademhaling, verder hoorde je niets.

Het zou toch niet ...? Ze zou toch niet ...? Anna durfde

de gedachte niet af te maken, maar uiteindelijk kwam ze toch.

Hij zou toch niet dood zijn?

Ze zakte weer terug met haar rug tegen de steen en voelde hoe alle energie plotseling uit haar wegtrok. Haar gezichtsveld vernauwde zich en gele vlekken dansten aan de zijkanten van haar ogen. Even dacht ze weer dat ze ging flauwvallen. Of overgeven. Of allebei.

Stel dat ze een mens gedood had.

Zijn leven had genomen.

Vijftig, vijfenvijftig of zestig jaar had die man op deze aarde rondgelopen, al die uren, dagen en jaren, maar toen was hij die gevluchte Elvaforsmeid tegengekomen. Hij had haar een lift gegeven en nu was hij dood.

Ze wist niet hoe hij heette. Misschien had hij inderdaad alleen maar wat foto's van haar willen maken. Misschien zou hij haar nooit aangeraakt hebben, zoals hij had beloofd.

En wat zou de politie in godsnaam denken als ze hem vonden? Wat zouden zijn vrouw en kinderen zich in hun hoofd halen, als hij die tenminste had? Zou het zelfs niet mogelijk zijn dat ...?

Haar gedachten werden onderbroken door een geluid. Een auto die startte en wegreed. Mijn god, was ze niet verder weg gekomen? Het klonk alsof het niet meer dan vijftig meter bij haar vandaan was. Had ze soms in een rondje gerend?

Ze hoorde het geluid wegsterven. Dat moest ... dat moest hem toch wel zijn? Er kon toch niet nóg een auto in de buurt geweest zijn? Ze had immers al die tijd geen andere gezien.

Opeens besefte ze dat het gestopt was met regenen.

Of misschien was het nooit helemaal echt begonnen. Ze kon zich in elk geval niet herinneren dat de ruitenwissers bewogen hadden. Of toch wel?

Wat zit ik hier aan ruitenwissers te denken? dacht ze. Ik ben echt niet helemaal goed wijs.

Ze voelde tranen opkomen, maar stak snel een sigaret op en keek op haar horloge, het was precies zeven uur.

Alles volgens plan: om zeven uur een nieuwe sigaret, een nieuw besluit.

Maar het was toch anders gegaan dan ze gedacht had, want in plaats van bij een benzinestation of een kroeg zat ze half in shock achter een steen in het bos en was ze net aan een verkrachting ontkomen.

Was ze net geen moordenaar geworden.

Nee, dacht Anna Gambowska terwijl ze diep inhaleerde, dit is geen goed begin. Helemaal niet goed.

Even later was ze terug op de plek waar de auto gestaan had. Hij was inderdaad weg, zoals ze vermoed had; de man was bijgekomen en weggereden. Ongetwijfeld bebloed en verward, maar levend. Godzijdank.

Toen ze erover nadacht, moest ze ook toegeven dat ze hem begreep. Niet dan? Liever wegwezen dan het bos in rennen om een gestoorde Elvaforsmeid achterna te gaan, die duidelijk levensgevaarlijk was.

Ze schudde haar hoofd en sjokte in de richting van de weg terwijl ze zichzelf probeerde op te peppen. Ondanks alles, dacht ze met de moed der wanhoop, ondanks alles heb ik de situatie nog best goed gehanteerd.

Hij heeft zijn lesje geleerd en ik ben niet onteerd. Zo moest je de zaak natuurlijk bekijken.

Eenmaal bij de weg aangekomen stopte ze niet meer,

ze deed alleen haar rugzak even recht en liep toen verder naar het zuiden. Of was het het westen? De versregels kwamen terug zodra ze haar oude tred weer hervonden had, maar ze veranderde ze een beetje. Beter gezegd: ze veranderden vanzelf, vandaag was ze duidelijk genoeg geconfronteerd met dood en ellende.

Sad girl, bad girl, gonnabe a good girl.

Beter, beslist veel beter.

Maar de vermoeidheid lag op de loer; ze had nog maar een paar honderd meter gelopen of ze besefte dat ze moest zorgen dat ze ergens even behoorlijk kon uitrusten. Iets eten en drinken ook, maar die loodzware vermoeidheid was het prangendst. Al kan ik maar een paar uur slapen, dan kan ik daarna mijn zaakjes regelen, dacht ze terwijl ze een blik op de lucht wierp. De wolken begonnen zich alweer op te stapelen. Nog even en ze zou in de regen lopen.

Het moet ergens binnen zijn, dacht ze. Ik heb in elk geval een dak boven mijn hoofd nodig, want als ik buiten in het bos ga liggen pitten, word ik wakker met een longontsteking.

Ze kwam bij een zijweg naar rechts. RÖDMOSSEN stond er op een klein, afgebladderd bord dat uit de greppel omhoogstak.

Ze sloeg de smalle weg in zonder eigenlijk te weten waarom.

10

Donderdag ging voorbij, vrijdag ging voorbij.

Toen kwam het weekeinde – zijn stiefdochters kregen altijd een vermoeide blik in hun ogen als hij dat woord gebruikte en niet gewoon 'weekend' zei – en het duurde eeuwen. Nooit eerder in zijn leven was de tijd voor Valdemar Roos zo traag en monotoon verstreken.

Na de koffie op zaterdagochtend, en nadat hij meerdere keren had moeten uitleggen hoe het kon dat hij zijn bril onder de douche had stukgetrapt, viel de dag in drie delen uiteen.

Eerst reden ze naar de Coopsupermarkt in Billundsberg om voor zo'n 2.000 kronen aan boodschappen voor het diner te halen. Dat nam drie uur in beslag. Vervolgens reden ze naar huis en begonnen ze alle ingrediënten in stukjes te snijden en op verschillende manieren te bereiden. Dat duurde ongeveer even lang.

Daarna douchten ze en maakten ze zich klaar. Dat kostte Valdemar een kwartier, Alice een half uur. Valdemar had nog tijd voor een dutje van tien minuten.

Om zeven uur ging de voordeurbel, Alice' oude studiegenote Gunvor Sillanpää en haar nieuwe levenspartner Åke Kvist maakten hun entree.

Ze zaten met elkaar aan tafel en verorberden alle

klaargemaakte gerechten – plus een gevarieerd aanbod van wijn en drank – dat nam vier uur en vijfenveertig minuten in beslag. De vier belangrijkste gespreksonderwerpen van die avond waren: kleiduiven schieten, het tv-programma *Wie wil misantroop worden?*, persoonlijkheidsstoornissen en de algemene belastingdruk. Om kwart over één was alles afgewassen en opgeruimd. Valdemar had zure oprispingen toen hij zijn bed in rolde, geen van de dochters was sinds vier uur 's middags thuis geweest. Een glas van de nieuwe Kosta Bodaserie was gebroken.

'Wat vond jij ervan?' wilde Alice weten.

'Waarvan?' vroeg Valdemar.

'Van hem, natuurlijk', zei Alice.

Valdemar dacht na.

'Hij was een beetje klein.'

'Klein?' vroeg Alice en ze deed het bedlampje dat ze net had uitgedaan weer aan. 'Wat bedoel je met klein? Het maakt toch niet uit hoe lang iemand is?'

'Oké', zei Valdemar. 'Nee, je hebt gelijk. Hij was wel gewoon normaal.'

'Ik snap jou niet', zei Alice.

'Het was interessant om zo veel te leren over kleiduiven schieten', zei Valdemar. 'Ik wist niet dat zo veel mensen dat deden. En het is vast handig als je niet zo lang bent en je ...'

Hij zweeg, aangezien Alice nu omhoogkwam op haar ellebogen en hem van twintig centimeter afstand bestudeerde. 'Vind je jezelf grappig, Valdemar?'

'Nee, ik probeer alleen ...'

'Want dat vind ik anders niet.'

Ze keerde hem haar rug toe en deed het lampje uit.

Morgen is het zondag, dacht Ante Valdemar Roos. Dan hou ik mijn woorden in.

Op zondag reden ze naar Västra Ytterbodarna om Alice' vader Sigurd te bezoeken, die daar in een verpleeghuis zat. Het was zijn zevenentachtigste verjaardag, maar daarvan was hij zich evenmin bewust als van alle andere dingen om hem heen. Hij herkende Valdemar niet meer en Alice ook niet, maar Wilma – die zich had laten overhalen om mee te gaan op voorwaarde dat ze over twee weken voor haar verjaardag een iPod zou krijgen, een nieuw soort muziekmachientje waar iedereen tegenwoordig mee rondliep – herkende hij onmiddellijk als Katrina van Karelen, een vrouw op wie hij in zijn jeugd zwaar verkikkerd was geweest. Ze was niet de moeder van Alice, die een paar jaar eerder overleden was, nee, Katrina was een veel beter vrouwtje. Van een heel ander kaliber, in het bijzonder tussen de lakens, verklaarde Sigurd zo'n dertig keer met luide stem in het uur dat ze in het verpleeghuis waren. Herhaaldelijk probeerde hij ook Wilma bij haar borsten te grijpen, maar door zijn zwakke gesteldheid en Wilma's duidelijke weerzin slaagde hij daar niet in.

'Ik ga nooit meer mee naar die ouwe viezerik', zei ze toen ze weer in de auto zaten.

'Het is je opa', zei Alice.

'Dat kan me geen reet schelen', zei Wilma. 'Hij is een vieze ouwe gek.'

'Hij is zielig', zei Alice.

'Ik vind het zielig voor iedereen die in zijn buurt moet zijn', zei Wilma.

Valdemar had tijdens het bezoek nauwelijks een

woord gezegd en deed dat ook nu niet. Hij hield zich de hele honderddertig kilometer naar huis aan zijn voornemen om te zwijgen.

Ik verkeer in innerlijke ballingschap, dacht hij.

Ik moet een manier vinden om ook in het weekend een paar uur weg te komen, want dit trek ik niet meer.

Voor hij die avond in bed kroop, nam hij uitgebreid een bad om na te denken. Hij had de deur op slot gedaan en een kaars aangestoken in de houder aan de muur. De flakkerende vlam wierp sierlijke, dansende schaduwen op de Italiaanse tegels, waar Alice zo trots op was. Hij was in gedachten vooral bezig met de boodschappen.

De boodschappen morgen. Wat hij in Rimmersdal bij de ICA-supermarkt met die aardige kassière zou kopen. In zijn hoofd probeerde hij een lijstje te maken en dat van buiten te leren: koffie, filters van het merk Melitta, melk, suiker, zout, zwarte peper, brood, koekjes, Zweedse beschuitjes, boter, kaas, fruit, worstjes, eieren, conserven, yoghurt, toiletpapier ... Het zou ideaal zijn als hij uitkwam met één keer per week boodschappen doen op de maandagochtend, bedacht hij. Dan zou hij voldoende in huis moeten hebben voor vijf dagen. Hij fantaseerde over alle gesprekjes die hij zou voeren met de kassière met de donkere ogen. Het was voor hem niet moeilijk om zich voor te stellen hoe hun contact zich zou verdiepen, hoe zijn contact met die kassière elke maandagochtend langzaam maar zeker meer zou worden dan een oppervlakkig contact tussen een kassière en haar klant ... Hoe ze op een dag het een en ander over haar eigen leven – dat vast enigszins treurig was, wat natuurlijk niet verwonderlijk was met zo'n hufter van een echtgenoot – aan hem zou toevertrouwen, en hoe hij haar zou verzekeren dat hij haar begreep; eens had hij immers ook een triest leven geleid. Maar je hoefde niet bang te zijn dat dat altijd zo bleef, het ging erom geduld te hebben. Na verloop van tijd, na een jaar, of misschien al na een paar maanden, zou hij haar vragen of ze geen zin had om met hem mee te gaan om zijn huisje in het bos te bekijken. Ze zou eerst afhoudend zijn, een week, een maand misschien, maar uiteindelijk zou ze toch overstag gaan: 'Ach, waarom niet, wie niet waagt, die niet wint.' Hij zou instemmen met die woorden en zeggen dat het leven inderdaad zo in elkaar stak. Dan zou ze achter de kassa vandaan komen en met hem meegaan. Hij zou het portier van zijn auto voor haar openhouden en samen zouden ze naar Lograna rijden. Als ze het zag zou ze eerst helemaal stomverbaasd zijn, dan zou ze haar handen voor haar mond slaan, om vervolgens een hand op zijn arm te leggen en te zeggen dat ... dat ze al haar hele leven naar een plek als deze had verlangd. En dan zou hij zich niet langer kunnen inhouden, en ...

Hij schrok op van gebonk op de deur. Het badwater was inmiddels koud en hij begreep dat hij al een hele tijd in het bad had liggen dromen.

Signe riep iets, hij verstond niet precies wat.

'Ik verkeer in innerlijke ballingschap', riep hij terug.

'Wat?'

Valdemar kwam overeind en stapte het bad uit. 'Ik zei dat ik over een paar minuten klaar ben.'

'Ik moet erin.'

'Er is nog een toilet, als je het je moeder vraagt, kan ze je laten zien ...'

'Ik hoef niet naar de plee, snap je nou helemaal niks? Ik moet wat spullen hebben uit het kastje.'

'Vijf minuten', zei Valdemar.

'Verdomme!' riep Signe.

Valdemar hoorde haar weglopen. Hij trok de stop uit het bad en begon zich af te drogen. Toen blies hij de kaars uit om zijn bleke, pafferige lichaam niet in de spiegel te hoeven zien. Het menselijk geslacht zou er baat bij hebben als iedereen blind was, dacht hij.

'Valdemar, ik moet je iets vragen', zei Alice toen ze die zondagavond eindelijk in bed lagen.

'O ja?' vroeg Valdemar. 'Wat is er dan?'

'Ik vind dat je zo veranderd bent. Is er iets gebeurd?'

'Niet dat ik weet. Volgens mij is alles precies zoals altijd.'

'De meisjes zeggen ook dat ze je niet herkennen.'

'Herkennen?'

'Ja, zo zei Wilma het letterlijk. Het is net alsof je iets verbergt, Valdemar.'

'Wat moet ik in godsnaam te verbergen hebben?'

'Dat kan alleen jij weten, Valdemar.'

'Alice, ik begrijp echt niet waar je het over hebt.'

Alice zweeg een poosje. Ze deed haar bitje in en weer uit.

'We praten niet meer met elkaar, Valdemar.'

'Dat hebben we toch nooit gedaan, Alice?'

'Moet dat een leuke opmerking zijn?'

'Hoe bedoel je?'

'Dat we nooit met elkaar praten. Ik begrijp niet waarom je dat soort dingen zegt. Waar is dat goed voor?'

'Dat is helemaal nergens goed voor, maar zo is het

met alles wat ik zeg of ooit heb gezegd. Het is nooit ergens goed voor geweest. Dus is er werkelijk niets veranderd waar we over moeten praten.'

Alice draaide haar hoofd om, hij kon haar blik als een warmteplek op zijn linkerslaap voelen en hij vermoedde dat het laatste wat hij gezegd had een beetje ondoordacht was geweest. Er gingen twee, misschien drie minuten voorbij zonder dat een van hen iets zei. Om ergens mee bezig te zijn, begon Valdemar het boodschappenlijstje weer in zijn hoofd door te nemen: koffie, filters, melk, suiker, zout, zwarte peper, brood, koekjes, Zweedse beschuitjes, boter, kaas ...

'Ik denk dat je depressief bent, Valdemar', zei Alice ten slotte. 'Ja, ik denk echt dat je een klassieke depressie te pakken hebt.'

Valdemar stopte met zijn boodschappenlijstje en dacht na. Misschien was het niet zo'n gek idee om het daarop te houden.

'Ja, Alice', zei hij. 'Nu je het zegt ... ik voel me de laatste tijd wel een beetje lamlendig.'

'Zie je wel', zei Alice. 'Dat verklaart de zaak. Morgen begin je met je medicijnen.'

Ze stopte het bitje in haar mond en deed de lamp aan haar kant van het bed uit. Valdemar pakte een boek dat op zijn nachtkastje lag, een roman van een Roemeense schrijver waarin hij al twee maanden bezig was. Het was een beetje onduidelijk waarover het ging en de reden dat hij doorging met lezen was tweeledig: deels omdat hij er niet van hield om boeken half gelezen weg te leggen, deels omdat er af en toe zinnen in de tekst opdoken die hem bijzonder waar leken. Alsof de schrijver zich op de een of andere vreemde manier direct tot hem richtte, puur tot hem alleen. Deze avond had hij niet meer dan een halve bladzijde gelezen toen hij op de volgende formulering stuitte:

Zoals een gaatje dat zomaar ontstaat in het harde ivoor – dat iemands innerlijke reservoir van levensvuur omgeeft – een wentelend gat, dat lijkt op de boorgang van een houtworm, zo kan plotseling voor iemands ogen een tunnel opengaan, die naar het eeuwige, innerlijke vuur leidt, terwijl men droomt en droomgezichten voortdurend onrustig rond het Mysterie cirkelen.

Hoe kan een mens zoiets bedenken? dacht Valdemar. En er de woorden voor vinden? ... *het harde ivoor, dat iemands innerlijke reservoir van levensvuur omgeeft,* hoe kom je op zoiets? Hij had het boek aan het begin van de zomer gevonden in een mand van staaldraad in warenhuis Åhlens, het had 29 kronen gekost.

Hij las de zin drie keer en probeerde hem uit zijn hoofd te leren; toen kreeg hij een ingeving en voegde een artikel aan zijn boodschappenlijstje toe: een notitieboekje.

Elke dag die ik in Lograna doorbreng ga ik zo'n zin schrijven, besloot hij, elk woord ga ik afwegen en vormen tot een echte, gedegen gedachte over het leven en de eigenaardigheden ervan. Met dag en datum in een boekje, zo'n simpel notitieboekje met lijntjes en een zachte, zwarte kaft dat ze bij de ICA in Rimmersdal vast wel verkopen.

Tevreden met zijn besluit, en met het feit dat het morgen als hij opstond eindelijk maandag zou zijn, legde Valdemar de Roemeen opzij, knipte zijn lampje uit en probeerde de slaap te vatten.

De laatste keer dat hij zijn ogen opendeed en op de wekker keek, was het 01 uur 55.

11

Alice was de volgende ochtend haar diagnose van een depressie niet vergeten. Maar ze had haar behandelplan herzien.

'Ik denk dat het niet goed is om direct met medicijnen te beginnen', verklaarde ze toen Valdemar aan tafel was gaan zitten voor het ontbijt en zich achter zijn ochtendkrant had verschanst. 'Ik regel wel een afspraak met Faringer.'

'Dat is niet nodig', zei Valdemar.

'Dat is wel nodig', zei Alice.

'Het gaat vanzelf over', zei Valdemar.

'Zoiets kun je niet zelf beoordelen', zei Alice.

'Wat is er nodig en wat kun je niet zelf beoordelen?' vroeg Wilma. 'Wie is Faringer?'

Valdemar tuurde over de rand van zijn krant. Wilma klonk ongewoon monter en zag er ook zo uit, als je bedacht dat het maandagochtend was. Meestal zei ze helemaal niets zo vroeg op de morgen.

'Niets waar jij je druk om hoeft te maken, lieverd', antwoordde Alice. 'Weet je of Signe al op is?'

'Hoe moet ik dat weten?' antwoordde Wilma. 'Ze is in elk geval niet op haar kamer.'

'Hoe bedoel je, ze is niet op haar kamer?' vroeg Alice

terwijl ze een lange streep kaviaar uit de tube op haar ei kneep.

'Dat ze bij Birger Butt is blijven slapen, bijvoorbeeld', zei Wilma.

'Praat niet zo', zei Alice. 'Hoe heet hij eigenlijk echt? Hij heeft toch wel een normale naam?'

'Niet dat ik weet', zei Wilma. 'Iedereen noemt hem zo. Of ook wel "Birger met het achterwerk".'

'Mijn hemel', zei Alice. 'Hoe kun je ... ik bedoel, waarom dan?'

'Hij heeft een tijdje terug de wedstrijd om het lekkerste kontje gewonnen. Al heeft hij waarschijnlijk de meisjes die in de jury zaten omgekocht. Vraag het maar aan Signe als ze terug is, als je geïnteresseerd bent.'

'Lieve Wilma', zei Alice. 'Zo is het wel genoeg. Hebben we geen belangrijker dingen om over te praten?'

'Jawel, ik heb geen tegoed meer op mijn buskaart,' zei Wilma, 'en ik heb 500 kronen nodig voor die gymschoenen. Ik wil ze vandaag tijdens de lunchpauze gaan kopen.'

Ante Valdemar Roos concludeerde dat dokter Faringer kennelijk niet meer aan de orde was en verschool zich weer achter zijn krant.

Een kwartier later was hij alleen in huis. Plichtsgetrouw smeerde hij zijn boterhammen – aangezien Alice een nieuw soort gezondheidsbrood gekocht had, waarover ze absoluut zijn mening wilde horen – maakte er een pakketje van en stopte dat samen met de lege thermoskan en een banaan in zijn bruine, leren tas die hij al sinds 2002 gebruikte, een kerstkado van zijn beide stiefdochters. Hij plakte nieuw plakband op zijn bril; natuurlijk moest hij hem naar een opticien brengen, maar dat kon een paar dagen duren. Hij vroeg zich af of hij alles wat hij in Rimmersdal wilde kopen zou opschrijven, of dat hij op zijn geheugen zou vertrouwen. Hij besloot het laatste te doen. Als hij iets belangrijks vergat, kon hij immers altijd nog op een andere dag van de week de winkel binnenstappen, dat zou zeker een goede zet zijn.

Hij vroeg zich af hoe zijn kassière heette. Misschien kon hij het haar gewoon vragen, maar het was moeilijk in te schatten hoe ze dat zou opvatten. Waarschijnlijk was het slimmer om een paar maandagen te wachten.

Hij vertrok bijna tien minuten eerder dan normaal, voelde meteen toen hij door de tuin naar zijn auto liep hoe hij vervuld werd – zijn lichaam en zijn ziel, het was feitelijk niet gemakkelijk om ze op een ochtend als deze los van elkaar te zien – van een gevoel van lichtheid en opgeruimdheid, en hij probeerde zich die woorden te herinneren ... *een tunnel die naar het eeuwige vuur van binnen leidt* ... ja, dat was geen slechte beschrijving van zijn toestand. Diep binnen in hem was sinds kort de deur van een kamer, die vele jaren gesloten en vergrendeld was geweest, langzaam op een kier komen te staan ... een deur met weerbarstige, roestige scharnieren weliswaar, maar het openduwen gebeurde met een vasthoudendheid die ook al lange tijd ongebruikt gelaten was, al die weggegooide dagen en jaren ...

Met deze opmerkelijke gedachten ging hij achter het stuur zitten en hij herinnerde zichzelf eraan dat, mocht hij het een en ander vergeten van wat hij in Rimmersdal wilde kopen, het dan in elk geval niet dat zwarte notitieboekje mocht zijn. Hij kon niet precies aangeven waarom dat boekje zwart moest zijn, maar het was er daarom niet minder noodzakelijk om. Sommige gedachten en formuleringen laten zich nu eenmaal niet in kaders vangen, dacht hij, en juist dat soort woorden wilde hij vangen en vastleggen. Woorden die uit zijn eeuwige vuur omhoogsprongen, niet meer en niet minder, om tussen een zwarte, zachte kaft te vallen, zo was dat.

Zo zou het in elk geval zijn.

Beter dan dit wordt het leven niet, dat was het eerste wat hij opschrijven zou, dat zou zijn motto zijn; misschien kon hij eraan toevoegen dat je je tred moest vertragen, want als je dat niet deed, zou je nooit dat moment opmerken wanneer het leven op zijn allermooist was.

Hij glimlachte ernstig naar zichzelf in de achteruitkijkspiegel, startte zijn auto en reed achteruit de parkeerplaats af. Hij liet het zijraam helemaal naar beneden glijden en reed Regementsvägen op. De nazomer hing nog in de lucht, zijn dunne haren raakten een beetje door de war door de zwoele wind en om de een of andere reden kwam de naam Lucy Jordan in zijn hoofd op. Wie was Lucy Jordan in hemelsnaam?

Maar ze verzonk weer in de anonieme bron van vergetelheid. Toen hij Rockstavägen op draaide, constateerde hij dat de zon net boven de bosrand bij Kymlingeåsen uit gekomen was en het nieuwe koperen dak van de Johanneskerk deed opgloeien. Vogels zweefden boven de net geoogste graanvelden, een jong meisje trapte zo stevig op haar fiets dat haar rok wapperde.

Beter dan dit wordt het nooit.

Ze hadden niet één soort zwarte notitieboekjes bij de ICA-supermarkt in Rimmersdal, maar twee. Een in A4-formaat en een in A5, zelfde fabricaat, zelfde zachte kaft; Valdemar koos na even aarzelen de kleinste. Eenvoud is tenslotte een deugd. Meteen toen hij de winkel was binnengekomen, had hij vastgesteld dat zijn kassière op haar plaats zat; hij had haar gezien, maar zij hem niet, want ze zat met haar rug naar hem toe en was net met een klant bezig.

Na twintig minuten slenteren tussen de schappen was hij klaar, er waren bijna geen mensen in de winkel, alleen twee oude, kromme dametjes die langzaam en plechtstatig als twee droevige hemellichamen tussen de amandelkoekjes, de budgetkoffie en de oostzeeharing door bewogen. Gewone mensen waren op dit moment natuurlijk op hun werk, dacht Valdemar, dit waren de uren op de dag die de ongewone mensen benutten.

Ik ben een ongewoon mens, dacht Ante Valdemar Roos. Een interessant mens, dat is ongetwijfeld de gedachte die door haar hoofd gaat nu ze me ziet.

'Goedemorgen', begroette ze hem glimlachend.

'Goedemorgen', groette hij terug. 'Ja, het is werkelijk een goede morgen.'

Ze lachte en begon zijn boodschappen langs het elektronische oog te halen. Valdemar haalde zijn boodschappen bedachtzaam uit zijn mandje, deed zijn best om het niet te gehaast te doen, opdat ze ongeveer even snel waren. Alsof ze collega's waren, drong plotseling tot hem door. Alsof ze aan dezelfde lopende band stonden en al jarenlang elke dag dezelfde handelingen uitvoerden. Niet zo vreemd dat je elkaar dan wat beter leert kennen. Negen van de tien romances beginnen op het werk, dat had hij nog niet eens zo heel lang geleden in de krant gelezen.

'Is het goed zo?'

'Ja, bedankt, helemaal perfect.'

Ze glimlachte weer toen hij haar geld gaf. Hij knikte vriendelijk en nam het wisselgeld in ontvangst. Raakte daarbij heel even haar hand, die warm en zacht voelde. Hij begon zijn boodschappen in een van de twee papieren tassen te stoppen; de kassière leek even te aarzelen, toen stond ze op en hielp hem de tweede te vullen. Er stonden toch geen klanten in de rij.

'Dank je wel', zei hij. 'Dat is aardig van je.'

'Ik moet toch mijn rug even strekken', zei ze en nu was haar accent duidelijk hoorbaar. 'Ik zit hele dagen, dat is niet zo gezond.'

'Dat ken ik', antwoordde hij. 'Inderdaad, frisse lucht en beweging heeft het lichaam nodig.'

Hij rekte zich een beetje uit toen hij dat zei en zij lachte weer. 'Daar hebt u helemaal gelijk in', zei ze. 'Lucht en beweging ...'

Toen de tassen ingepakt waren, knikte hij haar weer toe. 'Het is een mooie dag.'

Ze zuchtte en haalde haar schouders even op. 'Ik weet het. Gisteren heb ik de hele middag gewandeld. Het is zo'n mooi jaargetijde. Ik hou het meest van de herfst.'

'Dat geldt voor mij ook', zei Valdemar. 'Van mij zou het het hele jaar herfst mogen zijn.'

Een van de oude dametjes was klaar met schuifelen tussen de schappen en was bij de kassa aangekomen; de kassière ging weer op haar stoel zitten en schonk Valdemar een laatste glimlach.

'Fijne dag.'

'Dank je wel, van hetzelfde.'

Hij liep de winkel uit terwijl hij Anita Lindblom in zijn binnenste hoorde zingen. Haar donkere, sensuele stem klonk in feite wel een beetje als die van de kassière. Wonderlijk toch hoe zaken soms konden samenkomen.

Nee, dacht Ante Valdemar Roos, niet het samenkomen is wonderlijk, het ligt aan de observator. Het gaat erom je zintuigen open te stellen en de samenhang die altijd en overal om ons heen is, te ontdekken. Zo zit dat.

Hij zette de tassen in de kofferbak, haalde het notitieboekje tevoorschijn en schreef dat laatste op.

Rimmersdal, maandag 8 september, 's ochtends:

De samenhang die altijd en overal om ons heen is, te ontdekken, dat is leven.

Het waren misschien niet de juiste woorden en misschien klonk het helemaal niet zo treffend als hij had gehoopt, maar hij had het moment weten te vangen, en dat was niet geheel onbelangrijk.

Hij stopte het notitieboekje terug in de tas, startte de auto en reed naar Lograna.

Al meteen bij het uitstappen kreeg Valdemar het gevoel dat er iets was.

Toen hij in de dakgoot onder de daklijst naar de sleutel zocht en ontdekte dat die er niet meer lag, was dat een bevestiging.

Er was iets gebeurd.

Voorzichtig drukte hij de klink van de deur naar beneden. De deur was niet op slot. Was hij vrijdag vergeten af te sluiten?

Dat leek hem onwaarschijnlijk. Hij was ervan overtuigd dat hij een aantal keren aan de deur gevoeld had en zich vervolgens had uitgestrekt om de sleutel zo ver mogelijk naar links onder de daklijst te leggen; dat was al een ritueel geworden in de paar dagen die hij in het huisje had doorgebracht. Maar hij kon natuurlijk niet absoluut zeker weten dat hij dat die vrijdag ook gedaan had; de dagen leken immers allemaal op elkaar, want het ging steeds om precies dezelfde handeling, elke keer dezelfde routinematige beweging – maar dat hij zo'n belangrijk moment in de routine vergeten zou zijn leek hem toch ook wel weer erg onwaarschijnlijk. Helemaal omdat het vrijdag was geweest en hij had geweten dat het huis tijdens het weekend onbewaakt zou zijn.

Onbewaakt? Alsof iemand zich druk zou maken om een huisje dat al jarenlang leegstond.

'Natuurlijk heb ik de deur op slot gedaan', mopperde hij en hij stapte de keuken binnen. 'Verdomme, natuurlijk heb ik dat gedaan.'

De sleutel lag op de keukentafel. Aan de schoenveter en met het houten blokje eraan waar met krullerige, ouderwetse letters LOGRANA op stond.

Midden op de tafel? Zou hij hem daar zomaar hebben achtergelaten en vergeten zijn af te sluiten?

Hij zette de tassen op de grond en liep de kamer in.

Eén raam stond op een kier, tegen de muur stond een rugzak. Op het bed lagen kleren en een gitaar.

Iemand was hier geweest.

Er wás hier iemand. Wat moet dit voorstellen? dacht Ante Valdemar Roos. Wat is ... wat is hier de bedoeling van? Hij voelde een korte duizeling en zocht met zijn hand steun tegen de schouw.

Die was warm. Iemand had de haard aan gehad.

Hij keek om zich heen. Op de tafel lagen een opengeslagen, omgekeerd pocketboek, een collegeblok en twee pennen.

Een leeggedronken koffiekopje.

Wie? dacht Valdemar. Waarom?

De vragen bubbelden in hem op en het duizelige gevoel wilde niet helemaal verdwijnen. Hij trok een stoel naar zich toe en ging zitten. Steunde met zijn hoofd in zijn handen, sloot zijn ogen en probeerde zich te concentreren. Er was hier *iemand* in huis. *Iemand* was zijn Lograna binnengedrongen, had het in bezit genomen, en nu ... wat nu? dacht Ante Valdemar Roos. Wat heeft dit in godsnaam te betekenen? Wat moet ik doen?

Wie?

En vooral *waar?* Waar is hij op dit moment?

Valdemar voelde iets opkomen wat op angst leek. Hij stond op, liep naar de keuken, weer terug naar de kamer en keek door het raam naar buiten.

Waar zou de insluiper nu zijn?

Wie hij ook was, hij bevond zich niet meer in het huis. Kennelijk was hij even weg. Het opengeslagen boek, het koffiekopje, het collegeblok ... alles getuigde ervan dat hij van plan was binnenkort weer terug te komen. Of ...

Of was hij gewoon het bos in gevlucht toen hij Valdemars auto zag aankomen? Kon dat het geval zijn? Was dat niet de meest logische verklaring?

Valdemar liep een hele tijd van de kamer naar de keuken en weer terug, heen en weer, terwijl hij nadacht over wat er gebeurd kon zijn. Had hijzelf de ongenode gast weggejaagd – wie dat ook mocht zijn – of was diegene toevallig even weggegaan en kon hij elk moment weer terugkomen?

Ik kan alleen maar afwachten, dacht Ante Valdemar

Roos. Of hij komt snel terug, of hij kiest ervoor om weg te blijven.

Hij liep weer naar de keuken en begon de etenswaren die hij bij de ICA in Rimmersdal gekocht had uit te pakken. Toen hij klaar was, liep hij de tuin in en keek om zich heen. Geen spoor van een insluiper. Hij pompte een emmer vers water omhoog, ging weer naar binnen en zette koffie.

Gewoon maar afwachten, herhaalde hij in zichzelf. Hij merkte dat het onrustige gevoel, of de angst, aan het wegebben was. Met elke minuut die verstreek leek het hem aannemelijker dat hij de bezoeker bang had gemaakt en had verjaagd – en van zo'n bezoeker had hij waarschijnlijk niets te vrezen.

Hoe hij verder ook nadacht, hij kon geen fout in zijn redenering ontdekken: er was niets om bang voor te zijn.

Het verbaasde hem echter wel een beetje dat hij geen woede voelde. Hij voelde niet een onmiddellijke haat tegen degene die ongeoorloofd zijn Lograna had gebruikt. Hij had toch in ieder geval geïrriteerd moeten zijn. Pissig zelfs.

Maar zo was het dus niet.

En uit een soort respect voor de onbekende besloot hij ook om niet in diens spullen te gaan rommelen – op zoek te gaan naar iets wat een aanwijzing kon geven over diens identiteit. Het pocketboek op de tafel droeg de titel *De verdrietige ridders* en was geschreven door ene Barin. Het collegeblok was dichtgeklapt, Valdemar opende het niet.

In plaats daarvan pakte hij zijn boterhammen en een kop koffie en ging buiten in zijn stoel bij het schuurtje zitten. Hij hief zijn gezicht op naar de zon en voelde hoe hem een behaaglijke loomheid bekroop.

Wat gebeurt, gebeurt, dacht hij. God heeft de haast niet geschapen.

De dag ging voorbij.

Met de gedachte aan de ongenode gast besloot Valdemar om geen wandeling in het bos te maken. In plaats daarvan bleef hij de hele ochtend in en om het huis, het was heerlijk weer en rond de twintig graden – hij nam zich voor zo snel mogelijk een thermometer aan te schaffen – zon en wolken wisselden elkaar af en er was alleen maar een zacht briesje in de boomtoppen te horen. Hij bracht de tijd door met kruiswoordpuzzels, het vuur aanmaken in de oven, wat onkruid weghalen in de tuin; hij zocht een tijdje in het schuurtje naar een grasmaaier of in ieder geval een zeis, maar vond niets in die richting en overwoog of hij misschien in de komende dagen naar een ijzerhandel zou gaan om de basistuingereedschappen aan te schaffen: een hark, een schep, een bijl, een zaag.

En een zeis, dus. Dat woord en het voorwerp zelf bezaten een aantrekkelijke oerkracht. Maar misschien waren er wel geen zeisen meer te krijgen tegenwoordig. Het was net als met sommige diersoorten: er was niet genoeg plaats voor elke soort. Toen de mobiele telefoons kwamen verdwenen de zeisen. Dat klonk treurig maar niet onaannemelijk.

Werkhandschoenen zou hij in elk geval ook aanschaffen, die zouden zeker van pas komen.

Valdemar besefte dat veel van het tuingereedschap eigenlijk niet nodig was. De onvermoeibare tuinier in hem liet van zich horen, maar die kreeg niet volledig zijn zin. In geen geval. Het gras mocht groeien zoals het wilde, dacht Valdemar. De aalbessenstruiken en de bomen ook, maar hij begreep wel dat de houtvoorraad, die nu nog onuitputtelijk leek, toch niet voor eeuwig kon voldoen. Houthakken had trouwens wel iets aantrekkelijks: het stammetje op het houtblok zetten, zorgvuldig het midden ervan bepalen en het vervolgens met een goedgemikte slag klieven.

Dan je rug rechten, met half toegeknepen ogen naar de lucht kijken om te beoordelen wat voor weer het was en je pijp opsteken.

Alweer die pijp. Ante Valdemar Roos nam een voorlopig besluit dat het eerste gereedschap dat hij aan zou schaffen een pijp met een pakje tabak zou zijn. Misschien morgenochtend al in Rimmersdal.

Verkochten ze pijpen in de ICA-supermarkten? Valdemar had geen flauw idee, maar het was natuurlijk gewoon zaak om de winkel binnen te stappen en het te vragen. Dat kon altijd.

Om een uur of twaalf nuttigde hij zijn lunch, macaroni met worst, en nadat hij de afwas had weggewerkt besloot hij een dutje te gaan doen op het bed. Eerst moest hij daarvoor de gitaar en de kledingstukken weghalen, en nu pas kreeg hij in de gaten dat de insluiper een vrouw moest zijn: een dunne trui, waaronder een slipje lag, en een paar sokken die werkelijk aan geen mannenvoet zouden passen.

Een vrouw? Valdemar ging op zijn rug liggen, vouwde zijn handen achter zijn nek en probeerde dit nieuwe en onverwachte gegeven tot zich door te laten dringen.

De hele ochtend was hij ervan uitgegaan dat de ongenode gast een man was geweest. In zijn wereld struinden vrouwen niet door de bossen en namen ze niet hun intrek in afgelegen huisjes, simpel als wat. Het was een gebeurtenis met puur mannelijke kenmerken, het soort dingen dat voortvluchtigen, dakloze poëten en andere sjofele kerels konden doen, maar vrouwen niet. Het mocht getuigen van bevooroordeeld denken, maar Valdemar kon de verbazing toch niet van zich afschudden. Een vrouw?

Wie was ze?

Wat had ze voor achtergrond en waarom was ze hier?

Hoe oud zou ze zijn?

Hoewel de antwoorden op deze vragen – of in ieder geval aanwijzingen die in de juiste richting konden wijzen – hoogstwaarschijnlijk te vinden waren in de donkerblauwe, volle rugzak, of in het collegeblok dat nog steeds op de tafel lag, bleef hij bij zijn besluit om niet te gaan snuffelen. Respect, dacht hij. Je moet een ander mens altijd respect betonen, zelfs in dit soort omstandigheden.

Het is niet netjes om in iemands rugzak te snuffelen, zelfs al is diegene zomaar je huis binnengegaan.

Misschien had ze een goede, verklaarbare reden voor haar gedrag, dat kon je nooit weten, en dan zou hij zich schamen voor zijn gedrag.

Ik ben een gentleman, dacht hij. En een gentleman staat zichzelf geen vrijheden toe die de grenzen van het fatsoen overschrijden. Zo is dat.

Tevreden met deze eenvoudige redenering viel hij in slaap.

Toen hij wakker werd was het al half drie. Hij had meer dan een uur geslapen. Het raam stond nog steeds open en hij hoorde het gekoer van een holenduif.

De rugzak stond er nog en de kleren die hij erbovenop gelegd had waren niet aangeraakt. Dat gold ook voor het boek en het collegeblok op de tafel. De vrouw was niet in het huis geweest terwijl hij sliep, want als dat wel zo was geweest, dan had ze natuurlijk gezien dat hij sliep en haar spullen meegenomen. Alles wees erop dat ze heel schuw was en dat ze onder geen beding contact met hem wilde. De afgelopen zes uur was ze niet komen opdagen; waarschijnlijk hield ze zich in de buurt van het huis schuil in het bos zodat ze in de gaten kon houden wat hij deed, maar toch op veilige afstand bleef, dacht Valdemar en hij ging rechtop zitten. Zodat ze hem kon smeren als hij besloot haar te gaan zoeken.

Maar dat was hij niet van plan. Hij had zijn besluit genomen om een gentleman te zijn en haar op geen enkele wijze te storen. Toen hij koffie zette, merkte hij dat hij haar aanwezigheid kon waarnemen.

Dat was precies het woord: waarnemen. Er bestond een verschil tussen het contact met de werkelijkheid via de normale zintuigen – reuk, gezicht, gehoor, smaak en tast – en het pure waarnemen. Het leek een zesde zintuig dat aan het werk was, een soort voorzichtige tentakel die de omgeving aftastte en het kleine en schuwe registreerde.

Zoals iemands aanwezigheid.

Terwijl hij zijn koffie dronk haalde hij zijn notitieboekje tevoorschijn en probeerde die gedachte te formuleren, maar hoe hij ook zijn best deed, de juiste woorden wilden niet komen. Hij begon het ook steeds moeilijker te vinden om niet een blik in dat collegeblok te werpen – *haar* notitieboek – maar hij weerstond de verleiding.

Het enige wat hij ten slotte opschreef was:

Lograna, 8 september, 's middags:

Ik heb een bezoeker. Een vrouw met een gitaar, ik weet nog niet wat dat betekent of waar dat te zijner tijd toe zal leiden. Slechts zelden bevroedt de pion de intenties van de schaakmeester.

Die laatste zin begreep hij zelf niet helemaal. Maar hij liet hem toch staan; de zin was spontaan in hem opgekomen en misschien zou hij hem op een dag begrijpen. Formuleringen liepen soms vooruit op hun betekenis, had hij ergens gelezen, hij wist niet meer waar, maar misschien was het ook wel bij die Roemeen geweest.

Voor hij zijn auto in stapte om terug naar Kymlinge te rijden, overwoog hij nog of hij voor de insluipster een berichtje zou achterlaten, maar hij wist niet de juiste woorden te bedenken en zag ervan af.

Hij sloot de voordeur af en legde de sleutel op de gebruikelijke plek in de dakgoot.

Voor de zekerheid liet hij de haken van het raam wel los; als het nodig mocht zijn was het altijd nog mogelijk om via die weg binnen te komen.

12

Nadat de auto verdwenen was, telde ze eerst nog tot tweehonderd voor ze zich uit haar schuilplaats waagde.

Het was trouwens niet echt een schuilplaats te noemen. Als de man haar was gaan zoeken, zou hij haar zonder moeite gevonden hebben. Een paar armetierige, lage sparrentakken, een bemoste steen, een omgevallen boomstam. De afgelopen drie uur had ze hier doorgebracht, na eerst in een toestand van besluiteloosheid en lichte paniek door het bos gedwaald te hebben. Daarna was ze op deze plek gaan liggen. De afstand tot het huis was niet meer dan dertig, veertig meter, zo kon ze de deur en de auto in de gaten houden.

Ja, wat had ze dan verwacht? Dat was de vraag die de hele tijd door haar hoofd gegaan was. *Wat had ze dan verwacht?*

Dat ze hier zo lang ze wilde ongestoord kon blijven?

Dat er nooit iemand naar dit huisje toe zou komen? Dat er geen eigenaar was?

Hoe dom kun je zijn? dacht Anna Gambowska. Ik ben echt niet helemaal goed wijs. *Dumb girl.*

Ze was 's morgens een stukje het bos in gelopen om haar behoefte te doen. Ze hield namelijk niet van toiletthuisjes, die stonken en waren smerig. Liever in Gods vrije natuur neerhurken, al was dat ook niet bepaald een onverdeeld genoegen.

En terwijl ze daar met haar broek op haar enkels had gezeten, was die man aangekomen. Eerst had ze een auto gehoord, toen had ze een auto gezien en uiteindelijk had ze hem zien uitstappen en met twee zware tassen het huis zien binnengaan.

Verdomme, was haar eerste gedachte geweest. Nu is het gebeurd. Nu belt hij de politie en ben ik mijn spullen en mijn gitaar kwijt, door mijn eigen stommiteit.

Haar portemonnee met de 120 kronen erin ook. Anna Gambowska, je bent een megaloser, had ze gedacht. Je hoeft je niets anders in te beelden. Iedereen had kunnen voorspellen dat dit zou gebeuren.

Toch was ze in de buurt van het huis blijven rondhangen. Sandalen, geen sokken, een spijkerbroek, een T-shirt en een dun vest, dat was haar hele uitrusting. Wat had het voor nut om daarmee de wereld in te trekken? Hem gesmeerd uit een huis voor verslaafden.

Geen enkel nut, dat begreep zelfs zij. Het enige wat ze kon doen was in de buurt blijven om te kijken wat er gebeurde. Hoe het verderging. Zou er een politie-auto verschijnen? Ze was tenslotte een insluiper. Ze had weliswaar niets stukgemaakt, niets verstoord, maar toch. Toen ze het huisje gisteren had gevonden, was ze doodmoe geweest, en een kinderlijke gedachte had haar ertoe gebracht de sleutel onder de daklijst boven de deur te zoeken. Alleen maar omdat oom Julek die van zijn huisje net buiten Kołobrzeg, vlak bij zee, destijds ook altijd op die plek verstopte. Ze had er, toen ze zo'n jaar of tien, twaalf was, gedurende een paar zomers een aantal weken doorgebracht, en het huisje van Julek had haar een beetje aan dit huis doen denken. In elk geval vermoedde ze dat ze daardoor de sleutel gevonden had.

Of misschien had God wel besloten haar een handje te helpen.

De eerste vijf uur had ze geslapen. Toen ze wakker was geworden, was het al laat in de middag geweest en had ze een enorme honger gehad. Na een half uur met haar geweten te hebben onderhandeld had ze wat eten uit de koelkast en de provisiekast genomen. Ze had daarbij moeten denken aan een sprookje dat ze als kind gelezen had. Daarin had gestaan dat je niet echt een dief genoemd kon worden als je alleen maar stal om je honger te stillen.

Er was brood, boter en kaas geweest. Verder koffie, Zweedse beschuitjes, jam en koekjes. Een aantal pakjes soep in poedervorm en een dozijn conservenblikken met verschillende inhoud. Er was geen water in het huis, maar ze had de pomp in de tuin gevonden.

Ik eet me vol en blijf hier een nacht slapen, had ze besloten, maar toen ze op die zondagochtend wakker was geworden van vogelgezang en de zon die in haar ogen prikte, was ze van gedachten veranderd.

Er is een reden dat ik dit gevonden heb, had ze gedacht. Ik ben naar dit kleine huis gekomen om er een tijd te blijven, zo voelt het.

Hier blijven en bepalen wat ik met de rest van mijn leven ga doen.

Ze had op zaterdag maar drie sigaretten gerookt en had er nu nog drie over. Een per dag, besloot ze, dat voelde haast heldhaftig, en toen ze op zondagavond in de stoel naast de buitenmuur zat te roken, bedacht ze dat ze op een plek als deze gelukkig zou kunnen worden.

Meer heb ik niet nodig, constateerde ze. In ieder geval niet op dit moment. Gewoon ongestoord in een huisje in het bos zijn. Lezen, schrijven, gitaar spelen en zingen, een beetje rondwandelen als het mooi weer is, waarom kon het leven niet zo eenvoudig zijn?

Young girl, dumb girl ... nee, ze voelde zich niet jong en ook niet dom. Volwassen en slim, eerder. Toen die zondagavond het duister ingevallen was had ze het vuur in de open haard aangestoken, wat nieuwe versregels opgeschreven, waar ze vervolgens bijna direct een eenvoudige melodie bij had gevonden. Ze had die een paar keer gespeeld en gedacht dat als er een God in de hemel was – wat ze eigenlijk diep van binnen in haar weke ziel ook geloofde – dan luisterde hij, knikte haar vriendelijk toe en vond hij dat het nog helemaal zo slecht niet klonk.

House in the forest
Heaven on earth
Soul is a phoetus
Waiting for birth

De melodie was waarschijnlijk beter dan de woorden, en ze was er niet zeker van hoe 'phoetus' werd gespeld of uitgesproken, maar het betekende in elk geval 'foetus'. Toen ze in bed gekropen was, bedacht ze dat ze eigenlijk niet veel meer was dan een foetus – kinderlijk en onontwikkeld en met haar handen tussen haar knieën – maar net toen ze in slaap dreigde te vallen, zei God tegen haar dat dat een misvatting was, die helaas veel mensen huldigden.

Dat juist het eenvoudige en pure in de wereld aan het

verdwijnen was. En dat men er daarom zorg voor moest dragen.

En toen was het dus maandag geworden. Een boterham, een kop koffie, plassen en poepen in het bos – en vervolgens zeven uur wachten, dat had deze dag haar tot nu toe gebracht. De honger had haar in de middag gekweld en ze had alleen wat bosbessen gevonden om die mee te stillen. Ze was altijd al dol op bosbessen geweest, maar die koos je nu niet bepaald als je je maag wilde vullen.

Maar afgezien van de honger en het feit dat ze onvoldoende gekleed was, had ze niet veel te klagen gehad. Zo was het kennelijk, dacht ze, eerst de behoefte van het lichaam, dan die van de ziel.

Maar toen ze terug naar het huisje liep, wankelde ze en leek het alsof haar benen haar niet goed konden dragen. Als ze al iets kon denken, dan was het dat ze water wilde en een handvol Zweedse beschuitjes of wat er verder ook maar te vinden was, dan haar spullen bij elkaar pakken en wegwezen.

De man had ze in ieder geval niet meegenomen, noch de gitaar, noch de rugzak, dat had ze vanuit haar schuilplaats achter de aardkelder gezien. Ze vroeg zich af wie hij was, dat had ze de hele dag al gedaan. Was het een goed of een slecht mens? Een vriendelijk iemand, of zo iemand met wie ze in de Volvo te maken had gekregen? De man die ze bijna doodgeslagen had.

Misschien deed hij alleen maar alsof hij was weggegaan. Misschien kwam hij terug zodra hij dacht dat ze zich wel weer in het huis waagde. Misschien stond hij haar vanuit het bos stiekem te observeren.

Hij had de sleutel op dezelfde plek gelegd als waar ze

hem eerder gevonden had. Waarom? Waarom had hij die niet gewoon meegenomen?

De zorgen en vragen gonsden door haar hoofd, maar de honger en de dorst kregen toch de overhand. Mocht hij terugkomen en haar betrappen, dan zou ze wel verder zien. Ze zou haar situatie uitleggen en maar hopen dat hij haar begreep.

De rugzak stond naast het bed. De gitaar ook; het foedraal en de kleding die ze had achtergelaten had de man opgevouwen en op een stoel gelegd.

Het boek en het collegeblok leek hij niet te hebben aangeraakt. Hij had niet in haar zaken gesnuffeld.

Dat was vreemd. Of was dat het niet? Haar portemonnee zat in het buitenvak van haar rugzak, ze kon niet uitmaken of hij erin gekeken had of niet. Had hij dan niet in elk geval geprobeerd om achter haar identiteit te komen?

Had hij dát soms gedaan? Haar ID-kaart tevoorschijn gehaald, de politie gebeld en alles verteld?

Misschien werd ze al gezocht.

Dat werd ze toch sowieso al een tijdje? Sonja Svensson van Elvafors zou toch al wel afgelopen zaterdag contact met de autoriteiten hebben opgenomen, toen men ontdekte dat ze er niet meer was?

Hoewel, om de een of andere reden had ze het gevoel dat Sonja dat niet gedaan had. Anna wist niet precies waar dit gevoel vandaan kwam, maar ze had nu even geen zin om daarover na te denken. Op dit moment was het belangrijk haar honger te stillen.

Ze at zes Zweedse beschuitjes en twee boterhammen met leverpastei en dronk een halve liter water. Daarna trok ze sokken, gymschoenen en een dikkere trui aan.

Het was niet heel koud geweest in het bos, maar ze had zich de laatste uren nauwelijks bewogen en nu was ze door en door verkleumd.

Waarom ga ik er niet vandoor? dacht ze een beetje geïrriteerd. Waarom pak ik mijn spullen niet en vertrek voordat het te laat is?

Waarom ben ik zo traag?

Ik ben dit huis binnengegaan, heb hier twee nachten geslapen en eten gestolen. Die man heeft ontdekt dat ik er ben en toch blijf ik als een gestoorde rat wachten tot ik gepakt word.

Ze schudde haar hoofd om haar eigen besluiteloosheid. Keek op de klok. Het was bijna zes uur, de zon was achter de bosrand in het westen gezakt en de tuin lag geheel in de schaduw.

Koffie, dacht ze plotseling. Koffie en een sigaret.

Ze lachte omdat haar moeder precies hetzelfde gedacht zou hebben. En gezegd.

'Eerst koffie en een sigaret, Anna', zei ze altijd. 'Je moet geen besluiten nemen op een lege maag.'

Anna liep de tuin in met een kop koffie en haar eenna-laatste sigaret. Ze stond in het hoge gras en dronk, rookte en luisterde naar het zachte geruis van het omliggende bos.

Hij komt niet terug, dacht ze. Vandaag niet meer. Er is nu al een uur voorbij sinds hij is weggegaan. Ik kan hier gerust tot morgenochtend blijven.

Ze begreep dat de wens de vader van de gedachte was. Ze had gewoon geen zin om haar spullen te pakken en te vertrekken, dat was natuurlijk de werkelijke reden. Ze had geen zin om over die troosteloze weg te sjokken met haar veel te zware rugzak en haar onhandige gitaar. En over een paar uur zou het immers donker zijn.

Ze dacht terug aan zaterdag. Iets had haar naar deze plek gebracht, zo was het toch? Zowel toen ze de weg naar Rödmossen was ingeslagen als daarna, toen ze bijna scheel van moeheid die laatste, kleine bosweg was ingeslagen. En toen ze het huisje daar had zien staan, had het gevoeld alsof ... ja, hoe moest ze het zeggen? Alsof ze een zielig meisje in een sprookje was? Dat door gemene stiefzusters weggejaagd was en zich nu eenzaam en alleen op haar tocht in de gevaarlijke wereld bevond?

Maar onder Gods hoede. Zijn vinger had de weg naar dit huisje gewezen.

Er bestonden natuurlijk ook andere sprookjes. Waarin een heks in zo'n afgelegen huisje woonde en waarin het helemaal niet zo gelukkig afliep.

En ze was nu ook niet bepaald door stiefzussen verjaagd. Ze was hem gesmeerd uit een huis waar ze was om van de drugs af te komen, en dat de gemeente 1.000 kronen per dag kostte voor haar verblijf. Zo zag haar sprookje eruit, het kon weleens handig zijn om dat te onthouden.

Ze huiverde, nam een laatste trekje van haar sigaret en drukte hem uit. Ze ging het huis binnen, merkte dat ze op het punt stond te gaan huilen en schonk nog een kop koffie voor zichzelf in.

Toen ging ze in de kamer aan tafel zitten en vouwde haar handen. Ze probeerde te bidden, maar kreeg het gevoel dat de angst en de eenzaamheid haar als het ware van binnen dichtknepen.

Marja-Liisa dook op in haar hoofd. En Steffo. Dat maakte de zaak er niet beter op.

Een paar weken nadat Steffo bij haar ingetrokken was, had Anna Marja-Liisa leren kennen. Dat was in het stadspark op een avond na zo'n zorgeloze dag die de raison d'être van de verslaafde was, een uitdrukking die ze geleerd had tijdens een van de weinige Franse lessen die ze op de middelbare school gevolgd had – *raison d'être*, reden van het bestaan. Zij en Steffo en nog een paar anderen hadden in de middag staan roken en een paar biertjes gedronken, maar toen had Steffo de groep in het park verlaten om wat zaken te regelen.

Hij had dat woord gebruikt: 'zaken'. Geen twijfel mogelijk over wat hij daarmee bedoelde. Een uur nadat hij vertrokken was, waren er twee lacherige meisjes bij de groep komen zitten, en een van hen was Marja-Liisa. Ze zag er zo breekbaar uit als een vogeljong, haar gezicht leek alleen maar uit twee ogen te bestaan. Ze giechelde en het was duidelijk dat ze een beetje high was. Anna was met haar aan de praat geraakt en het was haar al snel duidelijk geworden dat het meisje een van Steffo's eerdere vriendinnetjes was. Toen Marja-Liisa ontdekte dat Anna met hem samenwoonde, hield ze op met giechelen. Ze werd nerveus en ernstig.

'Verdomme', zei ze. 'Verdomme, verdomme, je moet oppassen.'

'Waarvoor?' had Anna willen weten. 'Waarvoor moet ik oppassen?'

'Waar is hij nu? Hij komt toch niet hierheen?'

Anna legde uit dat Steffo net weg was en nog wel even weg zou blijven. Marja-Liisa sloeg haar armen om haar dunne lijf, alsof ze het koud had, hoewel het een zachte voorjaarsavond was en ze een dikke trui aanhad.

'Je moet niet bij hem blijven', zei ze. 'Hij is afschuwelijk. Hij heeft geprobeerd me te vermoorden.'

'Te vermoorden? Wat klets je nou?'

'Geloof me, hij heeft geprobeerd me te vermoorden.'

'Maar waarom dan?'

'Omdat ik met vriendinnen was uitgegaan in plaats van bij hem te blijven. We hadden een paar glazen wijn gedronken en toen ik hem later die avond tegenkwam, heeft hij me zo erg mishandeld dat ik bijna dood was. Een oude man met een herdershond heeft me in de struiken gevonden, ik heb twee weken in het ziekenhuis gelegen.'

Anna had het angstige vogelmeisje aangestaard. 'Maar ... dan heb je toch wel aangifte tegen hem gedaan?'

Marja-Liisa had alleen maar haar hoofd geschud.

'Durfde ik niet. Als ik dat gedaan had, had hij me absoluut vermoord. Je moet echt oppassen, Steffo is gestoord.'

Toen was ze opgestaan en weggelopen.

Anna kon de rest van de avond de gedachten aan Steffo maar moeilijk van zich afschudden. Hij huisde in haar binnenste als een kloppend gezwel dat voeding gaf aan andere duistere, vage gedachten, die ze al snel herkende als de klassieke hang naar drugs.

Ze hadden het daar op Elvafors over gehad. 'De hang naar drugs', wat je ook deed, vroeg of laat kreeg je ermee te maken. En het was niet gemakkelijk er iets aan te doen; want in de kern was die juist het allerergste en het verraderlijkste. Iedereen was zich ervan bewust, maar Anna had er tijdens de vier weken dat ze intern geweest was niet serieus iets van gemerkt.

Tot nu. Je moest toegeven dat het zo was, dat was de eerste regel. Niet proberen het te ontkennen. Erover praten, het in de ogen zien en bestrijden ... een kracht sterker dan jezelf.

Maar met wie kon ze praten? Waarmee kon ze het bestrijden? Ze was alleen, op de vlucht, in een onbekend huisje in een vreemd bos.

Heb niet zo'n medelijden met jezelf! dacht ze en ze ging rechtop zitten. Zak niet weg in het moeras van zelfmedelijden, doe iets!

Ze lachte. De enige drug die ze bezat was een zielige sigaret, dus verleidingen had ze niet in de buurt. Dat was in elk geval iets.

Ze liep naar de keuken en keek in de koelkast. Die was behoorlijk goed gevuld, de man had er van alles in gestopt; als ze vannacht zou blijven en morgenochtend vroeg vertrok, kon ze in ieder geval eerst voldoende eten.

Maar wat betekende het dat hij boodschappen had gedaan?

Het antwoord lag zo voor de hand dat zelfs zij het wel moest weten.

Hij was van plan terug te komen. Zo niet vanavond, dan in elk geval morgen. Je stopt geen yoghurt en brood in de koelkast en de provisiekast als je niet van plan bent het op te eten.

Een geluk dat hij geen bier of drank gekocht had, dacht ze. Want dan zou ze het opgedronken hebben, en dan zou het weer bergafwaarts met haar gaan.

Maar wat voor mens was hij eigenlijk?

Zoals gewoonlijk vond ze het moeilijk om in te schatten hoe oud hij was. Ze had hem heel goed kunnen zien, zowel bij zijn aankomst 's morgens als toen hij in de tuin was. Vijftig misschien? Zestig? Twee of drie keer zo oud als zijzelf in elk geval. Nou ja, leeftijd speelde natuurlijk geen rol, en ze had niet gevonden dat hij er erg bedreigend uitzag.

Maar dat had ze ook van de Volvoman niet gevonden.

Had hij door dat ze nog maar een jong meisje was? Hij leek niet in haar spullen te hebben gerommeld, maar misschien had hij die conclusie toch wel getrokken. Hij moest haar slipje gezien hebben. En haar gitaar. Oude vrouwen liepen vast niet met een gitaar rond.

Stel dat hij net zo iemand als Steffo was, alleen dan dertig jaar ouder.

Nee, dacht Anna Gambowska en ze besloot de open haard aan te steken. Ik moet niet voor alles bang zijn. Als ik het wil redden, moet ik niet alles zwarter maken dan het is.

Even na tienen kroop ze in bed. Ze ging met haar kleren aan onder de deken liggen, haar rugzak gepakt, de gitaar in het foedraal. Als ze moest vluchten zou ze in elk geval niet eerst naar haar spullen hoeven zoeken.

Voor ze insliep bad ze tot de welwillende God die haar tot dan toe geholpen had. Ze bad om een goede nacht slaap, zodat ze haar tocht de volgende ochtend uitgerust zou kunnen voortzetten.

En ze bad dat ze die nacht geen gezelschap zou krijgen. Ze had de deur op slot gedaan en de sleutel aan de binnenkant in het slot laten zitten; niet dat dat veel bescherming bood, maar toch.

Vertrouwen, dacht ze. Dat was een woord waar ze veel van hield en het bleef in haar hoofd tot ze in slaap viel.

Vertrouwen.

Ze had zich voorgenomen om om half zeven wakker te worden, en dat deed ze ook. Haar innerlijke wekker had zoals altijd gewerkt. Ze liep naar buiten om te plassen. Waste zich en poetste haar tanden bij de pomp. Het weer was even mooi als de dag daarvoor: een blauwe lucht met een paar dunne wolkensliertjes. Ze zette haar rugzak en gitaar in de tuin, maar in plaats van ze mee te nemen en naar de weg te lopen, nam ze een heel ander besluit.

Ze zette haar bepakking achter het schuurtje. Daar groeiden boomscheuten en brandnetels en stonden haar spullen volledig uit het zicht. Vervolgens liep ze het huisje weer in en ging met een pen en een blaadje dat ze uit haar collegeblok gescheurd had, aan tafel zitten.

Ze schreef een berichtje dat ze open op tafel liet liggen.

Bedankt, ik heet Anna.

Vervolgens vulde ze een plastic fles met water, pakte een appel en een banaan, smeerde vier boterhammen en ging het bos in.

13

‘Ik heb een afspraak voor je geregeld bij Faringer.’

‘Ik hoef geen afspraak met Faringer.’

‘Je bent niet in staat dat zelf te beoordelen, Valdemar. Je moet op mijn oordeel vertrouwen.’

Valdemar wilde bijna zeggen dat hij zich in zijn hele leven niet zo goed gevoeld had als nu, maar kon zich nog net inhouden. Het zou verkeerd opgevat kunnen worden. Alice zou kunnen denken dat hij niet alleen depressief, maar zelfs manisch-depressief was, of nog erger.

‘Wanneer dan?’ vroeg hij.

‘Volgende week donderdag’, zei ze. ‘Eerder lukte niet. De mensen voelen zich tegenwoordig slechter dan ooit.’

‘Misschien is het dan beter als hij een cliënt aanneemt die echt hulp nodig heeft.’

Alice zette haar leesbril af en keek nadenkend naar een van de pootjes. ‘Wat is er toch met je aan de hand?’ vroeg ze. ‘Er klopt iets niet, ik merk het de hele tijd aan je.’

‘Onzin’, antwoordde Valdemar.

‘Speelt er iets op je werk?’

‘Natuurlijk niet.’

‘Je hebt het nooit over je werk.’

‘Je vraagt ook nooit naar mijn werk, lieve Alice.’

'Dat heeft er niets mee te maken.'

'Nee? Nou, hoe dan ook, het gaat zijn gangetje op mijn werk. Moet je niet bijna weg? Het is al kwart voor acht.'

'We moeten met elkaar praten, Valdemar.'

'Kan dat niet wachten tot volgende week?'

'Wat zeg je nu eigenlijk, Valdemar? Heb je zelf niet in de gaten hoe je klinkt?'

'Ik heb altijd al zo geklonken, Alice. Weet je zeker dat jij niet veranderd bent?'

Alice leek even na te denken, toen zuchtte ze diep, stond op en liep van tafel.

Valdemar had eigenlijk naar Wettergrens Tobak gewild om tabak en een pijp uit te zoeken, maar de winkel ging niet voor tienen open. In plaats daarvan vond hij een krom pijpje en een pakje Tiger Brand in de videowinkel aan Selanders väg.

Dat Tiger Brand nog bestond! Zijn vader had het merk niet gerookt – die had de voorkeur gegeven aan het oude Greve Hamilton – maar hij had er altijd wel met respect over gesproken, dat herinnerde Valdemar zich nog. Tiger Brand en Skipper Shag en Borkum Riff. Wat klonken die namen mooi. Waar waren al die oude, welluidende namen gebleven?

Hij had gehoopt een Ratospijp te pakken te krijgen, of een Lillehammer, maar toen hij daarnaar vroeg had het meisje in de winkel alleen maar haar hoofd geschud. Als zijn net aangeschafte pijpje überhaupt een naam had, dan heette het waarschijnlijk Prince, maar de tekst op de steel was moeilijk te lezen. Het kon net zo goed Pincenez zijn. Maar dat was toch een brillenmerk, of niet?

Wat maakt het ook uit, dacht Valdemar, als het niet

lekker rookt kan ik altijd nog een andere bij Wettergrens halen. Hij besloot niet in Kymlinge te blijven en onnodige proviand in te slaan. Beter eerst maar even kijken wat de ICA in Rimmersdal hem te bieden had en later in de week de boodschappen aanvullen.

Natuurlijk was er ook een stemmetje in hem dat hem aanspoorde niet te dralen. Om onmiddellijk bij Lograna te gaan kijken hoe het er met zijn geheimzinnige gast voor stond. Zijn gedachten waren daar de hele avond bij gebleven, en ook 's nacht was hij steeds wakker geworden met dezelfde vragen die door zijn hoofd spookten.

Wie was ze?

Waarom had ze ervoor gekozen in zijn huisje te overnachten?

Zou ze er vandaag nog zijn?

Hij merkte dat hij bang was dat ze weg zou zijn. Ja, werkelijk. Dat ze zich nooit meer zou laten zien en hij dus nooit een antwoord op zijn vragen zou krijgen.

Dat ze als een voetspoor in het water verdwenen was.

Die laatste gedachte besloot hij op te schrijven. Nee, niet water, nat zand was beter.

Sommige gebeurtenissen en sommige mensen verdwijnen als voetsporen in nat zand, zo zou hij het formuleren. Misschien zou hij er nog iets aan toevoegen over het getij dat ook dingen uitwiste, maar om de een of andere reden kwam hij daar niet helemaal uit.

In de ICA in Rimmersdal was geen zaag te vinden, en ook geen bijl of zeis. Maar wel een hamer, een koekepan, een grote steelpan, een afwasteiltje, een schrobber, tandenborstelbekers, een afdruiprek, een petroleumlamp en een varkenskoteletje.

En een kassière.

'Ik heet Valdemar', zei hij toen hij zijn wisselgeld in ontvangst nam. 'Voor het geval je het je afvraagt.'

'Valdemar?' zei ze langzaam, alsof ze een bonbonnetje proefde, een bonbonnetje met een nieuwe en verrassende inhoud. 'Wat een ongewone naam. Ik heet Yolanda.'

'Yolanda?' zei Valdemar. 'Dat is ook niet een heel gewone naam.'

'In dit land niet, nee,' beaamde de kassière, 'maar in het land waar ik vandaan kom heten veel vrouwen zo.'

'Ach werkelijk?' antwoordde Valdemar. 'Welk land mag dat zijn?'

'Het heette Joegoslavië toen ik het verliet', antwoordde ze en ze keek opeens droevig. 'Ik ben half Servisch, half Kroatisch.'

'Ik begrijp het', zei Valdemar, want dat deed hij. 'Ja, het leven loopt niet altijd zoals we het ons voorgesteld hadden.'

Daar antwoordde ze niet op, maar ze schonk hem een warme glimlach en begon aan haar volgende klant.

Yolanda, dacht hij toen hij buiten de winkel stond. Yolanda en Valdemar. Dat klonk mooi, als een liefdespaar uit een oud sprookje, bijna. Of uit een volksliedje.

Valdemar en Yolanda. Welluidend.

Hij las het berichtje en probeerde erachter te komen wat hij daarbij precies voelde.

Verdriet? Gemis?

Onzin, dacht hij. Je kunt niet missen wat je nooit gehad hebt.

Of wel? Was dat de bittere waarheid over het leven,

dat je voortdurend een ongedefinieerd gemis voelde? Dat je verlangde naar iets waarvan je niet eens precies wist wat het was?

Nee, besloot Ante Valdemar Roos, zo verdomd slecht mocht het leven niet zijn.

Teleurstelling dan? Ja, dat was het meer. Dat was een eenvoudiger en beter hanteerbaar begrip. De onbekende vrouw was een etmaal lang in zijn onmiddellijke nabijheid geweest – en in zijn bewustzijn – en nu was ze weg. Niet gek dat dat een beetje leeg voelde. Een ... een tussenzin zonder inhoud, dacht hij, iets wat al afgelopen is voor het ooit begonnen is.

Hij ging aan tafel zitten en schreef op wat hij die ochtend in de auto had bedacht.

Lograna, 9 september:

Sommige mensen en sommige gebeurtenissen verdwijnen als voetsporen in nat zand.

Even later voegde hij eraan toe:

Sommige levens verdwijnen ook op die manier.

Daarna bleef hij een tijdje zitten peinzen over hoe dicht hoop en teleurstelling toch bij elkaar lagen in de ziel. Als twee buren – of zelfs als tweelingbroers – die de deur naar elkaars kamer nooit echt helemaal konden sluiten.

En hoe gemakkelijk gedachten zich naar binnen keerden in plaats van naar buiten. Hij had dit huisje niet aangeschaft om over zijn innerlijk te gaan piekeren. Integendeel, hij had het aangeschaft om wat hem omringde te bekijken en te overdenken, dat was zijn doel geweest. Om in het bos te wandelen. Om naar de wind door de bomen te luisteren, de dieren, de planten en vogels te bekijken; thuis te komen, vuur te maken, te eten tot hij voldaan was, een verkwikkende slaap te slapen, die dingen zouden het doel van zijn leven vormen. Het opgaan in alles om hem heen.

Dat was het juiste woord, dacht hij. *Opgaan*. Zo vanzelfsprekend dat hij het niet eens op hoefde te schrijven.

Bedankt, ik heet Anna.

Hij vouwde het papier op en stopte het achter in zijn notitieboekje. Hij pakte zijn pijp, tabak en lucifers en liep naar buiten het bos in.

Hij wandelde naar het zuiden, vervolgens in westelijke en een klein beetje in noordelijke richting en na een uur was hij bij de kleine heuvelrug waar maar een paar berken op stonden en die uitzicht bood over het terrein van Rödmossen. Hij ging op een omgevallen boomstam zitten en ging aan de slag met zijn rookgerei. Hij stopte zijn pijp met onwennige vingers, drukte de tabak aan met zijn duim zoals hij zich herinnerde dat zijn vader dat altijd gedaan had, stak de pijp aan en nam een trek. Hij ging gemakkelijk aan. Eerst nam hij alleen wat pafjes, maar op een gegeven moment waagde hij het de rook te inhaleren.

Toen hij dat deed, leek het of hij een klap tegen zijn borst kreeg, een moment werd het zwart voor zijn ogen. Oei, dacht hij toen hij weer een beetje bijgekomen was, dat was heftig, hier heb je behoorlijk wat training voor nodig.

Maar het smaakte niet slecht, hij moest alleen niet te diep inhaleren. Ante Valdemar Roos had gedurende zijn leven maar een half jaar gerookt, dat was in het prille begin met Lisen geweest. Het was toen niet om een pijp gegaan, maar om gewone sigaretten, en Valdemar begreep dat dit van een heel andere orde was.

Hij bleef even zitten nadat hij klaar was met roken, terwijl hij voelde hoe de nog aanwezige, milde duizeligheid langzaam wegtrok. Op enigszins wankele benen stond hij op, en hij begon aan de terugweg naar Logra-na.

Hij had nog geen honderd meter gelopen, het dal met moerasspirea en gagel in, of hij bemerkte een beweging tussen de bomen. Het was niet veel, slechts een vluchtige gewaarwording van iets wat opdook en weer verdween, en het duurde zeker niet meer dan een fractie van een seconde. Toch zou hij durven zweren dat het geen dier was geweest.

Het was een mens. Hij herinnerde zich dat hij ergens gelezen had – of misschien had iemand het verteld, in dat geval moest het Tapanen geweest zijn, want die beweerde altijd van alles over de wereld en verkondigde wetenswaardigheden die hij zelf eigenlijk niet begreep – dat onze waarneming inderdaad zo werkt.

Ten eerste dat we een beweging onmiddellijk registreren, zelfs als die plaatsvindt te midden van een wirwar van voorwerpen en stilstaande stimuli. Daarom is het beter om doodstil te blijven liggen als je opgejaagd wild bent. Een jager kan de beweging van een kop of een staart op honderden meters afstand waarnemen, maar hij kan vlak naast een onbeweeglijke prooi staan en niets in de gaten hebben.

Ten tweede dat we onmiddellijk het verschil weten tussen een dier en een mens. Hoewel Valdemar zich afvroeg hoe waar die bewering eigenlijk was, als je bedacht hoeveel mensen er elk jaar tijdens de elandenjacht per ongeluk aangeschoten werden. Misschien was het gewoon verzonnen. Was het zo'n typische halve waarheid die de gewone man zo graag aan zijn levenswijsheden toevoegt, dacht Valdemar. Iemand als Olavi Tapanen bijvoorbeeld.

Terwijl hij deze overpeinzingen had, was hij zelf doodstil blijven staan en wachtte op een volgende beweging, maar er gebeurde niets meer. Niet eens de vleugelslag van een vogel was waarneembaar. Het bos bleef stil en duister zwijgen.

Toch wist hij het. Tijdens zijn hele wandeling terug naar Lograna wist hij dat er een andere mens in zijn nabijheid was, dat die mens per ongeluk zijn aanwezigheid had prijsgegeven, maar absoluut niet ontdekt wilde worden.

Sommige dingen weet je gewoon, dacht Ante Valdemar Roos. Zonder dat je begrijpt hoe je het weet.

De rest van de dag verstreek zonder intermezzo's. Hij at een varkenskarbonaadje met veel ui en drie gekookte aardappelen als lunch, dronk koffie, deed een voorzichtige poging tot het roken van zijn pijp in de stoel bij het schuurtje, maakte een kruiswoordpuzzel en sliep vijfenveertig minuten.

En toch was er iets. Het was niet hetzelfde sterke gevoel als die ochtend, maar de inhoud, de kern van het gevoel, was dezelfde.

Het je bewust zijn van een aanwezigheid.

Ze is niet weggegaan, dacht hij. Haar aanwezigheid heb ik bij Rödmossen gevoeld.

En de tweelingbroers in zijn gereinigde ziel, hoop en teleurstelling, klopten op elkaars deur en waren het met elkaar eens.

Voor hij in zijn auto ging zitten om naar Kymlinge terug te rijden, scheurde hij een bladzijde uit een schrijfblok *van hemzelf* en schreef er een eenvoudig berichtje op.

Hij liet het achter op de tafel en toen hij de sleutel onder de daklijst legde, merkte hij dat zijn hart in zijn keel klopte.

14

Ze telde tot tweehonderd, net als de vorige dag. Het was ook vandaag vijf uur, ze vroeg zich af of dat zijn vaste routine was. Hij dook rond half tien in de ochtend op, bleef de hele dag en reed tegen vijf uur weg.

Waarom zou dat zijn? Waarom bleef hij hier niet slapen?

Ze wachtte er nog even mee om haar rugzak en gitaar binnen te zetten. Eerst haalde ze de sleutel van de gebruikelijke plek boven de deur en liep naar binnen om te kijken of er iets veranderd was. Of hij op zijn minst haar bericht gelezen had en er op de een of andere manier op gereageerd had. Of dat hij het gewoon weggegooid had.

Hij had haar in het bos bijna gezien, dat had ze begrepen. Die ochtend had ze een beetje doelloos door het bos gedwaald, vooral om het niet al te koud te krijgen. Ze had een paar keer op zonnige plekjes wat zitten lezen, maar niet langer dan tien minuten of een kwartier per keer. Weliswaar was ze beter gekleed geweest dan de vorige dag, maar het was vandaag ook veel koeler geweest. Tijdens het lopen had ze er goed op gelet kenmerken van de omgeving in zich op te nemen, want ze wilde niet verdwalen: de grote zwerfkei, de mierenhoop, en de weg natuurlijk – het pad omhoog naar de drie hoge dennen, het moeras met de boomscheuten en het kreupelbos daaronder – maar plotseling had ze de man bijna recht op haar af zien lopen. Hij was nog behoorlijk ver van haar af geweest, en ze had zich onmiddellijk achter een paar jonge sparren verstopt. Hij was op een afstand van slechts tien, vijftien meter langs haar heen gelopen, en voor de zekerheid was ze nog lang nadat hij verdwenen was met gesloten ogen in het mos blijven liggen.

Wat ik niet zie, ziet mij ook niet, dat was een goede, oude regel waar je niet om moest lachen.

Er lag een papier op de tafel. Ze hield haar adem in terwijl ze het oppakte en las:

Hoi Anna,

Ik heet Valdemar. Je kunt best tot morgen blijven, dan kunnen we met elkaar praten. Ik kom rond half tien zoals gewoonlijk.

Hartelijke groet,

V

Valdemar? dacht ze. Wat een aparte naam. Ze was in haar leven nog nooit iemand tegengekomen die zo heette. Ze geloofde zelfs niet dat ze ooit gehoord had van die naam.

Ze haalde haar rugzak en haar gitaar en stak het vuur aan in de open haard, dat ging nu gemakkelijker, de eerste keer had ze een halve doos lucifers nodig gehad voor ze het aangekregen had. Hij had meer hout binnen gelegd, een stapel onder het raam gemaakt, alsof hij er zeker van wilde zijn dat ze het warm en comfortabel had vannacht.

Ze zette koffie en plaatste een grote steelpan met water op de grote kookpit; het was een nieuwe pan, die moest hij vandaag gekocht hebben. Ze vond een plastic teiltje en een pakje wasmiddel onder de gootsteen en een half uur lang was ze bezig met het wassen en spoelen van haar vieze kleren. Slipjes, sokken en hemden. Ze zocht naar een lijn om het schone goed aan op te hangen, maar vond er geen. Het zou trouwens binnenshuis niet na één nacht droog zijn, dacht ze, beter om het in de woonkamer over de stoelen voor het vuur te hangen.

Er lag een eenzaam varkenskarbonaadje in de koelkast, maar ze hield niet van varkenskarbonaadjes. Ze bereidde een poedersoepje en belegde twee boterhammen met leverpastei en augurk.

Vier dagen, constateerde ze, terwijl ze aan de keukentafel zat en haar boterhammen at. Ik ben hier pas vier dagen, maar het voelt al alsof ik hier echt woon. Op sommige momenten in elk geval.

Nu in elk geval.

Het was vreemd, maar misschien was het wel zo dat je op sommige plaatsen thuishoorde en je op andere nooit tevreden kon voelen, hoelang je er ook doorbracht.

Maar ja, ik ben nu eenmaal een verdomde kluizenaar, dacht ze toen. Sonja van Elvafors had helemaal gelijk. Zo iemand als ik past niet tussen de mensen, dat is mijn grote probleem.

Dat klopte toch? Ze had nu al twee hele dagen in het bos doorgebracht, zeven à acht uur per dag, en op de een of andere manier stoorde haar dat helemaal niet. Als ze maar genoeg kleren aanhad en iets te eten had, dan vond ze het prettig om zonder enig doel tussen de bomen, de met mos bedekte stenen en de vossenbessenstruikjes door te wandelen. Ze voelde zich er veilig, ontspannen en tevreden.

Wat eigenlijk nog vreemder was: ze was in een stadsomgeving geboren en opgegroeid en had nooit lange tijd op het platteland doorgebracht. Er waren natuurlijk die zomers in het huis van Julek in Polen en bij haar oma geweest. En een paar uitjes van school, meer niet.

Ja, en ook nog een paar nachtjes kamperen met Jossan en Emily, bedacht ze. Ze waren een paar jaar geleden in de zomer een week naar het zuiden gelift; het plan was geweest om naar Denemarken te liften, maar in plaats daarvan waren ze bij een meer in een bos in Småland terechtgekomen. Dat was zo totaal anders vergeleken met dit hier, dacht ze. Het voelde als honderd jaar geleden en ze kon het niet laten om te glimlachen als ze eraan dacht. Ze hadden de hele tijd bier gedronken en hasj gerookt en Jossan was 's nachts steeds zo bang voor het donker geweest dat ze gedwongen waren om wakker te blijven en haar de hele tijd vast te houden en met haar te praten.

Anna vroeg zich af hoe het met Jossan was. Die was vóór haar negentiende zwanger geraakt, had een kind gekregen en was met haar dochtertje en de vader van het kind naar Stockholm verhuisd. Waarschijnlijk naar de buitenwijk Hallonbergen, met zijn vele immigranten. De vader van het kind kwam namelijk uit Eritrea en zijn familie woonde daar ook. In Hallonbergen dus. Misschien had Jossan dankzij het kind haar leven weer op orde gekregen, maar het was net zo goed denkbaar dat het de andere kant opgegaan was.

Ze zou hoe dan ook hier niet gepast hebben. Alleen wonen in een huisje in het bos, nee, dat was een bestaan waar de meeste mensen voor zouden bedanken. In elk geval als je vrouw was en onder de eenentwintig.

Al woon ik hier natuurlijk niet, dacht ze toen. Het is maar tijdelijk. Als ik een doel had zou ik natuurlijk niet op een plek als deze blijven.

Ze ging naar buiten en rookte haar laatste sigaret. Toen ze hem had uitgedrukt werd ze plotseling overvallen door een sterk gevoel van wanhoop. Ze begon bijna te huilen, maar slaagde erin zich te vermannen. Zo is het met de behoefte van lichaam en ziel, constateerde ze. Ik zal hier weggaan, alleen maar omdat ik sigaretten nodig heb.

Vijf minuten later vond Anna de pijp en de tabak die Valdemar op de plank boven het bed had laten liggen.

's Nachts droomde ze van Marek, haar kleine broertje. Ze droomde over een gebeurtenis uit het verleden, maar in haar droom liep het veel slechter af dan in de werkelijkheid.

Het ging over die keer dat hij in het ziekenhuis lag. Hij was toen nog maar vier jaar, Anna was zestien. Marek had al een tijdlang onverklaarbare pijn in zijn buik. Niet elke dag, maar met regelmatige tussenpozen. Men was er niet helemaal zeker van of hij nu echt pijn had of dat hij simuleerde, en dat was bijna het ergste geweest, had Anna gevonden.

Waarom zou een vierjarig jongetje doen alsof hij pijn in zijn buik had?

Hij had het altijd als hij verdrietig was en Anna's moeder had hem meerdere keren van het kinderdagverblijf moeten ophalen. Anna was ook ingeschakeld, en uiteindelijk waren ze naar het ziekenhuis gegaan om het eens goed te laten onderzoeken. Anna wist niet waarom Marek er ook de nacht moest doorbrengen, maar het was in elk geval zo. Anna moest in het andere bed in de krijtwitte kamer hoog op de tiende verdieping blijven slapen. Haar moeder had niet gekund, Anna herinnerde zich de precieze reden daarvoor niet meer.

Haar kleine broertje was vreselijk bang geweest, en uiteindelijk was ze bij hem in bed gekropen; het was niet voldoende geweest dat ze zich op een halve meter afstand van hem bevond en zijn hand vasthield.

Hij had heel rare vragen gesteld.

'Waarom ben ik zo dom en slecht?'

'Gaan jullie me alleen achterlaten als ik wat groter ben?'

'Waarom zegt pappa zulke akelige dingen?'

'Ik word nooit een witte engel, toch?'

Was het normaal dat een jongen van vier jaar zulke vragen stelde? Ze wist het niet, maar ze vond het moeilijk te geloven. En wat voor akelige dingen zijn vader – die niet Anna's vader was – zei, had Marek niet willen vertellen.

'Niet tegen mamma zeggen', had hij haar ook gesmeekt. Meer dan één keer.

Ze had natuurlijk haar best gedaan om hem te troosten en te kalmeren. Vlak voor hij eindelijk in slaap gevallen was, had hij gevraagd of hij die nacht dood zou gaan, of hij daarom hier was, en ze had hem ervan verzekerd dat hij de volgende dag wakker zou worden en zich zo gezond en blij als een veulentje zou voelen.

'Een veulentje?' had Marek gevraagd.

'Opgewekt en gelukkig als een klein paardje', had ze beloofd. Hij had lang nagedacht.

'Ik zou echt een klein paardje willen zijn', had hij toen met een ernstig stemmetje verklaard. 'Paarden hebben geen handen die vreselijke dingen kunnen doen.'

Zo was het in werkelijkheid gegaan. Anna had nog lang dicht tegen hem aan wakker gelegen, geluisterd naar zijn zachte snurkgeluidjes en over zijn vragen liggen piekeren. De volgende morgen waren er een dokter en een hele rits zusters gekomen en was er verteld dat er niets met Marek aan de hand was. Daarna waren ze met elkaar naar huis gereden. Anna had haar moeder nooit over het gesprek in het ziekenhuisbed met Marek verteld en Marek was er ook nooit op teruggekomen. Hij had kort daarna nog een of twee keer buikpijn gehad, daarna was het opgehouden.

Maar in Anna's droom liep het anders. Toen ze de volgende ochtend in het ziekenhuisbed wakker werd was Marek verdwenen. Ze probeerde er via al die witgeklede mensen achter te komen waar haar kleine broertje gebleven was, maar niemand kon haar een zinnig antwoord geven. Ze rende heel het grote ziekenhuis door en vroeg het aan iedereen, maar de meesten namen niet eens de tijd om naar haar te luisteren. Door lange gangen en donkere ondergrondse tunnels rende ze, maar nergens was er een vierjarig jongetje dat de vorige dag met buikpijn was binnengekomen. En niemand wist iets.

Uiteindelijk vond ze hem in een grote ruimte beneden in de kelder, het was meer een soort opslagplaats eigenlijk, die vol stond met witte kistjes en in elk kistje lag een dood kindje. Het waren werkelijk oneindig veel kistjes, ze stonden in lange rijen opgestapeld langs de wanden, en pas toen ze de deksel van het allerlaatste kistje opende, vond ze haar kleine broertje.

Hij was niet alleen dood, hij had ook een touw om zijn nek en op zijn borst lag zijn lievelingsknuffelbeer met de kop eraf gesneden.

Ze werd wakker omdat ze huilde. Toen ze besefte dat het maar een droom was geweest, was ze natuurlijk opgelucht, maar de tranen bleven nog een hele tijd over haar wangen stromen.

Waarom heb ik dit soort dromen? dacht ze. Wat moet er van Marek worden en waarom zijn de dingen altijd zo akelig als we niet op onze hoede zijn?

Ze keek op de klok. Het was tien over half acht.

Hoogste tijd om op te staan, te ontbijten en te beslissen of ze wegging of bleef.

Toen ze naar buiten liep – om bij de aardkelder te gaan plassen – merkte ze dat het regende.

15

Uitstekend, uitstekend, dacht Ante Valdemar Roos. Met dit weer gaat ze vast niet weg.

Maar nauwelijks had Wilma hem alleen aan de ontbijttafel achtergelaten of de regen stopte, en tien minuten later scheen de zon al. Hij begreep dat het een duidelijk bewijs was voor de grilligheid der dingen; niets was wat het leek, zelfs van de ene minuut op de andere kon alles veranderen. Toen hij in de hal zijn schoenveters strikte, stak Signe haar hoofd uit haar kamer. Ze zag eruit alsof ze tien seconden daarvoor wakker geworden was.

'Kan ik met je meerijden?'

'Waarnaartoe?' vroeg Valdemar.

'Ik hoef maar tot Billundsberg', zei Signe. 'Ik heb een sollicitatiegesprek bij Mix, daar rij je toch langs?'

'Nee', zei Valdemar. 'Ik bedoel ... vandaag niet. Ik heb eerst nog wat dingen te doen ... in de stad.'

'Waarom dan?' vroeg Signe.

'Daarom', antwoordde Valdemar.

'Klote', zei Signe. 'Ik ben al verdomd laat.'

'Dan moet je wat eerder opstaan', zei Valdemar. 'En ga eens voor middernacht naar bed.'

Maar Signe had de deur al dichtgedaan.

Zijn kleine verspreking irriteerde hem. Ik moet voortaan mijn hoofd er beter bij houden, dacht hij. Geen slordigheden in de details. Die kinderen hebben ook oren en hersens, dat moet je niet vergeten.

Net voor Rimmersdal was er een ongeluk gebeurd. Geen dodelijk ongeluk, zo te zien, maar er lag wel een rode auto ondersteboven in de greppel en er stonden twee politie-auto's bij. Nu hij erover nadacht herinnerde Valdemar zich ook dat hij een paar minuten eerder, ongeveer ter hoogte van de kerk in Åkerby, een ambulance gezien had.

Het duurde even voor hij erlangs kon, en een paar honderd meter verderop zag hij nog iets in de greppel. Eerst begreep hij niet wat het was, maar toen hij erlangs reed zag hij dat het een eland was. Een grote eland die op zijn zij lag. Het dier bewoog zijn kop heen en weer, er leek damp van zijn lichaam af te komen en zijn ene voorpoot stak in een vreemde hoek omhoog.

Dat was het natuurlijk, dacht Valdemar. De rode auto was tegen een eland opgebotst; kennelijk was het dier zwaargewond nog een stukje doorgerend en in de greppel in elkaar gezakt. Hij had gelezen dat het zo kon gaan.

Hij overlegde even bij zichzelf, toen pakte hij zijn mobieltje uit zijn borstzak en belde 112. Dat was voor het eerst. Twintig jaar geleden had hij weleens het nummer 90 000 gebeld, op een zomeravond toen hij bij Espen Lund op het balkon een biertje had gedronken en ze hadden gemerkt dat er brand was in het naastgelegen pand.

De brandweer was toen al onderweg geweest; over de

stervende eland was men kennelijk nog niet geïnformeerd.

'Wat is uw naam?' vroeg de vrouw van de politie met wie hij doorverbonden werd.

'Ik geef er de voorkeur aan om anoniem te blijven', verklaarde Ante Valdemar Roos.

'Ik heb toch echt uw naam nodig', zei de vrouw.

'Waarom dan?' vroeg Valdemar. 'Ik wil alleen maar dat er naar die eland wordt omgekeken zodat het dier niet onnodig hoeft te lijden. Het maakt toch niet uit hoe ik heet.'

'Dat lijkt misschien zo', zei de vrouw. 'Maar we hebben een vaste procedure.'

Valdemar zuchtte diep. 'Uw vaste procedures kunnen me gestolen worden', zei hij. 'Ik ben gewoon een eerzame belastingbetaler die zijn plicht heeft gedaan en u heeft gemeld dat er een gewond dier dicht bij de plek van het ongeluk bij Rimmersdal ligt. De politie is er tenslotte al, u hoeft ze alleen maar te bellen. En ik ben niet van plan te vertellen hoe ik heet.'

Het was een paar seconden stil in de hoorn en hij dacht dat ze misschien had neergelegd.

'Valdemar Roos?' vroeg ze. 'Dat is toch uw naam? Als de telefoon waarmee u belt tenminste uw eigendom is.'

Voor Valdemar antwoord had kunnen geven, had ze hem al bedankt voor het bellen en weggeklikt.

Dat was niet nodig, dacht hij. Het was niet nodig om zo gewichtig tegen haar te doen. Nu heeft de politie mijn naam.

Maar wat maakt het in hemelsnaam ook uit, vroeg hij zich toen af. Het maakt toch niet uit dat ik een gewonde eland in Rimmersdal rapporteer, als ik al meer dan twee weken geen voet bij Wrigmans binnen heb gezet? Ik begeef me sowieso op glad ijs met mijn gedrag, ik hoef me geen illusies te maken.

Tijdens het korte telefoongesprek was hij voorbij de ICA-winkel en een groot deel van het dorp gereden; hij was van plan geweest de winkel binnen te lopen en wat fruit en een nieuw puzzelblad te kopen, maar nu hij de afslag gemist had, besloot hij dat het tot de volgende dag kon wachten.

Het beeld van de gewonde eland bleef de hele rit tot aan Rödmossevägen op zijn netvlies staan. De damp die van het grote lijf af gekomen was en de kop die zo doelloos heen en weer had bewogen, alsof het stervende dier had geprobeerd iets tegen hem te zeggen. Hem iets duidelijk had willen maken over ... ja, over wat? dacht hij.

De aard van de dag?

De breekbaarheid van het leven? De weg die wij allen moeten gaan?

Vreemde gedachten weer, constateerde hij en hij schoof ze van zich af. En nutteloze. Als ze er nog is, dan is ze er nog, daar kan ik niets aan veranderen.

Behalve dan misschien een beetje hopen, voegde hij er in zichzelf aan toe toen hij het huis in het zicht kreeg.

Ze zag hem aankomen vanaf de plek waar ze eerder had gezeten, bij de bosrand voor de aardkelder. Ze had besloten dat ze niet in het huis wilde zijn als hij aankwam; het was een laat besluit geweest, en haastig had ze haar spullen bij elkaar gepakt, de nog niet helemaal droge was ook, en in haar rugzak gepropt. De gitaar had ze in het foedraal gestopt – ze had er de vorige avond nog even op gespeeld – en vervolgens had ze alles het schuurtje in gedragen. Aangezien het hoge gras nat was van de regen, had ze haar bagage niet buiten willen zetten. Vlak achter de deur stonden haar spullen, hij hoefde de deur van de schuur alleen maar open te doen om te begrijpen dat ze er nog was.

Als hij dat niet toch al in de gaten had. Van binnen had ze een strijd gevoerd. Zou ze nog een dag in het bos doorbrengen? Liever niet. Ze had bovendien geen zin om een lunchpakketje klaar te maken. Hij moest maar een beslissing nemen. Nadat ze haar spullen had verstopt, was ze weer het huis in gegaan, had een halve minuut nagedacht en een nieuw berichtje geschreven.

Het weer midden op de tafel gelegd, net als de vorige keer. Ze hadden werkelijk een rare manier van communiceren, bedacht ze, maar op de een of andere manier voelde het nu al als een oude gewoonte.

De man zette zijn auto op precies dezelfde plek als hij op maandag en dinsdag had gedaan. Naast de appelboom, op maar een paar meter afstand van de weg. Hij zette de motor af, stapte uit en rekte zich wat uit. Vandaag had hij niets bij zich, geen tassen, niet eens die bruine tas. Voor hij het huis in ging, bleef hij even om zich heen staan kijken. Het kwam een beetje onzeker over, alsof hij ergens achter probeerde te komen. Hij probeert te raden of ik er nog ben of niet, dacht ze. En dat is natuurlijk niet zo vreemd. Wie hij ook zijn mag, hij moet dit toch wel totale waanzin vinden.

Hij was hetzelfde gekleed als de vorige dagen. Een lichte broek, een blouse en een dun blauw jack. Hij oogde heel ... welk woord zocht ze nou? Onschuldig? Ja, inderdaad, dat was precies de indruk die hij wekte. Onschuld. Zo iemand die je ongetwijfeld niet zou opvallen in een grote menigte. Niet iemand om bang voor te zijn, niet iemand die kwaad in de zin had.

Hij doet me denken aan Reinhold, dacht ze plotseling, en die gedachte maakte haar vrolijk en ook een beetje droevig. Reinhold was een invalleerkracht geweest die ze in de vijfde had gehad. Hun eigen juf was met ouderschapsverlof. Hij was in januari na de kerstvakantie gekomen.

Het was zo'n aardige man geweest. Iedereen had hem gemogen, een aantal van de meisjes, misschien zijzelf ook wel, was zelfs een beetje verliefd op hem geworden. Toch hadden ze zo gemeen tegen hem gedaan; vooral de jongens natuurlijk, de meisjes hadden het vooral maar laten gebeuren. Er stiekem van genoten, alsof aardig zijn niet voldoende was. Reinhold had alles voor ze gedaan, hij had de hele klas thuis op de taart uitgenodigd, was met ze naar de bioscoop gegaan, had een disco geregeld, maar ze hadden hun dankbaarheid getoond door hem langzaam en systematisch te breken.

Het was gewoon afschuwelijk, dacht Anna, en toen Reinhold drie weken voor de zomervakantie in de ziektewet terechtgekomen was, was het te laat geweest om er nog iets aan te doen.

En nu stond daar een andere Reinhold, een Valdemar, voor zijn huisje in het bos te wachten tot hij haar ontmoeten zou. Heel wat jaren ouder natuurlijk, misschien wel twee keer zo oud als Reinhold destijds was, maar iets in zijn houding en in de manier waarop hij om zich heen keek verried dat hij niet iemand was die ervan hield om ergens drukte om te maken.

Wat ben ik toch een psychologootje, constateerde ze inwendig gniffelend. Ik hoef nog niet eens kennis te maken met mensen om al te weten hoe hun karakter is.

Nu haalde hij de sleutel tevoorschijn, stak hem in het slot, schoof de deur open en stapte zijn huis binnen.

Even afwachten, dacht ze terwijl ze voelde dat haar knieën nat werden van het gras.

Het zag er netjes uit binnen. Alsof ze Lograna had schoongemaakt, had verlaten en had bedankt.

Maar toen zag hij het briefje op de tafel.

Ben je niet boos op me?

Ik durf je eigenlijk niet te ontmoeten, maar als je de tuin in gaat en roept dat ik welkom ben, dan durf ik misschien.

Vriendelijke groet,

Anna

Hij las het twee keer en merkte dat hij glimlachte. Hij liep de keuken in en zette water op. Wachtte tot het kookte, deed het kookplaatje uit en zette de steelpan aan de kant.

Toen liep hij de tuin in. Hij keek weer om zich heen, maar zag niets bijzonders. Plotseling raakte hij een beetje in de war, hij wist immers niet eens welke kant hij op moest roepen. Hij vermoedde dat ze zich ergens in het bos ophield, vlak bij het huis waarschijnlijk, anders zou ze hem immers niet kunnen horen.

Waar zou hij gaan staan? Welke richting zou hij op kijken?

Hij stak zijn handen in zijn zakken en probeerde zo luchthartig mogelijk te kijken. Alsof hij dit dagelijks deed. Alsof er totaal niets vreemds aan de situatie was.

Hij schraapte zijn keel een paar keer, keek naar zijn

auto en riep toen luid: 'Kom gezellig binnen, Anna. Ik heb net koffie gezet.'

Er gebeurde niets. Voor de zekerheid veranderde hij van positie, liep naar de aardkelder en riep het nog een keer, nu iets harder: 'Hallo, Anna! Kom binnen, ik heb koffie gezet!'

Hij bleef tien seconden wachten, toen haalde hij zijn schouders op en liep het huis weer in.

16

'Hoi.'

'Hoi.'

Hij zat aan de keukentafel, zij stond in de deuropening.

'Ik ben dus Anna.'

'Ik heet Valdemar.'

Hij stond op en ze gaven elkaar een hand. Valdemar knikte naar een stoel en ging zelf ook weer zitten. Twee mokken stonden er op de tafel, Valdemar had zichzelf al ingeschonken. Een schaaltje met plakjes peperkoek en wat Zweedse kardemombeschuitjes.

'Je wilt vast wel koffie?'

'Ja, graag.'

Hij schonk in. Ze bleven een tijdje zwijgen zonder elkaar echt aan te kijken.

'Sorry', zei ze. 'Het spijt me dat ik hier zomaar naar binnen gegaan ben.'

Hij zette zijn bril recht en keek haar aan.

'Het geeft niet.'

'Ben je niet boos op me?'

Hij schudde zijn hoofd. 'Nee.'

'Waarom niet?'

'Je hebt vast je redenen.'

Ze dacht even na. 'Ja', zei ze. 'Dat klopt, ik heb mijn redenen.'

Hij zweeg terwijl ze suiker en melk in haar koffie deed en roerde.

'Je bent vast nog niet zo oud.'

'Eenentwintig.'

'Eenentwintig?'

'Ja, een maand geleden ongeveer was ik jarig.'

'Ik zou gedacht hebben dat je achttien of negentien was.'

'Ik ben best wel kinderlijk, dat is misschien te zien.'

Er kwam een vlieg op de rand van Valdemars mok zitten, hij joeg hem weg. De vlieg vloog op om vervolgens op Anna's hand te gaan zitten; Valdemar keek naar het diertje. Toen schraapte hij zijn keel.

'Ik heb een dochter van jouw leeftijd.'

'O?'

'Ze is niet mijn eigen dochter. Ik ben maar haar stiefvader.'

'O.'

'Zo is dat, ja.'

Hij nam een beschuitje, doopte het snel in zijn koffie en nam een hap. Anna koos een plakje peperkoek en at het op zonder het eerst in de koffie te dopen. Er ging een halve minuut voorbij.

'Misschien wil je weten waarom ik hiernaartoe gekomen ben?'

'Ja, vertel alsjeblieft.'

'Ik ben op de vlucht.'

Valdemar boog zich naar voren en keek Anna over zijn brillenglazen heen aan. Hij leek op zo'n aardige oude man op tv die een sprookje wil gaan vertellen, vond ze. Al waren ze de schmink vergeten.

'Op de vlucht?'

'Ja. In zekere zin althans. Ik was opgenomen in een huis, maar kon daar niet blijven.'

'Je bent dus niet uit de gevangenis ontsnapt?' vroeg hij en hij lachte een beetje nerveus.

'Nee', zei ze. 'Ik ben geen crimineel.'

'Fijn', zei hij. 'Ik ben blij dat je geen crimineel bent.'

Anna glimlachte aarzelend. 'En ik ben blij dat je niet boos op me bent. Ik kon gewoon nergens heen, daarom ging ik hier naar binnen.'

'Wanneer ben je gekomen?'

'Afgelopen zaterdag. In de ochtend. Ik was eigenlijk alleen maar van plan om een paar uur te slapen, ik was uitgeput.'

'En toen ben je gebleven?'

'Ja, ik heb me er als het ware ...'

'Ja?'

'Ik heb me er als het ware niet toe kunnen zetten om weer verder te gaan.'

Hij dacht na.

'Waarnaartoe? Waar ga je naartoe?'

'Ik weet het niet.'

'Je weet het niet?'

'Nee.'

'Heb je geen thuis? Ik bedoel ...?'

Anna schudde haar hoofd. 'Momenteel niet. Ik had een appartement voor ik in dat huis werd opgenomen, maar inmiddels heb ik dat niet meer.'

'En je ouders? Je vader en je moeder?'

Opnieuw schudde Anna haar hoofd. Valdemar roerde in zijn koffie. Bleef in zijn mok staren.

'Dat huis. Wat is dat voor iets?'

'Het is voor verslaafden. Ik ben verslaafd.'

Valdemar keek Anna verbaasd aan. 'Dat kan toch niet? Ik bedoel, je bent nog zo jong.'

'Ja, zo oud ben ik inderdaad nog niet.' Anna nam een slokje van haar koffie en duwde een pluk haar achter haar oor. 'Ik ben te vroeg begonnen, dat is het.'

'Waarmee?'

'Met bier en hasj.'

'Bier en hasj.' Het klonk niet als een vraag, eerder een constatering. 'Goh.'

'Ja, dat waren mijn drugs al die tijd, kun je wel stellen. De afgelopen jaren is er niet veel structuur in mijn leven geweest.'

Valdemar leunde naar achteren op zijn stoel en keek Anna met licht toegeknepen ogen aan. Weer over de rand van zijn brillenglazen.

'Ik denk dat ik niet helemaal begrijp wat je zegt.'

Anna keek door het raam naar buiten. Er ging een vogel op de raamdorpel zitten. Plotseling wist ze wat ze wilde zeggen.

'Het spijt me ...'

'Dat hoeft niet. Ik begrijp een heleboel dingen niet, maar ik weet wel dat je geen slecht mens bent.'

'Dank je. En ... en jij?'

Valdemar moest lachen. 'Ik? Ik ben gewoon maar een oude man. Een saaie piet. En ik maak niemand blij.'

'Je lijkt me anders heel aardig.'

'Aardig?'

'Ja.'

'Ik ben absoluut niet aardig. Hoe kom je daar nu bij?'

'Je hebt me toch hier laten blijven? Een ander zou me

eruit gegooid hebben of de politie hebben gebeld.'

'Maar ik *heb* de politie gebeld.'

Anna keek Valdemar verbaasd aan. Ze zweeg. Valdemars mondhoeken krulden een beetje omhoog, maar toen werd hij ernstig. 'Het was niet hierom. Ik heb de politie toevallig vanochtend gebeld omdat er een gewonde eland langs de kant van de weg lag.'

'Een eland?'

'Ja, hij was aangereden. Het heeft niets met jou te maken, ik zat je een beetje in de maling te nemen.'

'O. Was hij zwaargewond?'

'Dat denk ik wel. Het zag er afschuwelijk uit.'

'Wat gaan ze ermee doen?'

'Met die eland?'

'Ja.'

'Ik weet het niet. Ik denk dat ze hem moeten afmaken. Of dat ze dat al gedaan hebben.'

'Zielig.'

'Ja, ik vond het ook zielig voor het dier.' Valdemar krabde nadenkend in zijn nek. 'Hij bewoog zijn kop nog heen en weer en hij keek zo verward. Alsof hij niet begreep wat er aan de hand was ... dat was natuurlijk ook zo. Ze zijn er vast niet op gemaakt om tegen auto's te botsen.'

'Nee, dat denk ik ook niet.'

'Elanden en auto's zouden niet samen op één planeet moeten vertoeven.'

'Daar heb je gelijk in. Zo heb ik het nooit bekeken.'

Ze namen nog een slok van hun koffie.

Valdemar stond op en liep de kamer in. Hij kwam terug met zijn pijp en tabak. Anna sloeg haar hand voor haar mond.

‘Die heb ik ook geleend.’

‘Dit? Deze pijp?’

‘Ja. Sorry, maar ik had zo’n zin om te roken, en mijn sigaretten waren op.’

‘Het geeft niet. Een geluk voor jou dat ik gisteren ben begonnen met roken.’

‘Hoezo? Ben je gisteren pas met roken begonnen?’

‘Ja.’

‘Waarom dan? Ik ben begonnen toen ik veertien was. Jij moet toch ... ja, toch al wat ouder zijn in elk geval.’

Valdemar moest lachten. ‘Negenenvijftig. Ja, maar het is toch nooit te laat om met iets nieuws te beginnen?’

Anna moest ook lachen. ‘Weet je, ik vind het leuk om met je te praten. Je lijkt zo ... ja, zo vriendelijk op de een of andere manier.’

‘Tja, zo’n vreselijk gemeen mens ben ik inderdaad niet.’

Valdemar ging met zijn pijp in de weer.

‘Zal ik hem voor je aansteken?’

‘Doe maar, ja. Ik ben nog niet een echte prof.’

Hij reikte haar het rookgerei aan. Ze stopte tabak in de pijp en drukte die met haar wijsvinger aan. Hij keek toe en knikte alsof hij er iets van leerde. Anna stak de pijp aan, nam een paar trekjes en gaf hem aan Valdemar.

‘Vredespijp’, zei ze. ‘Al kunnen we misschien beter naar buiten gaan zodat het hier niet naar rook gaat stinken.’

Ze hielden elkaar in de tuin gezelschap. Stonden samen een tijdje bij de pomp terwijl ze om de beurt een trekje van de pijp namen. De zon was verdwenen en donkere wolken voorspelden dat er meer regen in aantocht was. Een paar eksters fladderden rond de aardkelder.

'Ik vind dat je een mooi huis hebt', zei ze. 'Kom je hier elke dag naartoe?'

Hij knikte. 'Min of meer.'

'Maar je blijft hier nooit slapen?'

'Nee.'

Anna keek nadenkend.

'Waarom niet? Ik bedoel, het gaat me natuurlijk niet aan, maar ...'

'Ik heb het nog niet zo lang', verklaarde Valdemar. 'Pas een paar weken eigenlijk. Ik kom hier meestal overdag.'

'O?'

'Zo is het.'

'Wat ... werk je soms ergens aan?'

Valdemar dacht even na voor hij antwoord gaf.

'Nee, ik ben gestopt met werken.'

Anna inhaleerde iets te diep en begon te hoesten.

'Oei, deze tabak is wel sterk.'

'Ik dacht dat je gewend was om te roken.'

'Alleen sigaretten. En hasj natuurlijk, maar dat doe ik niet meer.'

'Was je daarom in dat huis?'

'Ja, maar dat ik weggelopen ben wil nog niet zeggen dat ik van plan ben weer opnieuw te beginnen. Het was gewoon dat ik daar niet kon blijven.'

Valdemar zwengelde een paar keer aan de pomp, maakte een kommetje van zijn handen en dronk wat water.

'En je ouders ... weten je vader en moeder waar je bent?'

Anna schudde haar hoofd. 'Nee, niemand weet waar ik ben.'

Hij veegde het water van zijn mond en keek haar een beetje verbaasd aan. 'Niemand?' vroeg hij.

Ze haalde haar schouders op. 'Nee, ik ben er zaterdag vandoor gegaan. Ik ben sinds die tijd hier geweest en ik heb geen mobiel.'

'Denk je dat ze naar je op zoek zijn?'

Ze dacht na. 'Ik weet het eigenlijk niet. Nee, dat denk ik niet.'

Hij stak zijn handen in zijn broekzakken en keek naar de lucht. 'Er komt zo vast nog meer regen. Zullen we nog een kop koffie doen?'

Ze liepen naar binnen en gingen aan de keukentafel zitten. Valdemar schonk koffie in. 'Zal ik je eens wat zeggen?' zei hij.

'Ja?'

'Niemand weet ook waar ik ben.'

'Wat?'

'Niemand weet waar ik ben.'

'Je maakt een grapje.'

'Nee. Het is echt waar.'

Anna begon op haar wijsvinger te bijten en bestudeerde hem met een plotselinge ongerustheid in haar blik.

'Niets aan de hand', zei hij. 'Het klinkt misschien raar, maar Lograna is een soort geheim.'

'Lograna?'

Hij spreidde zijn armen uit. 'Deze plek heet zo. Lograna. Ik heb het drie weken geleden gekocht en ik heb het aan geen mens verteld.'

'Drie weken geleden?'

'Ja.'

'Je bent toch getrouwd?'

'Jazeker. Ik heb een vrouw en twee kinderen. Een

zoon uit een eerdere relatie ook ... Hij is bijna veertig, we hebben niet zo veel contact.'

'En je vrouw weet niet dat je dit huis hebt?'

'Nee.'

'Ik ... ik begrijp het niet helemaal.'

Valdemar leunde naar achteren en vouwde zijn handen voor zijn buik. 'Het klinkt misschien een beetje vreemd, maar het is wel zo.

Ja, het is echt zo', herhaalde hij even later.

Anna kreeg rimpels in haar voorhoofd. Geen van beiden zei iets. Er ging een halve minuut voorbij.

'Waarom wil je het niemand vertellen?' vroeg ze ten slotte. 'Ik bedoel, ik zou misschien hetzelfde doen, maar ik vraag me af ... nee, het gaat me immers niets aan.'

Hij leek naar een antwoord te zoeken. De vlieg kwam weer terug en ging midden op de tafel zitten, ze keken er allebei even naar, keken elkaar niet aan. Alsof ze bij een tweesprong stonden en opeens gedwongen waren te kiezen welke kant ze opgingen.

'Weet je,' zei hij nadat hij eerst de vlieg had weggejaagd, 'ik vind het eigenlijk wel gezellig dat je hier je intrek hebt genomen en voor mij het huisje een beetje bewoont. Echt gezellig.'

Anna voelde opeens tranen opkomen. 'Bedankt. Maar dat is toch eigenlijk niet normaal. Ik heb eten en van alles van je gepikt. Ik zal het terugbetalen als ik eenmaal ...'

Valdemar schudde zijn hoofd. 'Geen sprake van. Nood breekt wet, en je hebt toch niets stukgemaakt?'

'Dank je wel.'

'Waar heb je je spullen gelaten?'

'Ik heb ze in het schuurtje gezet.'

‘Waarom?’

‘Ik dacht ... ik weet niet.’

Ze zwegen weer, en toen hoorden ze plotseling hoe de regen losbarstte. Op het dak, op de raamdorpel, op het bladerdek van de appelbomen, het waren drie verschillende stemmen, allemaal kwamen ze uit de lucht en wat ze zeiden was niet gemakkelijk te duiden.

Valdemar stond op. ‘Laten we het haardvuur maar eens aanmaken’, zei hij. ‘Vind je niet?’

‘Ja’, beaamde Anna. ‘Dat is misschien niet zo’n slecht idee.’

17

Het bleef de rest van de ochtend regenen. Zware buien afgewisseld met motregen, maar echt ophouden deed het de hele ochtend niet. Anna haalde haar rugzak en gitaar naar binnen. Ze hing haar vochtige was weer over de stoelen, nadat ze eerst gevraagd had of dat goed was en hij had geantwoord dat het mocht.

Later lag hij op bed een kruiswoordpuzzel te maken, zij zat aan de tafel te lezen. Af en toe zeiden ze iets tegen elkaar. Een paar opmerkingen met lange stiltes ertussen. Anna bedacht dat het voelde alsof het de gewoonste zaak van de wereld was.

'Waar kom je vandaan?'

'Örebro. Mijn moeder komt uit Polen.'

'Polen? Daar ben ik nooit geweest.'

'Ik ben in Zweden geboren, maar ik spreek ook Pools.'

'Mmm.'

Even later: 'Er zijn er veel tegenwoordig die aan drugs verslaafd raken.'

'Ja.'

'Het is niet gemakkelijk.'

'Nee.'

'Een naar gevoel. Vijf letters, eindigt op een t. Heb jij een idee?'

'Smart, misschien?'

'Zou goed kunnen.'

'Of angst.'

Losse vragen, losse antwoorden. Het ging redelijk gelijk op ook; hij was niet de enige die vragen had.

'Wat deed je toen je nog werkte?'

'Ik was boekhouder. Deed de financiën bij een klein bedrijf even buiten Kymlinge.'

'Was het een leuke baan?'

'Nee.'

'Ben je daarom gestopt?'

'Ja. Is je moeder niet ongerust over je?'

Anna vertelde over haar moeder. Dat ze op dit moment in Warschau was om voor haar zieke moeder te zorgen.

'Jouw oma?'

'Ja.'

'Dus waarschijnlijk weet ze niet dat je weggelopen bent?'

'Nee.'

'En je vader, zie je die weleens?'

'Bijna nooit.'

'Het is zoals het is.'

'Ja.'

Tegen half één lunchten ze. Een poedersoepje, boterhammen en ieder een wortel.

'Ik heb nooit echt van koken gehouden', zei Valdemar. 'Het is nooit wat geworden.'

'Ik ook niet', zei Anna. 'Ik ben bang dat ik erg veel boterhammen eet.'

'Doe ik ook', zei hij. 'Maar dat is niet zo heel erg.'

‘Nee’, zei ze. ‘Brood kan niet zo veel kwaad.’

Zij waste af, hij ging terug naar zijn bed en zijn puzzelblaadje. Toen ze uit de keuken kwam, zag ze dat hij in slaap gevallen was. Een plotselinge besluiteloosheid maakte zich van haar meester toen ze weer aan tafel zat. Waar ben ik mee bezig? vroeg ze zich af. Ik zit in een kamer in een huisje midden in een bos. In dezelfde kamer ligt een man die ouder is dan mijn vader. Hij heet Valdemar, ik heb hem vandaag pas leren kennen, en hij snurkt een beetje.

Ze pakte haar collegeblok tevoorschijn en schreef het op. De gedachten die ze had, zin voor zin, precies zo. *Ik zit in een kamer* ... Ze wist niet precies waarom ze dat deed. Misschien dacht ze dat het de tekst voor een liedje zou kunnen worden, of misschien waren er andere redenen. Na een tijdje herinnerde ze zich iets wat oom Julek eens gezegd had.

‘Het leven kent veel vragen, Anna’, had hij gezegd. Het moest tijdens Kerst of Pasen geweest zijn, want de hele familie was bij elkaar. Pasteitjes, *bigos*, breekbrood, de hele mikmak, maar oom Julek had zich met haar teruggetrokken, zoals hij graag deed als hij de andere volwassenen en hun politieke gewauwel zat was.

‘Veel vragen maar slechts drie zijn er belangrijk:

Waar ben je geweest?

Waar sta je nu?

Waar ga je naartoe?

Als je op die drie vragen een antwoord kunt geven, heb je je leven onder controle, Anna’, had hij gezegd. Vervolgens had hij zijn bulderende lach laten horen en met een wijsvinger tegen haar voorhoofd getikt, dat ze dat moest onthouden.

Het ging om meer dan het bepalen van een plaats, dat had ze begrepen. Het ging er ook om te kunnen zeggen waarom. Dat vooral.

Waarom heb je een leven als verslaafde geleid, Anna?

Waarom ben je op dit moment in dit huis?

Waarom heb je voor een bepaalde bestemming gekozen?

Op de eerste twee vragen kan ik geen antwoord geven, dacht ze. En op de derde ... nog minder.

Misschien had ze helemaal geen bestemming. En in dat geval kon ze een reden hebben om hier voorlopig te blijven. Toch?

Als je niet weet waar je naartoe moet, is het maar beter om te blijven waar je bent. Dat klonk heel vanzelfsprekend.

Ze keek een tijdje naar Valdemar op het bed. Hij had zijn schoenen uitgedaan en ze zag dat hij een gat in zijn ene sok had. Zijn handen lagen gevouwen op zijn buik en zijn zachte gesnurk klonk op de een of andere manier rustgevend. Het paste bij het milde fluisteren van de regen op de raamdorpel en de dakpannen; ze vroeg zich af of hij van haar verwachtte dat ze nu wegging, nu ze elkaar eindelijk ontmoet hadden. Ze wist het niet, en hij had niets in die richting gezegd. Ze besloot het hem te vragen als hij wakker was, misschien kon ze vragen of ze nog een nacht mocht blijven als de regen aanhield. Of misschien kon hij haar naar Kymlinge rijden, zodat ze vanaf daar verder kon liften.

Göteborg? Dat was het vage idee dat ze die afgelopen zaterdagochtend had gehad. Vandaag, vijf dagen later, leek dat niet bijzonder aantrekkelijk. Wat moest ze in Göteborg doen?

Als ik nu maar de behoefte had om hier weg te gaan, dacht ze. Als ik nu maar een heel klein beetje wilde.

Maar het enige wat ze eigenlijk wilde – als ze eerlijk was – was ook even onder een dekentje kruipen en een dutje doen.

Maar het bed en de deken waren bezet. Ja, ik ga vragen of ik tot morgen mag blijven, besloot ze nogmaals. Vragen kan altijd, het ergste wat er kan gebeuren is dat hij nee zegt.

En vragen of hij zin heeft nog een vredespijp met me te roken.

Toen hij wakker werd, vroeg hij zich af of hij wellicht nog droomde. Hij had namelijk gedroomd dat hij achter zijn bureau bij Wrigmans zat, maar bij het ontwaken herkende hij de kamer waarin hij zich bevond niet. Er zat een meisje aan een tafel een boek te lezen, ze was klein en tenger en had dik, roodbruin haar, ze beet op een knokkel van haar vinger en leek op te gaan in haar boek.

Waar ben ik? dacht Ante Valdemar Roos. Wat is er gebeurd? Ben ik dood, of lig ik misschien in het ziekenhuis?

Of droom ik nog, zoals ik dacht?

Het duurde een paar seconden voor hij weer wist waar hij was, maar het voelde veel langer. Hij bleef even stilliggen terwijl hij naar haar keek.

Even oud als Signe dus. Wonderlijk, ze leken helemaal niet op elkaar. Alsof ze ieder van een andere planeet kwamen. Waar lag dat aan? Dit meisje leek hem veel ouder. Ouder dan ze eigenlijk was. Tegelijkertijd, als je een snelle blik op haar wierp, leek ze weer jonger.

Ze heeft een bepaalde levenservaring, dacht hij. Zowel in positieve als negatieve zin. Ze heeft natuurlijk al heel wat meegemaakt.

En ze las en schreef. Dat deed Signe nooit. Wilma was wat beter in dat opzicht, die was in ieder geval door *Harry Potter* heen gekomen.

Ik weet niet wat ik tegen haar moet zeggen, dacht hij plotseling. Ik vraag me af of ze van plan is vandaag te vertrekken; in dat geval zou ik haar graag willen zeggen dat ze best nog een paar dagen mag blijven.

Zou ze dat verkeerd interpreteren? Denkt ze dat ik iets van haar wil als ik haar hier een tijdje laat wonen? Ja, wat ... wat wil ik eigenlijk?

De gedachte maakte hem droevig.

Maar om zomaar weg te lopen uit zo'n huis zonder een plan te hebben. Waarom zou ze dat gedaan hebben? Was de politie echt niet naar haar op zoek? Was hij wellicht strafbaar als hij haar onderdak verleende?

'Anna', zei hij.

Ze schrok op en keek hem aan. 'Ben je wakker?'

'Ja.'

'Lekker geslapen?'

'Jazeker. Ik neem aan dat ik heb gesnurkt.'

'Een beetje maar.'

'Ach. Zeg, Anna, mag ik je wat vragen?'

'Natuurlijk.'

'Waarom ben je uit dat huis weggelopen?'

Ze aarzelde even en zoog op haar pen.

'Ik zou daar niet beter geworden zijn.'

'O?'

'Nee.'

'Waarom niet?'

'Je mocht daar niet jezelf zijn, iedereen moest hetzelfde zijn en de leidster mocht me niet.'

'Je hebt toch niet iets strafbaars gedaan, Anna?'

Anna schudde haar hoofd. 'Behalve dan dat ik drugs gebruikt heb. En een beetje verkocht, maar dat is nu voorbij. De politie zit niet achter me aan, als je dat bedoelt.'

Valdemar ging op de rand van zijn bed zitten. Zette zijn bril op, die hij op de vensterbank gelegd had.

'Gelukkig', zei hij. 'Sorry dat ik ernaar vroeg.'

'Bedankt dat je sorry zegt', antwoordde ze.

Hij strekte zijn armen boven zijn hoofd, gaapte en rechtte zijn rug. 'Het voelt een beetje raar', zei hij.

'Dat jij en ik hier zitten?' vroeg ze.

'Ja, vind jij dat ook niet?'

'Jawel, dat vind ik natuurlijk ook.'

'Wat hebben mensen als jij en ik met elkaar te bepraten?'

'Ik weet het niet precies', zei ze. 'Heb je hobby's?'

Hij dacht na. 'Ik kijk altijd sport op tv,' zei hij, 'maar verder heb ik niet veel hobby's. Wat vind jij leuk?'

Ze ging met haar hand door haar haren en dacht na.

'Lezen', zei ze.

Hij knikte. 'Ik hou ook van lezen.'

'Gitaar spelen', zei ze. 'Zingen.'

'Kun je niet wat voor me spelen?'

'Wil je dat?'

'Natuurlijk wil ik dat.'

'Ik ben niet erg goed, hoor.'

'Dat hoeft ook niet. Schrijf je ook zelf muziek?'

'Ik probeer het. Maar ik ken ook een paar echte.'

'Echte?'

'Liedjes die ik niet zelf geschreven heb.'

Valdemar stond op en legde een paar houtblokken op het vuur. 'Zing jij een liedje en zullen we daarna een kop koffie doen?'

'En een vredespijp?'

'En een vredespijp.'

Anna haalde haar gitaar tevoorschijn en begon die te stemmen. 'Ik denk dat ik eerst een echte neem. Hoe oud zei je dat je was?'

'Wat maakt dat uit?'

Ze moest lachen. 'Ik dacht alleen maar dat je dit misschien kende. Het is uit de jaren zestig: "As tears go by".'

'"As tears go by"? Ja, dat ken ik wel. Is dat niet een oud liedje van de Stones?'

'Volgens mij wel. Oké, daar gaat-ie.'

Ze zong 'As tears go by'. Hij had meteen in de gaten dat ze de tekst kende, in elk geval het begin van het liedje.

It is the evening of the day.
I sit and watch the children play
Smiling faces I can see
But not for me
I sit and watch as tears go by

Ze had een mooie stem, rauw en donker – donkerder wanneer ze zong dan wanneer ze sprak. Als hij alleen haar stem gehoord zou hebben, zonder dat hij haar ooit gezien had, zou hij gedacht hebben dat het de stem was van een vrouw die twee keer zo oud was als het meisje dat nu voor hem zat en met geconcentreerde blik haar vingers de verschillende akkoorden op de hals van de gitaar liet vormen – en voor hij het goed en wel in de gaten had, welden er tranen bij hem op. Ze zag het, maar ze stopte niet met zingen. Ze glimlachte hem alleen maar toe, en hij bedacht dat als hij nu, op dit speciale moment, zou sterven, het hem niet eens zo veel zou uitmaken.

Ja, die gedachte kwam bij Ante Valdemar Roos op, en hij deed geen moeite om haar te bagatelliseren. Haar weg te lachen of weg te snuiten met de zo gedienstige zakdoek van het verstand. Zoals men meestal deed wanneer zulke gedachten zich opdrongen, dacht hij.

Nadat ze gestopt was met zingen, zaten ze samen nog een tijdje zwijgend naar het vuur te staren.

'Bedankt, Anna', zei hij ten slotte. 'Dat was het mooiste wat ik sinds lange, lange tijd gehoord heb.'

'Het past bij mijn stem', zei ze. 'Ik ben een alt, een lage alt.'

Hij knikte. 'Zullen we koffie nemen?'

'En een vredespijp?'

'En een vredespijp.'

Toen hij langs Rimmersdal reed, zag hij dat ze de eland weggehaald hadden. Er bestond natuurlijk een kleine mogelijkheid dat hij zich hersteld had en op eigen kracht de greppel uit gekomen was, maar dat kon hij zich moeilijk voorstellen.

Het was een wonderlijke dag geweest. Toen hij op zijn gebruikelijke plek bij de Liljebakkerij parkeerde, besefte hij dat het moeilijk zou zijn om Alice en de kinderen weer te zien. Het voelde alsof ze niet echt meer in zijn wereld thuishoorden – of hij in de hunne, dat was waarschijnlijk een betere formulering – en hij hoopte dat het huis leeg zou zijn als hij aankwam. Dan kon hij zich in de badkamer opsluiten, het licht uitdoen en in een warm bad gaan liggen om na te denken over het leven. Het leek hem het enige betekenisvolle wat hij de komende uren kon doen.

Maar het huis was niet leeg. In de keuken zaten Alice en Signe, en een onbekende jongeman met lang, donker haar en een ver opengeknoopt, geel overhemd.

'Valdemar, dit is Birger', zei Alice. 'Signes partner.'

Valdemar vond niet dat Birger Butt – want zo heette hij toch? – eruitzag als een vaste vriend of verloofde. Meer als iemand die zich goed probeerde te houden nadat hij net op de laatste plaats geëindigd was bij de voorrondes van het Eurovisie Songfestival. Of hoe dat tegenwoordig ook heten mocht. Signe had een hand op Birgers been gelegd, kennelijk om hem duidelijk te maken dat hij niet hoefde op te staan als Valdemar zijn hand uitstak. Zijn broek was even rood als zijn overhemd geel was.

'Aangenaam kennis te maken', zei Valdemar.

'Eh ... hoi', zei Birger Butt.

'Hij blijft eten', zei Alice.

Hij kan mijn plaats wel innemen, dacht Valdemar. 'Duidelijk', zei hij. 'En, zijn jullie al verloofd?'

'Valdemar', zei Alice.

'Kom, Birger, we gaan naar mijn kamer', zei Signe.

Ze verlieten de keuken.

'Idioot!' zei Alice tegen Valdemar.

'Ik dacht dat "partner" betekende dat ze gaan trouwen', zei Valdemar.

'Ik snap jou niet', zei Alice. 'Vond je hem niet schattig?'

‘Nee’, zei Valdemar. ‘Maar hij past misschien goed bij Signe.’

‘Wat moet dat nu weer betekenen?’ vroeg Alice.

‘Dat moet betekenen dat ze bij elkaar passen’, verduidelijkte Valdemar.

‘We hebben het hier later nog wel over’, zei Alice. ‘Kom me helpen met eten koken. Ik wil dat we een goede indruk maken. Zijn vader heeft een succesvol bedrijf.’

‘Fantastisch’, zei Valdemar. ‘Wat doet hij dan?’

‘Volgens mij levert hij aan kiosken en snackbars’, zei Alice. ‘Sauzen, mayonaise, garnalensalades enzovoort. Door het hele land dus.’

‘Interessant’, zei Valdemar.

‘Ja, het is toch leuk dat ze nu eindelijk iemand gevonden heeft.’

‘Het werd echt tijd’, beaamde Valdemar.

18

De donderdag verliep haast hetzelfde als de woensdag. Toen ze rond half acht 's morgens buiten was om te plassen was het even droog, maar het gras was doornat en korte tijd later zette de regen alweer in.

En zo ging het de hele dag door, min of meer. Valdemar kwam op dezelfde tijd als gewoonlijk, ze tilden samen de boodschappen uit de auto en haastten zich ermee de keuken in. Hij had goed ingeslagen: naast drie ICA-tassen met levensmiddelen bracht hij ook een zaag, een bijl, een zak turfstrooisel voor het buitentoilet, een paar gymschoenen, geitenwollen sokken en nog wat klein spul mee.

Een groot blik witte verf bijvoorbeeld. Kwasten, rollers en een bak.

'Ik was van plan de wanden te schilderen', legde hij uit. 'Zodat het wat minder somber wordt.'

'Laat mij dat doen', stelde ze meteen voor. 'Als ... ja, als dank dat ik hier mag zijn.'

'Jij hoeft toch niet ...?' begon hij, maar ze onderbrak hem.

'Waarom niet? Ik ben goed in schilderen. Ik heb het thuis bij mijn moeder gedaan en in het appartement waar ik woonde.'

‘Hm’, bromde hij en hij bestudeerde haar over zijn brillenglazen heen.

‘Bovendien vind ik dat je gelijk hebt’, zei ze. ‘Het wordt hier veel frisser als je het wit schildert.’

‘Tja’, zei hij. ‘Ik weet niet ...’

‘Ik wil zo graag wat voor je doen. Alsjeblieft?’

Valdemar haalde zijn schouders op. ‘Ik ben zelf niet zo dol op schilderen dat ik erom zou smeken om het te mogen doen. Je zou het zeker in het weekend kunnen afkrijgen.’

‘Ben je niet hier in het weekend?’

‘Nee.’

‘Waarom niet?’

‘Ik heb andere dingen te doen.’

‘Ik begrijp het.’

‘Van alles en nog wat.’

‘Duidelijk. Nou, ik kan op zaterdag en zondag schilderen. Als ik zo lang hier mag blijven althans.’

‘Dat zal dan wel moeten.’

Er speelde een glimlach rond zijn mond toen hij dat zei, en Anna bedacht dat het jammer was dat hij niet haar vader was. Dat was een gedachte die zonder waarschuwing in haar opkwam, en ze moest er een beetje om lachen.

Toen borgen ze de spullen op in de koelkast en in de kast en dronken ze koffie.

‘Mag ik je wat vragen?’

‘Ja, waarom niet?’

‘Het is een vraag die gisteravond, toen je weg was, bij me opkwam. Je hoeft geen antwoord te geven als je dat niet wilt.’

‘Dat recht heb je natuurlijk altijd.’
‘Wat?’
‘Om alleen maar antwoord te geven als je dat wilt.’
Ze dacht na. ‘Je hebt gelijk. Wat ik me dus afvroeg: rij je iedere dag naar Lograna?’
‘Ja, dat doe ik inderdaad. Doordeweeks dus.’
‘En je vrouw weet daar niet van?’
‘Nee.’
‘Hoe heet ze trouwens?’
‘Alice. Ze heet Alice.’
‘Maar waar denkt Alice dan dat je iedere morgen naartoe gaat?’
Valdemar vouwde zijn handen, steunde met zijn ellebogen op de tafel en liet zijn kin op de knokkels van zijn vingers rusten. Hij leek naar de juiste woorden te zoeken. Er gingen een paar seconden voorbij, toen zuchtte hij, alsof hij het opgaf om verder te zoeken.
‘Naar mijn werk, natuurlijk.’
‘Naar je werk?’
‘Ja.’
‘Maar je bent toch gestopt met werken?’
‘Dat heb ik haar niet verteld.’
Ze keek hem onthutst aan. ‘Nu snap ik er niets meer van.’
Valdemar leunde naar achteren. ‘Ik begrijp dat je er niets meer van snapt. Al was het ook niet de bedoeling dat ik jou zou tegenkomen en van alles zou moeten uitleggen.’
‘Nee, natuurlijk niet.’
Hij zette zijn bril af en zuchtte weer. ‘Het leven is niet altijd bijster leuk, dat moet jij toch wel weten?’
‘Ja’, zei ze. ‘Het is wel duidelijk dat ik dat weet.’

'Soms is het moeilijk om het vol te houden.'

'Mm?'

'Dat was eigenlijk precies het geval, simpel gezegd. Ik hield het niet langer uit, en dus ben ik gestopt met werken en heb ik dit gekocht.'

'Waarom hield je het niet uit?'

Hij dacht weer na. Vouwde zijn handen voor de verandering achter zijn nek en keek naar het plafond.

'Ik weet niet. Zo was het gewoon.'

'Zo was het gewoon?'

'Ja, ik heb nog niet diep genoeg gegraven om het antwoord daarop te hebben.'

'Mm.'

'Het kan me ook geen hout schelen, trouwens', ging hij verder. 'Als je zo oud bent als ik, moet je sommige dingen gewoon accepteren zonder te gaan spitten. Dat je bent zoals je bent, bijvoorbeeld.'

Anna's wenkbrauwen gingen verbaasd omhoog. Toen moest ze lachen.

'Weet je, Valdemar, ik ben blij dat ik je heb leren kennen. Echt heel blij, je bent zo ...'

'Ja?'

'Verfrissend, denk ik.'

'Verfrissend?'

'Ja.'

'Je bent niet goed wijs, Anna.' Maar om zijn mond verscheen een glimlach. 'Als jij denkt dat ik verfrissend ben, dan is het slecht met je gesteld. Ik ben ongeveer net zo verfrissend als een vuilnisbelt. Ik ga even op bed liggen met een kruiswoordpuzzel. Het is vandaag te nat buiten om een wandeling door het bos te maken, vind je ook niet?'

Anna keek door het raam naar buiten. 'Ja,' zei ze, 'je hebt gelijk. Maar ik wilde je nog iets vragen ... als je niet boos wordt.'

'Boos? Waarom zou ik boos worden? Wat dan?'

'Je hebt toch een mobieltje?'

Valdemar streek over zijn borstzakje. 'Jazeker, dat zit hier en slaapt ook vandaag.'

'Ik vroeg me af of ik het even zou mogen lenen om mijn moeder te bellen. Ik bel haar alleen maar op, dan kan ze mij terugbellen. Het kost je bijna niets.'

Valdemar knikte en reikte haar zijn mobieltje aan. 'Blijf hier maar in de keuken zitten om met haar te praten. Ik ga even liggen, zoals ik al zei.'

Hij liep naar de kamer en trok de deur achter zich dicht.

'Ania, is er iets gebeurd?'

'Kun je me terugbellen op dit nummer?'

Anna hing op en wachtte. Het duurde bijna vijf minuten voor de telefoon ging.

Waarom? dacht Anna. Waarom kan ze nooit eens gelijk terugbellen? Er is altijd iets wat belangrijker is.

'Ania, is er iets gebeurd?'

Dezelfde openingszin, elk woord hetzelfde.

'Ja,' zei Anna, 'er is iets gebeurd.'

'Ik ben nog steeds bij mijn moeder in Warschau, weet je. Het kost veel geld om te bellen.'

'Ik weet het. Ik wil alleen maar vertellen dat ik niet meer in het Elvaforshuis ben.'

'Ben je daar niet meer? Mijn god, Anna, waarom ben je daar niet meer?'

'Dus ze hebben je niet gebeld om het te melden?'

'Nee. Maar waarom ben je ...?'

'Ik ben weggelopen. Het was een rotplek, maar je hoeft je geen zorgen te maken. Het gaat goed met me.'

'Waar ben je nu dan?'

Anna moest even naar de naam zoeken. 'Ik ben op een plek die Lograna heet.'

'Lograna? Wat is dat voor plek?'

'Het is een huis in het bos. Ik woon hier een tijdje, daarna zien we verder. Hoelang blijf je nog in Polen?'

Haar moeder zuchtte en Anna kon horen hoe iemand op de achtergrond de tv aanzette. Haar moeder zei tegen ene Mariusz dat hij het geluid wat zachter moest doen.

'Ik weet niet hoelang ik hier nog moet blijven, Anna. Het gaat heel slecht met mijn moeder. Ze ligt in het ziekenhuis, ze weten niet of ze het deze keer gaat redden.'

Anna voelde het branden in haar keel en achter haar ogen. 'En Marek?'

'Die is bij Ewa en Tomek. Het gaat goed met hem. Al moet hij misschien ook deze kant op komen. Ik weet het niet.'

'Tja', zei Anna.

'Maar dat ... Lograna?' vroeg haar moeder. 'Waar ligt dat? Bij wie woon je?'

'Ik heb het prima', zei Anna. 'Je hoeft je geen zorgen te maken. Ik belde alleen maar om te zeggen dat ik niet meer in Elvafors ben.'

'Anna, je hebt toch niet ... je bent toch niet weer ...?'

'Nee', zei Anna. 'Ik ben niet weer begonnen. Dag, mamma.'

'Dag', zei haar moeder. 'Zorg goed voor jezelf, Anna.'

Anna hing snel op voor de tranen konden komen.

Verdomme, dacht ze. Waarom moet het zo gaan?

Valdemar vertrok zoals gewoonlijk om vijf uur naar huis en hij beloofde de volgende dag schuurpapier en een rol afplakband mee te nemen.

Ze hadden 's middags niet zo veel gepraat. Het had bijna de hele tijd geregend en ze hadden het openhaardvuur goed opgestookt. Gelezen en kruiswoordpuzzels opgelost, en Anna had weer een lied voor Valdemar gezongen. Een ander lied uit de jaren zestig, dat hij ook herkend had: 'Are you going to Scarborough Fair'.

'Je zingt zo mooi dat ik me in de hemel waan, Anna', had hij naderhand gezegd.

'Misschien ziet de hemel er wel zo uit', had ze lachend geantwoord.

'Ja, waarom niet?' had hij beaamd. Hij had rondgekeken in de eenvoudige kamer en ook gelachen. 'Anna en Valdemar in het hemelrijk Lograna.'

Ze voelde zich een beetje droevig toen hij weggereden was. Het hemelrijk? dacht ze. Ja, misschien klopte het wel. Misschien was het zo simpel.

'Beter dan dit wordt het nooit', had hij ook nog gezegd, dat was net voor hij in de auto gestapt was en was weggereden. 'Maar je bent te jong om daarover te weten.'

Ze had niet begrepen wat hij bedoelde – of misschien deed ze dat wel. Maar in dat geval was het zo'n somber besef dat ze er niet aan wilde.

Precies zoals hij ook had gezegd: ze was te jong. Ze vond dat ze zich blij had moeten voelen. Ze mocht hier nog minstens drie dagen blijven, de muren schilderen en zich een beetje nuttig maken; ze hield van schilderen, en als ze hier wilde blijven wonen, dan zou hij waarschijnlijk niet weigeren. Nog een paar dagen in ieder geval. Een week of zo. Dus wat was het probleem? Waar kwam die somberheid plotseling vandaan?

Ze was het hemelrijk Lograna niet zat, dat was niet wat haar somber maakte – zelfs al begreep ze dat de euforie van de eerste dagen niet voor eeuwig kon duren. 'Euforie', ze hield van dat woord. Want als er zo'n woord bestond, dan moest er ook zo'n gevoel bestaan. Ze moest denken aan dat gedicht van Gunnar Ekelöf dat ze op het gymnasium bestudeerd hadden; het was jammer dat je je bij de lessen Zweeds niet alleen mocht bezighouden met poëzie, dan zou ze zich niet zo ongelukkig gevoeld hebben destijds.

Maar nu was er sprake van een ander soort gevoel. Een soort droefheid, dus, en ze begreep dat het gesprek met haar moeder nog doorwerkte en haar verdrietig maakte. Vooral dit: altijd als ze op een kwetsbaar moment in haar leven was geweest, was haar moeder haar belangrijkste reddingslijn geweest. Nu ze merkte dat die lijn maar uiterst dun was, dat die niet sterk genoeg was om haar te houden als ze eraan hing, kwamen het donker en de afgrond plotseling gevaarlijk dichtbij.

Young girl, dumb girl, try to be a brave girl, probeerde ze zichzelf moed in te praten. Ze zat een tijdje met pen en papier, schreef wat op en kraste de ene na de andere rare zin weer door. Ze wilden niet, de woorden op het papier kwamen banaal en betekenisloos over zodra ze ze bekeek, en na twintig minuten gaf ze het op. Ze ging naar buiten en bleef onder het afdakje bij de voordeur staan; rookte een hele pijp, tot ze duizelig en een beetje misselijk was. De regen hield aan en hing als een dunne, vijandige muur om haar heen, en ze besefte dat ze, als ze drugs ter beschikking had gehad, iets sterkers dan tabak, die zonder een seconde te aarzelen zou hebben gebruikt.

Zo is het, dacht ze, toen ze een nieuw vuurtje had gemaakt en zich onder de deken had opgekruld. Het is niet voldoende om negenennegentig keer sterk te zijn, je moet het de honderdste keer ook zijn.

Hoewel het nog geen zeven uur was, viel ze toch in slaap, en toen ze twee uur later wakker werd, was het donker in de kamer en was het vuur uitgegaan. Ze merkte dat ze het koud had; zonder het licht aan te doen pakte ze een dikke trui die over de rugleuning van een stoel hing. Toen ze daarop door het raam naar buiten keek, zag ze opeens een man vanaf de weg naar het huis staan kijken.

19

Valdemar werd wakker met een opkomend gevoel van onrust in zijn borst.

Het voelde bijna als ademnood. Hij vouwde zijn handen en haalde een paar keer diep adem door zijn mond, waarna hij zijn hoofd omdraaide en op de klok keek: kwart over vijf. Hij vroeg zich af of hij iets gedroomd had, of dat soms de oorzaak van het onrustige gevoel was.

Moeilijk te zeggen: hij herinnerde zich geen beelden van een droom en toen hij in zijn neus kneep moest hij constateren dat hij echt wakker was. Hij bleef een paar minuten liggen denken. Toen hij merkte dat de slaap niet van plan was terug te keren, stond hij op en liep hij naar de badkamer.

Een kwartier laten zat hij helemaal aangekleed aan de ontbijttafel, klaar om te vluchten. Dat was sterk uitgedrukt, maar als hij beter nadacht besefte hij dat het klopte. Klaar om te vluchten? Goeie god.

Want zo was het dus: met elke dag die verstreek de afgelopen weken – vanaf het moment dat het rijtje van de lotto juist was geweest en hij de eigenaar was geworden van Lograna – was het moeilijker geworden om het gezelschap van Alice en haar dochters te verdragen. Het leek op jeuk die steeds erger werd, dacht hij. Het ging gepaard met een sterk en begrijpelijk gevoel van schaamte, dat zeker, maar het idee dat hij nu de hele ochtend moest doorbrengen in het gezelschap van zijn familieleden leek hem plotseling bijna ondoenlijk.

Hij dacht aan iets wat zijn vader eens gezegd had: 'Het zijn niet de weken en jaren die zwaar zijn, mijn jongen, het zijn de minuten en uren.'

Het onrustige gevoel waarmee hij wakker geworden was, was er nog steeds. Op de een of andere manier leek het zich met andere beelden van zijn vader te vermengen. Late beelden. Vooral die van die allerlaatste tijd, toen Eugen Roos zo somber was geweest dat hij niet meer had gepraat. Valdemar herinnerde zich die maanden nog heel goed. Hoe zijn vader bijna hele dagen voor het keukenraam had gezeten en naar de sombere fabrieksgebouwen aan de overkant van het spoor had gestaard zonder zich nog te interesseren voor wat er om hem heen gebeurde.

Dat zijn vrouw of zijn zoon met hem probeerde te praten.

Dat er bezoek kwam. Dat de lente zichtbaar werd in de berken. Dat de seringen bloeiden.

Alsof hij in zijn eigen innerlijke somberheid verdronk. En nu zat zijn zoon door een ander keukenraam te staren – zevenenveertig jaar later, geen spoor en geen fabrieksgebouwen, in plaats daarvan een dak met rode pannen en wat gesnoeide linden – en vroeg hij zich af of hij werkelijk die twee vreselijke uren moest uitzitten voor hij kon vertrekken naar de plek waar nu alles gebeurde wat nog enigszins wezenlijk was in zijn leven.

Om tien over half acht, toen hij de dreiging voelde dat Alice weldra zou opstaan, nam hij een besluit. Hij pakte een papiertje uit de werkkamer en schreef snel een berichtje dat hij veel te doen had op het werk en daarom vandaag iets eerder vertrok.

Hij ondertekende op de gebruikelijke manier met 'V' en haastte zich de hal in. Merkte op dat de lichtblauwe sandalen van Birger Butt er stonden, trok zijn jas aan en verliet het huis.

De Liljebakkerij was net open, de geur van versgebakken brood stroomde door de deur als een niet-gespecificeerde belofte naar buiten en binnen een seconde was de onrust van Ante Valdemar Roos verdwenen. Verse broodjes voor het ontbijt in Lograna, dacht hij en hij stapte de winkel binnen.

Hij kocht niet alleen broodjes, maar ook een brood van roggemeel en een zak Zweedse beschuitjes. Hij wist zeker dat hij de vrouw achter de toonbank ergens van kende; ze had zoiets vertrouwds, en terwijl hij door bijna lege straten de stad uit reed – er was duidelijk een verschil tussen vijf over zeven en kwart over acht – vroeg hij zich af waar hij haar eerder gezien kon hebben. Ze werkte nog niet zo lang in de Liljebakkerij en hij was er zeker van dat hij haar ergens anders van kende.

Toen hij op de Rockstarotonde reed, wist hij het opeens weer: ze was de vrouw van Nilsson. Moeder van zes kinderen en lid van de Evangelische Kerk. Ze was een paar jaar geleden een keer bij Wrigmans op bezoek geweest, en haar rode haren en haar vurige ogen waren hem bijgebleven.

Vooral dat laatste. Het waren ogen die hoorden bij een vrouw die Christus had leren kennen, nam Valdemar aan, en hij vroeg zich af of hij om die gedachte moest lachen of niet. Er was trouwens ook iets bijzonders aan Nilssons blik, als hij er goed over nadacht; het gold kennelijk niet alleen voor gelovige vrouwen, maar ook voor mannen.

Dat positieve hiernamaals.

Zelf geloofde Valdemar Roos niet in God. Niet in die gebruikelijke hemelse vader met zijn witte baard in elk geval. Misschien was er iets anders, dacht hij altijd. Iets hogers, wat we niet konden begrijpen en wat ook niet bedoeld was om te begrijpen. In de maanden nadat zijn vader zich van het leven had beroofd, had hij af en toe zijn handen gevouwen en een aarzelend gebed omhooggestuurd, dat herinnerde hij zich nog, maar hij had nooit het gevoel gehad een antwoord te krijgen en sindsdien had hij het gelaten voor wat het was. Het leven was één ding, wat erna kwam was iets anders. Waarom zou ik nadenken over iets waarvan ik me niet eens een voorstelling kan maken? had hij zich soms afgevraagd. Als ik het al zo moeilijk vind om wat er van binnen bij me leeft te begrijpen.

Maar hoe dan ook, dit was niet een ochtend om je met theologie bezig te houden; dat was voor hem heel duidelijk toen hij de 172 op kwam – toen hij het donkere water van Kymmen tussen de bomen door zag glinsteren en in zijn achteruitkijkspiegel de zon door de wolken zag breken.

Eerder een ochtend om koffie te drinken en verse broodjes te eten. Samen met zijn jonge logee in Lograna. Twee stoelen en een krukje bij het schuurtje, een pijp voor bij de tweede kop koffie ... Verdorie, dacht Ante Valdemar Roos en hij gaf gas, soms is het leven zo simpel dat het bijna lachwekkend is.

En waar die onrust, waarmee hij een paar uur eerder was wakker geworden, vandaan gekomen was en naartoe gegaan was, ja, het was werkelijk verspilde moeite om je dat af te vragen.

Hij parkeerde naast de appelboom en stapte uit zijn auto. Geen teken van leven, behalve een paar hommels die in de reseda bij de stenen fundering zoemden. Misschien sliep ze nog, het was tenslotte nog niet eens acht uur. Jonge mensen sliepen vaak tot laat uit, dat wist hij – Wilma en Signe waren in dat opzicht wereldkampioenen – en Anna verwachtte hem natuurlijk niet voor half tien.

Hij voelde aan de deur. Op slot.

Tastte naar de sleutel, maar die lag niet op zijn plek. Natuurlijk, dacht hij. Ze doet de deur 's nachts aan de binnenkant op slot, dat zou ik ook gedaan hebben.

Hij klopte een paar keer zacht op de deur, maar er kwam geen reactie. Vervolgens bonkte hij met zijn vuist en liep naar het raam van de woonkamer om een paar keer met het vensterhaakje, dat aan zijn oogje bengelde, op het raam te tikken. Vreemd dat dat aan de buitenkant zat, daar had hij niet eerder bij stilgestaan.

Er gingen vijf seconden voorbij, maar toen opende ze dan toch het raam en stak haar hoofd naar buiten.

'Sorry, het was niet mijn bedoeling je buiten te sluiten. Ik kon zo moeilijk in slaap komen gisteren.'

'Dat geeft niet', zei Valdemar. 'Het is pas acht uur, ik ben vandaag wat vroeger.'

'Acht uur pas? Wacht, ik doe de deur even open.'

'Het is een mooie ochtend', constateerde hij terwijl hij de zak met broodjes op de keukentafel legde. 'Ik heb wat verse broodjes voor ons gekocht. Waardoor kon je zo moeilijk in slaap komen?'

Anna beet aarzelend op haar lip.

'Ik was een beetje bang', zei ze.

'Bang? Waarvoor?'

'Net toen ik naar bed wilde gaan, ontdekte ik dat er buiten een man naar het huis stond te kijken.'

'Wat?' zei Valdemar.

Anna knikte ernstig.

'Maar wat zeg je nou toch?' zei Valdemar.

'Ja, hij stond vanaf de weg zo naar binnen te gluren. Ik was doodsbang.'

'Wat gebeurde er?'

Ze haalde haar schouders op. 'Niets. Ik heb de lichten niet aangedaan, dus weet ik niet of hij mij gezien heeft. Ik ben een beetje weggedoken, en toen ik even later weer keek was hij verdwenen.'

Valdemar dacht even na. 'Vast niks bijzonders. Misschien was het gewoon die boer van verderop, van Rödmossen, die een wandelingetje aan het maken was. Of iemand die paddestoelen zocht.'

'Ik weet het, ik dacht ook zoiets. Al was het wel al bijna negen uur, het was behoorlijk donker. In elk geval was ik best wel bang en kon ik daardoor niet slapen.'

Valdemar lachte en gaf haar een klopje op haar schouder. 'Weet je wat ik ga doen? Ik ga een geweer voor je kopen, zo'n echt jachtgeweer, dan kun je jezelf verdedigen als er ongenode gasten komen opdagen.'

Anna lachte ook. 'Doe dat maar', zei ze. 'Trouwens, zou je niet schuurpapier en zo voor me meenemen vandaag?'

Valdemar schraapte zijn keel. 'Zeg, ik dacht zo', zei

hij. 'We gaan ontbijten en een pijpje roken en daarna rijden we naar de stad en doen we samen de boodschappen.'

Anna kon haar enthousiasme niet onderdrukken. Ze sloeg haar armen om Valdemars nek en gaf hem een stevige knuffel. Net een tiener op Kerstavond, dacht hij. Waar gaat dit eigenlijk naartoe?

Maar er was geen tijd om verder over die vraag na te denken.

'Dank je wel, Valdemar', zei ze. 'Weet je, ik heb zo ongelooflijk veel geluk gehad dat ik jou ontmoet heb. Het is gewoon te gek.'

Valdemar voelde dat hij een blos kreeg – iets waarvan hij gedacht had dat dat veertig jaar geleden gestopt was – en hij krabde een beetje verlegen in zijn nek. 'Hou op met die onzin', zei hij. 'Kom, we gaan koffie zetten.'

'Wat zeg je ervan als we gaan lunchen nu we toch in de stad zijn?'

Het was half twaalf. Ze hadden niet alleen schuurpapier en afplakband gekocht, maar ook andere spullen die Valdemar meende nodig te kunnen hebben: twee vloerkleedjes, een rood-witgeruit tafelkleed, pannenlappen, een houten schaal, twee kandelaars, een deurmat, haken om aan de muur te bevestigen, handdoeken, koffiemokken, een waterkoker en twee opklapbare tuinstoelen met een bijbehorende tafel. De auto zat helemaal vol. Anna was al anderhalve maand niet meer in de stad geweest, ze had haast even lang niet meer iets in een winkel gekocht – afgezien dan van de sigaretten en chocola als ze met de bewoners van het Elvaforshuis Dalby bezocht – ze voelde zich dan ook opgewonden en het duizelde haar na twee uur heen en weer rennen tussen verschillende winkeltjes en Norra torg in Kymlinge, waar ze geparkeerd stonden.

Ze voelde zich bijna gelukkig. Ik voel me als een kind in een pretpark, dacht ze, en de gedachte dat Valdemar haar vader had moeten zijn kwam weer sterk in haar op.

'Lunch?' vroeg ze. 'Maar we kunnen toch niet ...?'

'Natuurlijk kunnen we dat wel', zei hij. 'We gaan bij Ljungmans *strömming* met aardappelpuree eten. Je houdt toch wel van oostzeeharing?'

'Ik weet niet', zei Anna. 'Ik heb het nog nooit gegeten.'

Valdemar staarde haar aan.

'Je bent eenentwintig jaar en je hebt nog nooit strömming gegeten? Je mag je *lucky star* bedanken dat je mij hebt ontmoet.'

'Dat zei ik toch al', zei ze. Ze gaf hem een arm en zo liepen ze schuin het plein over naar restaurant Ljungmans.

'Lekker?'

'Heerlijk!'

'Zie je wel. Maar er moeten eigenlijk vossenbessen bij. Het liefst ingemaakte die niet eerst zijn gekookt.'

'Ik dacht dat jij niet om eten gaf?'

'Klopt, maar soms,' zei Valdemar, 'als het om strömming met aardappelpuree gaat, kan ik heel kieskeurig zijn.'

Anna dronk haar cola en keek in het volle restaurant om zich heen. 'Wat zouden ze denken?' vroeg ze.

'Waarvan?' vroeg Valdemar.

'Van ons', zei Anna. 'Denken ze dat je een vader bent die met zijn dochter luncht, of ...?'

Valdemar dacht na. ‘Waarom niet? Maar we zouden natuurlijk ook collega’s kunnen zijn.’

‘Ja, al werk jij niet meer, maar dat kunnen zij natuurlijk niet weten. Is er ... is er niemand die je hier kent?’

‘Ik hoop van niet’, zei Valdemar en hij keek een beetje bezorgd om zich heen. ‘Ik denk het niet. Ik heb niet zo veel kennissen, ik ben een einzelgänger, dat heb ik je toch verteld.’

‘Ik vind je helemaal geen einzelgänger’, zei Anna. Ze legde met een brede glimlach haar hand op zijn arm.

Ik vind het heerlijk dat ze zo in het openbaar naar me durft te lachen, dacht Valdemar. Dat vind ik echt.

‘Dat komt gewoon doordat ik in zulk innemend gezelschap verkeer’, zei hij. ‘Maar vind je het geen goed idee om eens terug te gaan naar Lograna? Dan haal ik mijn middagdutje nog.’

‘Absoluut’, zei Anna. ‘En dan ga ik schilderen als je weg bent. Het is een beetje zonde dat ...’

‘Wat?’

‘Dat je pas maandag kunt komen kijken hoe het wordt.’

‘We zien wel’, zei Valdemar. ‘Als ik een kans zie, kom ik misschien op zondag nog even aanwaaien.’

‘Ik hoop het’, zei Anna.

Ze stonden van hun tafeltje op en liepen naar de uitgang; in de deuropening liepen ze een stel dat net naar binnen kwam tegen het lijf; het waren een man en een vrouw van in de vijftig.

‘Dag, Valdemar’, groette de vrouw verbaasd.

‘Dag’, zei Valdemar.

‘Alles goed?’

‘Jazeker’, antwoordde Valdemar en hij liep vervolgens

met Anna in zijn kielzog snel langs het stel heen naar buiten.

'Wie waren dat?' vroeg Anna toen ze op het plein stonden.

'Die man ken ik niet', zei Valdemar. 'Maar ik ben bang dat die vrouw een van de beste vriendinnen van mijn vrouw is.'

'Oei', zei Anna. 'Denk je dat ... ik bedoel ...?'

'We maken ons er voorlopig maar niet druk om', zei Valdemar. 'Elke dag heeft genoeg aan zijn eigen kwaad, laten we het over gezellige dingen hebben.'

Toen Valdemar even na vijf uur vanuit Lograna vertrok, werd Anna overvallen door een gevoel van verlatenheid. Het drukte op haar als een zware deken, zoals dat heette.

Ik gedraag me bespottelijk, dacht ze. Ik ken die man pas drie dagen en ik klamp me nu al aan hem vast als een welpje aan haar moeder. Hoe had ik ooit gedacht me in mijn eentje staande te houden in de wereld? *Young girl, dumb girl.*

Ze ging in een van de nieuwe stoelen in de tuin zitten en stak de pijp op. De zon was nog niet achter de bomen verdwenen en het was nog heerlijk warm. Ik wilde dat ik hier echt woonde, dacht ze. En Valdemar, mijn bonuspappa, ook. En dat ... dat ik een baan had om iedere ochtend naartoe te gaan, op de fiets of de brommer, en dat ik me helemaal geen zorgen over de toekomst hoefde te maken.

Ze wist dat het kinderlijke gedachten waren, en dat juist die kinderlijkheid de oorzaak van haar drugsgebruik was geweest.

Dat je het moeilijk vond om volwassen te worden. Al haar vrienden die gebruikten waren zo geweest, ze wilden kind blijven, misschien omdat ze dat nooit konden zijn toen ze klein waren.

Ja, zo simpel was het waarschijnlijk. Ze waren, door allerlei oorzaken, beroofd van alles wat in je jeugd zo belangrijk is – spelen, lachen, vrijheid, zorgeloosheid – en hadden dat met drugs geprobeerd te compenseren. Zo enorm tragisch, dacht Anna, en zo honderd procent gedoemd fout te gaan.

De mensen die er verstand van hadden, hadden ook gezegd dat het daardoor kwam, dacht ze vervolgens. Meestal was ze het met die mensen niet eens, maar in dit geval wel. Als er een gemeenschappelijke noemer was voor alle losers in de wereld, dan was het wel dat ze van hun jeugd beroofd waren en dat met zich meedroegen.

Ze legde de pijp weg en vouwde haar handen. Lieve God, bad ze. Kunt u niet een wakend oog op me houden? Ik wil echt niet weer terugvallen, ik wil een waardig leven leiden. De details zijn niet zo heel belangrijk, maar ik denk dat ik een grote dosis geborgenheid nodig heb, in ieder geval de komende tijd. Bedankt dat u Valdemar op mijn pad hebt gebracht. Ik hoop dat hij lang, heel lang, in mijn leven mag blijven, en eigenlijk denk ik dat ik voor hem ook wel een beetje van nut kan zijn. Alvast hartelijk bedankt, hartelijke groeten van Anna. Amen.

Ze bleef nog een tijdje in de stoel zitten, tot de zon in het westen achter de bomen verdwenen was en het koeler begon te worden. Toen liep ze het huis binnen om te gaan verven.

20

'De Faringers komen vanavond hier. Is dat niet fijn?'

'Wat?'

'Dan hoef je maandag niet op consult.'

Het was zaterdagochtend. Valdemar lag in bed met de krant, broodkruimels en koffie. Alice was net onder de douche vandaan gekomen.

'Ja, we zouden eigenlijk naar Mats en Rigmor gaan,' ging ze verder, 'maar er was iets met hun honden, dus heb ik de Faringers gebeld.'

'Heb je onder het douchen gebeld?'

'Nee, ik heb gisteravond gebeld.'

'Gisteravond heb je niets gezegd.'

'Nee, inderdaad.'

Valdemar wachtte op een verklaring, maar die kwam niet. Alice stapte op de weegschaal en bekeek bezorgd het resultaat. 'Kloteweegschaal', mopperde ze zacht. Toen stapte ze eraf en herhaalde de procedure. Voor zover Valdemar kon beoordelen was het resultaat deze keer even bedroevend.

'Juist', zei hij. 'Dan gaan we zes uur besteden aan boodschappen doen en eten koken?'

'Nee', zei Alice. 'We hadden dit bedacht: we eten gewoon mosselen met knoflookbrood. Ik en Ingegerd maken alles klaar, terwijl jij met Gordon praat. Ik heb het hem gevraagd en hij vindt het goed.'

Valdemar dronk zijn koffie terwijl hij even zijn ogen sloot.

'Ik begrijp het', zei hij. 'Dus terwijl jij en mevrouw Faringer de mosselen en de wijn in de keuken testen, gaan meneer Faringer en ik in de werkkamer mijn depressie analyseren.'

'Precies', zei Alice. 'Wat is daar mis mee?'

Valdemar dacht na.

'Niets, lieve Alice. Dat klinkt als een geweldig plan. Waar haal je het vandaan?'

'Wat?' vroeg Alice.

'Ik hoop dat Wilma, Signe en Birger Butt er ook bij zullen zijn', ging Valdemar geïnspireerd verder. 'Gordon kan misschien Birger ook even onder de loep nemen, als hij toch bezig is, ik denk dat het goed voor hem zou zijn. Alhoewel, misschien heeft hij geen zieleleven.'

Alice zette haar vuisten in wat ooit haar middel geweest was en keek Valdemar woedend aan.

'Nu doe je weer zo onredelijk, Valdemar! Natuurlijk heeft hij dat. Maar ze zijn allemaal niet thuis rond die tijd. Wilma en Signe zijn van plan met hun vader in Stockholm naar een dinershow in Wallmans salonger te gaan, dat heb ik je al tien keer verteld.'

'O, was dat vandaag?' vroeg Valdemar.

'Ja', antwoordde Alice. 'Dat was vandaag.'

'Ik dacht dat het volgend weekend was.'

'Dat heeft met je depressie te maken', zei Alice. 'Je bent ongeconcentreerd en vergeet dingen.'

'Ik voel me inderdaad wat vergeetachtig de laatste tijd', erkende Valdemar en hij liep de badkamer in.

‘Hoe gaat het met je?’ vroeg Gordon Faringer tien uur later. ‘Zie dit niet als een officieel consult, we kunnen wat praten omdat Alice dat zo graag wil.’

‘We komen in ieder geval onder het schoonschrobben van de mosselen uit’, zei Valdemar.

‘Precies’, zei Faringer. ‘En ik heb zwijgplicht. Als je iets kwijt wilt, ga je gang.’

‘Ik heb niet zo veel te melden, ben ik bang’, antwoordde Valdemar. ‘Alice is degene die beweert dat ik depressief ben, ikzelf niet.’

‘Dat heb ik begrepen’, zei Faringer. ‘Maar milde depressies zijn feitelijk gemakkelijker bij een ander te constateren dan bij jezelf. Het is ook niet zo leuk om eraan te lijden.’

‘Ik ben het met je eens dat depressies niet leuk zijn’, zei Valdemar.

‘Nu moet je niet ironisch worden’, zei Gordon Faringer; hij knipoogde en hief zijn glas. ‘Proost, trouwens.’

‘Proost’, zei Valdemar.

Ze dronken en bleven een poosje zwijgen.

‘Zal ik gewoon wat vragen stellen?’ stelde Faringer voor.

‘Ja, dat is goed’, zei Valdemar.

‘Je weet dat er bij de psychiatrie niet sprake van een exacte wetenschap is, zoals jij met je cijfertjes. Maar het gaat toch wel om duidelijk waarneembare verschijnselen.’

‘Natuurlijk’, zei Valdemar. ‘Je hoeft je niet te verontschuldigen.’

‘Dank je’, zei Faringer. ‘Nou, als we eens beginnen met je gemoedsgesteldheid. Voel je je neerslachtig?’

Valdemar dacht na. ‘Soms’, antwoordde hij. ‘Maar dat is al veertig jaar zo.’

'Niet meer dan anders de laatste tijd?'
'Niet dat ik me ervan bewust ben.'
'Hoe gaat het met slapen?'
'Ik ben best wel vermoeid.'
'Maar als je slaapt, slaap je dan goed?'
'Ja.'
'Is dat veranderd de laatste tijd?'
'Volgens mij niet. Al wordt een mens er met de jaren niet fitter op.'
'Dat ken ik', zei Gordon Faringer en hij trok een neushaar bij zichzelf uit. 'En de concentratie? Hoe staat het daarmee? Kun je je op je werk goed concentreren?'
Valdemar nipte van zijn wijn. 'Ach,' zei hij, 'dat is over het algemeen ook hetzelfde als normaal. Ik ben nooit het toppunt van concentratie geweest. Alice beweert dat ik veel vergeet, en daar heeft ze waarschijnlijk gelijk in.'
'Hm ...' bromde Faringer. 'Maar kun je nog steeds blij worden van bepaalde dingen?'
'Tja', antwoordde Valdemar. 'Al sla je me dood, hoe is dat bij jouzelf?'
'Bedankt dat je het vraagt', zei Faringer. 'Ja, ik heb mijn boot en de zee, weet je. En de kleinkinderen, die zijn belangrijk voor me. Maar als ik een beetje doorvraag: hoe is het met je levenslust?'
'Levenslust?'
'Ja. Het is natuurlijk overduidelijk dat het zo nu en dan zwaar is, maar kun je nog steeds het gevoel hebben dat sommige dingen gewoon echt leuk zijn?'
Valdemar zette zijn bril af en begon die met een punt van zijn overhemd te poetsen. 'Luister, Gordon,' zei hij, 'als het werkelijk zo zou zijn dat ik depressief was, wat zou er dan aan te doen kunnen zijn? Ik heb geen zin om

massa's medicijnen naar binnen te werken. Gelukspillen en dat soort shit.'

Gordon Faringer knikte en keek beroepsmatig ernstig. 'Ik begrijp heel goed dat je dat niet wilt, Valdemar, maar het is mogelijk je geluksniveau een beetje te verhogen, dat kan in feite best veel uitmaken. Dat je wat vreugde en betekenis terugkrijgt, meer mensen dan je denkt gebruiken lichte doses. Levenslust is verdomd belangrijk, dat begrijpt iedereen. Rondlopen met de gedachte dat alles alleen maar waardeloos is, ja, daar gaan we aan onderdoor, simpelweg. Denk je vaak aan de dood?'

'Af en toe', zei Valdemar. 'Maar ook daarvoor geldt: dat heb ik altijd gedaan.'

'Je vader heeft zich destijds van het leven beroofd, niet?'

'Ja, dat klopt', zei Valdemar. 'Fijn dat je me eraan helpt herinneren.'

Faringer zweeg even en bestudeerde zijn nagels.

'Waarom zeg je dat?' vroeg hij.

'Wat?' vroeg Valdemar. 'Wat zei ik?'

'Je zei: "Fijn dat je me eraan helpt herinneren" over je vaders dood.'

'Sorry', zei Valdemar. 'Ik weet niet waarom ik dat zei.'

'Hm', zei Faringer. 'Maar je loopt dus niet met de gedachte rond om hetzelfde te doen?'

'Absoluut niet', zei Valdemar. 'Als je er al zo lang in geslaagd bent om het af te houden, dan lukt het ook de jaren die je nog overhebt wel.'

'Zie je dat zo?'

'Ik weet niet precies hoe ik het zie. Ik weet alleen dat ik het leven een verdomd ingewikkeld verhaal vind ... ja, dat is eigenlijk meer het probleem. En hoe ouder je wordt, des te moeilijker het is om tegen jezelf te liegen.'

'Ik begrijp niet helemaal wat je bedoelt', zei Faringer. 'Is er echt de afgelopen tijd niet iets gebeurd waardoor je het zwaarder vindt?'

'Nee', zei Valdemar.

'Echt niet?' vroeg Faringer.

'Ik zou niet weten wat dat zou moeten zijn dan. Zullen we niet even in de keuken gaan kijken hoe het ervoor staat?'

'Goed plan. Het is in ieder geval mooi dat je eetlust hebt, dat is een goed teken. Maar luister, ik zou het geen slecht idee vinden om nog een keer een afspraak met je te maken en dit alles iets formeler en serieuzer te doen. Kun je volgende week?'

'Volgende week heb ik al heel veel staan', zei Valdemar.

'De week daarop?'

'Oké', zei Valdemar. 'Als jij denkt dat het nut heeft.'

'Dat denk ik absoluut', zei Gordon Faringer. 'Proost, laten we naar de vrouwtjes gaan en een mosseltje pakken.'

Zaterdagavond laat was Anna klaar met schilderen.

In elk geval besloot ze dat het klaar was, het was lastig om te zien als er geen daglicht was. Ze zou het morgenochtend nog eens controleren. Er was nog voldoende verf over voor als ze wat onvolkomenheden moest wegwerken.

Al wist ze dat het niet zo overdreven precies hoefde, dat had Valdemar immers zelf nog gezegd, en ze hadden ook de allergoedkoopste verf gekocht. Het hoefde niet tiptop te zijn, had Valdemar benadrukt. Ze had dat woord 'tiptop' zo leuk gevonden. Het klonk op de een of andere manier zo ouderwets en geruststellend. Vooral dat het dat niét hoefde te zijn.

Zoals het leven zelf, dacht ze, dat hoefde ook niet tiptop te zijn, maar er moest toch wel sprake zijn van een zekere stijl. Zoals deze muren ongeveer, schoon en netjes, maar niet overdreven wit en chic.

Ze had het werk ook leuk gevonden. Het afplakken, het schilderen van de hoekjes en gaatjes met de kwast, daarna met de roller en de bak, van boven naar beneden met lange gelijkmatige bewegingen; het resultaat was direct zichtbaar, het werd steeds mooier, met elke decimeter, met elke meter. Er waren niet veel beroepen waarbij je zo direct beloond werd voor wat je deed als bij schilderen, bedacht ze. En je kon fijn over het leven nadenken terwijl je bezig was; geen diepzinnige gedachten, voor de helft was je geconcentreerd op wat je deed, voor de andere helft op wat er ook maar in je hoofd opkwam, dat was een mooie verdeling. En dan was er natuurlijk de associatie met over alle oude viezigheid heen schilderen en opnieuw beginnen. Vooruitkijken.

Maar nu was het zaterdagavond en de klus was geklaard, zowel in de keuken als in de kamer. In elk geval ging ze er nu niets meer aan doen. Ze trok een dikke trui en een jas aan, liep naar buiten en ging in het donker in een van de nieuwe stoelen in de tuin zitten. Ze stak de pijp op en bedacht dat er een muurlamp zou moeten zijn, of in ieder geval iets van buitenverlichting, misschien kon ze het daar maandag met Valdemar over hebben. Voorstellen om een lamp op te hangen, simpel gezegd.

Of morgenochtend, want ze hoopte dat het zou gaan

zoals hij gezegd had – dat hij kans zag om al even op zondag langs te komen. Ze bibberde, ondanks wat ze aanhad; het was duidelijk te merken dat de herfst in aantocht was, het was maar een paar graden boven nul zo laat op de avond. Het donker leek op de een of andere manier compacter, alsof de kou het samendrukte en het moeilijker maakte om erdoor te komen.

Als er geen licht is, is het belangrijker om te kunnen luisteren dan om te kunnen zien, dacht ze. 's Nachts gaat het om de geluiden, niet om de beelden; ze spitste haar oren maar kon niets anders opvangen dan het normale zachte geruis van het bos. Ze vroeg zich af welke dieren er leefden. Elanden en vossen, daar kon je zeker van zijn. Dassen ook, en een heleboel kleine diersoorten: muizen, woelmuizen en hoe ze ook allemaal mochten heten. Vogels natuurlijk ook; ze was heel slecht in dieren, alleen van slangen wist ze alles af. Ze had namelijk driekwart jaar op een montessorischool gezeten, en daar waren ze om de een of andere reden bijna voortdurend met slangen bezig geweest. Al waren er niet zo veel soorten in Zweden. De adder, de ringslang en de hazelworm, als ze het zich goed herinnerde. En de hazelworm was eigenlijk een hagedis, als je precies wilde zijn.

Wolven? dacht ze plotseling. Stel dat er wolven in het bos zitten. Misschien staat er wel een grote met gele ogen en een kwijlende bek vanaf de aardkelder verderop naar me te staren.

Maar dat maakte haar niet bang; zelfs niet als het werkelijk waar was geweest. Wolven vielen mensen niet aan, dat wist ze. Dat deed trouwens niet een van de dieren, dat had haar biologieleraar op school in elk geval ooit gezegd. Nee, de mens was in feite de grootste vijand van de mens, had hij op zijn typische, sombere toon beweerd – hij was net gescheiden en verhuisd vanuit een andere stad. Ze had begrepen dat zijn vrouw een van die vijanden was.

De mens was waarschijnlijk de enige soort op aarde waarbij dat het geval was, had hij eraan toegevoegd en hij had nog somberder geklonken. Svante Mossberg, opeens schoot zijn naam haar te binnen. De jongens van de klas hadden hem natuurlijk Svante Moskop genoemd.

Ze liep naar de aalbessenstruiken een paar meter verderop, deed haar broek naar beneden en plaste.

De mens vijand van de mens? Dat was zonder meer waar. Waarom zijn we er zo enorm goed in om gemeen tegen elkaar te doen en elkaar te kwetsen? Bij die gedachte moest ze opeens denken aan een film over pinguïns, die ze een paar jaar eerder gezien had. Hij ging over keizerspinguïns, die grappige dieren die onder barre omstandigheden in de Antarctis leefden. Om beurten letten ze op hun eieren, nu eens was het mannetje en dan weer het vrouwtje verantwoordelijk. Ze liepen heen en terug over het ijs om voedsel te zoeken en waren geheel afhankelijk van elkaar om te overleven. Zelfs al zagen ze elkaar bijna nooit.

Anna trok haar broek op en liep het huis in. Terwijl ze de deur op slot deed, bedacht ze dat hij dat was. Valdemar, haar pinguïn.

Keizerspinguïn zelfs.

Ze waste zich, poetste haar tanden en kroop in bed. Ik moet niet vergeten dat tegen hem te zeggen, dacht ze.

Valdemar the Penguin. Misschien kon ze proberen een lied over hem te schrijven. Waarom niet?

Ze sliep in met een kriebel van een blij vooruitzicht in haar buik.

Een paar uur later werd ze wakker met een heel ander gevoel. Ze bleef doodstil op haar zij liggen met haar handen tussen haar benen gestoken terwijl ze probeerde te ontdekken wat er aan de hand was. Wat haar gewekt had. Of het iets van buiten of van binnen was geweest; een geluid in huis of uit het bos, of misschien iets wat ze gedroomd had. Het was pikdonker om haar heen, geen enkel begin van schemerlicht; ze begreep dat het niet later kon zijn dan drie, vier uur, maar dom genoeg had ze haar horloge op de tafel laten liggen, die ze niet eens kon onderscheiden in het compacte zwart om haar heen, hoe ze ook haar best deed. Of ze haar ogen nu openhield of sloot, het bleef hetzelfde. Het was enkel duisternis om haar heen.

Het nare gevoel hield haar in zijn greep. Zou het kunnen dat er niet eens een oorzaak voor was? vroeg ze zich af. Kon je misschien angstig en verdrietig zijn zonder een aanleiding? Als een soort basisgevoel, in ieder geval op dit uur van de nacht.

Kon het zo eenvoudig zijn? Dat als je je dekking liet zakken, als je niet paraat stond voor de strijd, dat dan dat akelige en beangstigende kwam en zich onder je schild drong? Geheel naamloos? Misschien was dit hoe kleine dieren zich voelden, als ze ineengedoken in hun halfbeschutte holen in het bos zaten en er roofvogels met scherpe snavels en klauwen in de lucht boven ze cirkelden die probeerden om ze te traceren.

De altijd tikkende klok van de angst. De onverklaarbare onrust. De kwetsbaarheid van het leven: elk moment kon het stukgaan, als je het het minst verwachtte kwam de dood op de deur kloppen.

Verdorie, dacht ze. Waarom lig ik over dit soort dingen te piekeren? Het wordt er niet beter op als je denkt dat je een klein diertje bent dat trillend ligt te wachten op de havik. Wat is er met me aan de hand? Wat heeft me gewekt?

Ze had dit gevoel niet eerder 's nacht in Lograna gehad. Niet eens toen die man vanaf de weg naar het huis had staan staren; toen had ze nog geweten wat haar bang maakte, nu was het als het ware vormloos en onverklaarbaar. En voor het donker zelf was ze nooit bang geweest.

Dan is het vast het alleen-zijn, dacht ze. Vroeg of laat drijft dat iemand tot waanzin; dat had haar moeder ooit gezegd. Ze kon zich niet herinneren of dat tegen haar gericht was geweest of dat het een meer algemene opmerking geweest was. Je hebt andere mensen in je leven nodig, had ze in ieder geval beweerd, je kunt niet altijd alles alleen.

Net als de pinguïns dus, dacht Anna. Een pinguïn alleen is een dode pinguïn. En was dat ook niet de waarschuwing geweest die Sonja op Elvafors haar had willen geven? Dat ze zich niet moest terugtrekken, dat de omgang met anderen de weg naar de genezing was?

De anderen die in hetzelfde schuitje zaten. Toch moest alle contact met de oude drugsvrienden worden verbroken. Dat was in zekere zin noodzakelijk, dat begreep ze, maar het was wel een stimulans om de eenzaamheid te zoeken. Vooral bij iemand die dat altijd al zo prettig vond.

Al was natuurlijk ieder mens verschillend. Het enige

waar je eigenlijk bang voor moest zijn waren bepaalde andere mensen, dacht ze. En het enige waar je absoluut niet zonder kon ... waren bepaalde andere mensen.

Sensationele conclusies trek ik, dacht ze. Er zijn mensen die Valdemar heten en er zijn mensen die Steffo heten. Wat een nieuws.

Ze zuchtte en stond op. Pakte haar trui en jas, zonder het licht aan te doen. Pijp, tabak en tandenstokers; toen stapte ze in Valdemars pantoffels en liep de koolzwarte herfstnacht in.

21

De ICA-winkel in Rimmersdal was op zondag open, precies zoals hij gehoopt had. Weliswaar maar een paar uur, ze sloten om vier uur, maar het was acht minuten vóór toen hij op het grindplein voor de winkel parkeerde, dus zouden ze voor hem niet extra lang hoeven blijven. Hij had vandaag maar een paar dingetjes nodig.

Yolanda zou niet hoeven blijven. Dat was grappig, Valdemar had haar al een paar dagen niet gezien en hij besefte nu dat hij al die tijd niet aan haar gedacht had. Het is zoals het is, dacht hij, als je je leven werkelijk in eigen hand neemt, vult het zich ook met inhoud.

'Beter dan dit wordt het nooit.'

Hij had Alice niet verteld dat hij van plan was een paar uur weg te blijven, en dat was niet nodig ook. De gelegenheid had zich vanzelf voorgedaan: Alice had in de middag een afspraak met leden van haar vrouwennetwerk, De Aartsnimfen, en Wilma en Signe waren nog niet terug van het bezoek aan hun vader en Wallmans salonger.

Wat koffiebroodjes, wat fruit, een liter melk voor de koffie en een avondkrant, dat was alles, maar toen hij bij de kassa kwam, zag Valdemar dat er een andere kassière zat. Een wat bleke, jonge vrouw, beslist niet veel ouder dan Anna of Signe. Maar natuurlijk, dacht hij, Yolanda moet ook af en toe een vrije dag hebben.

Net als iedereen.

Hij betaalde, stopte de boodschappen in een plastic tas en liep de winkel uit. Net toen hij in de auto zat en het portier gesloten had, klonk het piepje van zijn mobiele telefoon. Er was een sms-bericht binnengekomen; het gebeurde niet vaak dat hij een sms kreeg, en nog minder vaak dat hij er een verstuurde.

Al dacht hij dat hij nog steeds wel wist hoe je dat deed. Valdemar stak de sleutel in het contactslot zonder die om te draaien, pakte zijn mobieltje uit zijn borstzakje en opende het bericht.

Waarom verstop je je voor me? Je bent van mij, ik kom binnenkort naar je toe. S

Valdemar staarde naar de tekst. Hij begreep er niets van. Wie was S? Voor wie zou hij zich verstoppen?

Je bent van mij? Dat klonk als ... als een liefdesboodschap. Een vrouw die hem schreef en die van plan was naar hem toe te komen? Mijn god, dacht Ante Valdemar Roos, het is toch niet mogelijk dat ...?

Nee, besloot hij. Dat was ondenkbaar. Hoe goed je je leven ook in eigen hand nam, er waren grenzen aan wat er kon gebeuren. Hij bevond zich nog steeds in de zogenaamde realiteit; dat een vrouw wier naam met een S begon stiekem verliefd op hem zou zijn ... al lange tijd naar hem smachtte, en nu op de een of andere manier naar hem toe zou komen ... nee, dat was simpelweg te onwaarschijnlijk.

Ook niet een vrouw wier naam met een andere letter begon, trouwens.

Je moet de mogelijkheden van het leven zien, dacht Ante Valdemar Roos, maar ook de beperkingen ervan. En daar dan een duidelijke lijn tussen trekken, dat is de kunst.

Verkeerd geadresseerd, dus. Zo simpel was het. De afzender had het verkeerde nummer ingetoetst, dat deed hij zelf ook best vaak, vooral doordat zijn vingertoppen wel drie of vier knoppen tegelijk konden bedekken.

Hij zette zijn mobieltje uit, startte de auto en reed het parkeerterrein af. Hij merkte dat het licht suisde bij zijn slapen, misschien had hij gisteravond, toen de Faringers er waren, een paar glazen te veel gedronken, maar in dat geval was hij in goed gezelschap geweest. Ze waren pas na enen vertrokken, en ook al had het eten slechts bestaan uit mosselen en ijs met bessen toe, het had toch nog tot kwart over twee geduurd voor Alice en hij klaar waren met afwassen en in bed stapten.

Al die verdomde glazen, had Valdemar gedacht. Waarom konden ze niet de hele avond uit een en hetzelfde glas drinken en het tussen de verschillende gangen afspoelen, als ze vonden dat dat nodig was?

Maar hij had in de ochtend minstens een liter water gedronken, dus hopelijk stopte het suizen in zijn slapen als hij eenmaal in de frisse buitenlucht bij Lograna was.

Stel je voor dat ik er gewoon bleef overnachten, dacht hij plotseling. Stel dat ik het gewoon zou vertikken om vanavond naar huis terug te gaan. Met een beetje moeite zouden dat meisje en ik best samen in het bed passen.

Hij keek zichzelf in de achteruitkijkspiegel aan en

dacht weer aan onderscheid maken. Tussen mogelijkheden en beperkingen.

Het zal bij koffie en een pijpje roken moeten blijven, besloot hij.

En de inspectie van het schilderwerk, natuurlijk.

'Maar het is al klaar!'

'Ja, dat vond ik ook.'

'Wat een verschil. Je zou ...'

'Wat?'

'Je zou binnenhuisarchitect moeten worden, of zoiets.'

Anna lachte. 'Binnenhuisarchitect? Valdemar, ik heb alleen maar de muren geverfd, hoor. Er is wel wat meer voor nodig om jezelf architect te kunnen noemen.'

'Dat mag zo zijn,' knikte Valdemar, 'maar het is in ieder geval fantastisch mooi geworden. Wat voor beroep zou je eigenlijk willen hebben? Je bent misschien even op het verkeerde pad geraakt, maar je zult toch nog wel plannen hebben?'

Anna stak haar handen in de zakken van haar spijkerbroek en dacht na. 'Ik weet het niet', zei ze. 'Misschien moet ik gaan studeren. Eerst in elk geval mijn middelbare school afmaken. Ik vind het best lastig om een keuze te maken.'

'Het is ook niet zo eenvoudig', zei Valdemar. 'In mijn tijd was het gemakkelijker.'

'O ja?' zei Anna. 'Hoezo dan?'

Valdemar zuchtte. 'Je kwam gewoon ergens terecht, wat je ook deed. Ik ging toevallig bedrijfseconomie studeren, maar ik was er totaal niet in geïnteresseerd. Het is wel goed om geld te hebben, maar om er de hele dag mee te zitten rekenen, nee, bedankt.'

'Wat had je dan liever willen doen?'

Valdemar haalde zijn schouders op. 'Ik weet het niet. Ik ben waarschijnlijk zo'n heel normaal type, dat door de jaren heen een beetje ontevreden is geraakt.'

'Hoe bedoel je?'

Valdemar gaf geen antwoord. Na een tijdje drong Anna aan: 'Wat wil je eigenlijk zeggen, Valdemar?'

Hij zuchtte weer. 'Dat heb je vast wel gemerkt. Ik heb moeite om contact met mensen te maken, moeite om contact te krijgen met het leven zelf, zou je kunnen zeggen. Ja, dat is eigenlijk de grote vraag ...'

'Wat?'

'Wat in godsnaam de bedoeling is van het leven.'

Anna ging aan de keukentafel zitten en Valdemar deed dat ook. Ze bestudeerde hem met een wat onzekere blik, onrustig leek het, en hij vroeg zich af waarom hij dat in hemelsnaam tegen haar gezegd had. Ze was minstens vijftien jaar jonger dan zijn zoon.

'Ben je ongelukkig, Valdemar?'

'Neuh.'

'Zeker weten?'

'Tja, er zijn wel mensen die zich beter voelen dan ik. Mag ik hopen, in elk geval. Anders zou het heel vreselijk zijn.'

'Wat zou je dan willen doen?'

'Doen?'

'Ja.'

Valdemar bleef een lange tijd zwijgen. Toen keek hij om zich heen naar de zojuist geschilderde muren, krabde in zijn nek en langzaam verscheen er een voorzichtige glimlach op zijn gezicht.

'Het is echt mooi, Anna.'

'Ja', zei Anna. 'Maar je hebt geen antwoord gegeven op mijn vraag.'

'Over wat ik zou willen doen?'

'Mm.'

Valdemar schraapte zijn keel. 'Dat is waarschijnlijk het probleem', zei hij en hij keek uit het raam. 'Als er werkelijk een verlangen was, dan zou het vast niet zo moeilijk zijn om gewoon te beginnen. Maar als je het niet weet, als je het gewoon niet naar je zin hebt en geen idee hebt waar je eigenlijk naartoe wilt, dat wordt het een stuk lastiger.'

'Maar je hebt dit toch?' Anna spreidde haar armen. 'Je hebt dit toch gekocht? Is dit niet wat je wilde?'

Valdemar leunde naar achteren. 'Jawel', zei hij. 'Dat is het absoluut. Maar een mens wil altijd meer, zoals iedereen altijd zegt.'

'Ik snap je niet.'

Valdemar dacht weer na. 'Ik wil hier niet weg, Anna. Daar wringt de schoen. Het is niet voldoende voor me om hier alleen doordeweeks te kunnen zijn.'

Ze bleven een tijdje zwijgen.

'Hoe is de relatie met je gezin?'

'Slecht', zei Valdemar hoofdschuddend. 'Dat had je misschien al wel door. De meisjes zien me totaal niet staan. Alice is me zat, wat ik echt kan begrijpen, maar ...'

'Maar?'

Hij lachte. 'Lieve Anna, ik weet werkelijk niet waarom ik me hier tegenover jou zit te beklagen. Ik ben bijna veertig jaar ouder dan jij. Maar goed, jij bent begonnen. Het is net of ... jij maakt dat ik ga vertellen.'

Er verscheen een glimlach rond haar mond. 'Misschien moet ik psycholoog worden of zoiets.'

'Ja, waarom niet? Je lijkt er het inzicht voor te hebben.'

Anna dacht na. 'Het is inderdaad zo dat anderen altijd met hun problemen bij mij komen, niet andersom. Al had dat misschien wel zo moeten zijn.'

'O?'

'Ik heb altijd ongelukkige vrienden aan moeten horen, lijkt het wel.'

'Is dat zo?' vroeg Valdemar. 'Ja, het is zaak om de gebruiksaanwijzing van het leven niet kwijt te raken, dat zei mijn oom altijd. Weet je trouwens wat me onderweg hiernaartoe gebeurde?' Hij haalde zijn mobieltje tevoorschijn. 'Wat zeg je hiervan?'

Het duurde even voor hij het berichtje had geopend, maar toen het eenmaal was verschenen, reikte hij Anna het mobieltje aan. Ze pakte het aan en las het berichtje. Eerst met verwachtingsvolle nieuwsgierigheid, maar toen veranderde er iets.

De glimlach verdween van haar gezicht, ze sloeg haar hand voor haar mond en staarde hem aan.

'Wat is er?' vroeg Valdemar.

Anna schudde haar hoofd en keek nog een keer naar het display. 'Dit is ...'

'Ja?'

'Dit bericht is niet voor jou, Valdemar, ik denk ...'

'Niet voor mij?'

'Nee, al begrijp ik niet hoe ...?'

Ze stond op en begon te ijsberen. 'Ik begrijp het niet, hoe kan hij ...? Wacht eens, het telefoonnummer van de afzender moet er toch bij staan?'

Ze pakte het mobieltje en klikte een paar keer terwijl

ze naar het display staarde. 'Ja! Verdomd, het is hem. Hoe kan hij in godsnaam weten ...?!'

Ze zweeg en bleef met halfopen mond en een blik van verwarring in haar ogen staan. Haar pupillen waren heel klein, alsof ze een verband probeerde te leggen. Valdemar bestudeerde haar gezicht en merkte dat hij zijn adem inhield.

'Dat moet het zijn', zei ze ten slotte.

'Zou je me misschien willen vertellen wat er in godsnaam aan de hand is?' vroeg Valdemar.

'Straks', zei Anna. 'Straks, dat beloof ik je. Mag ik eerst even met mijn moeder bellen?'

'Ja ... natuurlijk.'

Anna toetste een nummer in en Valdemar stond op. 'Ik ben in de woonkamer.'

Ze knikte en zette het mobieltje tegen haar oor. 'Verdomme! Geen bereik.'

Valdemar draaide zich om in de deuropening. 'Nee, inderdaad, dat werkt slecht hier in huis. Ik begrijp niet hoe het je de vorige keer gelukt is.'

Anna beet op haar lip en hij zag plotseling dat ze op het punt stond in tranen uit te barsten – om een reden die hij niet begreep, maar waarvan hij hoopte dat ze die hem uiteindelijk zou vertellen. Het allerliefst had hij haar nu een knuffel gegeven, haar even vastgehouden – dat was zijn eerste impuls, maar hij begreep dat dat niet binnen de mogelijkheden lag.

Weer die beperking.

'Je kunt een stukje de heuvel op lopen', zei hij. 'Je weet wel, een paar honderd meter terug over de weg, en dan naar links bij die stapels brandhout ... ik heb vanaf die plek een paar keer gebeld.'

Anna knikte. 'Ik bel haar op en vraag haar me terug te bellen.'

'Dat hoeft niet', zei Valdemar en toen verdween ze naar buiten.

Het duurde bijna een half uur voor ze terug was. In die tijd lag hij languit op het bed, keek naar de muren en probeerde blij te zijn omdat ze net geschilderd waren. Dat lukte niet erg, maar het lag niet aan de kleur of aan het werk zelf. Natuurlijk niet.

Wat is er gebeurd? dacht hij. Wat betekende dat bericht in hemelsnaam?

Ze had gezegd dat het aan haar gericht was. Anna hield zich dus verstopt voor iemand die S heette, en zij was degene die bezoek te verwachten had. Ze had het meteen begrepen.

Maar ze werd er niet blij van. Integendeel, haar reactie sprak boekdelen. Het sms'je had haar bang gemaakt, daar bestond geen twijfel over. Die S wilde ze niet ontmoeten.

De goede dagen zijn voorbij, dacht Valdemar Roos, en hij vroeg zich af waarom juist die formulering in zijn hoofd bleef vastzitten. *De goede dagen zijn voorbij.*

Er was immers nog niet eens een week verstreken.

Maar dat was natuurlijk kenmerkend. Je had niet het recht om veel te begeren.

'Hij heet Steffo', zei ze toen ze de kamer binnenkwam.

Valdemar ging op de rand van zijn bed zitten. 'Steffo?'

'Ja, hij was mijn vriendje.'

'Ik begrijp het.'

'Hij heeft het nummer van mijn idiote moeder gekregen.'

'Het nummer van mijn mobieltje? Hoe is dat dan gegaan?'

Anna ging aan tafel zitten en liet haar hoofd moedeloos in haar handen steunen.

'Ik had haar laatst immers gebeld. Later heeft Steffo haar gebeld en gevraagd waar hij me kon bereiken. En die idiote moeder van me heeft hem het nummer gegeven.'

'En jij wilde niet ...?'

'Nooit van mijn leven', zei Anna. 'Hij is gestoord. Ik ben doodsbang voor hem. Hij denkt ... nee.'

'Ga door.'

'Hij denkt dat ik zijn eigendom ben omdat we een paar maanden samengewoond hebben.'

'Maar je hebt het uitgemaakt met hem?'

Anna zuchtte en beet op haar lip. 'Min of meer', zei ze. 'Ja, dat heb ik natuurlijk wel. Toen ik dat huis in ging, heb ik alle contact met hem verbroken, hij moet toch begrijpen dat het voorbij is. Alhoewel ...'

'Alhoewel wat?'

'Hij is zo'n engerd. Ik heb veel domme dingen in mijn leven gedaan, maar dat ik iets met Steffo begonnen ben is wel het domste.'

Ze vouwde haar handen in haar schoot en even kreeg hij het idee dat ze zat te bidden.

'Dan moet je dat maar tegen hem zeggen.'

'Wat?'

'Je moet hem maar uitleggen dat je niks meer met hem te maken wilt hebben.'

Ze schudde haar hoofd. 'Je begrijpt het niet', zei ze.

'Hoezo?' vroeg Valdemar.

'Steffo denkt dat je mensen kunt bezitten, zoals je

spullen bezit. En hij schrijft dat hij van plan is hierheen te komen.'

Valdemar moest lachen. 'Hierheen? Hoe zou hij in hemelsnaam deze plek moeten vinden?'

Anna keek hem aan, beet op een knokkel en aarzelde. 'Ik weet niet of hij dat echt zou kunnen doen,' zei ze, 'maar mijn moeder heeft ook verteld hoe het heette.'

'Wat?'

'Dit hier. Lograna. Ik heb haar verteld dat ik op een plek ben die Lograna heet, ik weet niet waarom ik dat gedaan heb. Omdat ze het vroeg en ik haar een beetje wilde geruststellen, denk ik. Ze werd zenuwachtig toen ik zei dat ik weggelopen was. Hoe dan ook, Steffo weet dat ik op een plek ben die Lograna heet.'

Valdemar dacht even na. 'Maar', zei hij, 'Lograna staat toch vast niet op een kaart?'

'Dat weet ik dus niet zeker', zei Anna. 'Heb je weleens geprobeerd het op internet op te zoeken?'

'Nee', antwoordde Valdemar.

'Misschien is het te vinden', zei Anna. 'En in dat geval kan hij deze plek ook vinden. Ik moet hier weg, Valdemar.'

'Wacht nou even', zei Valdemar. 'Laten we eerst eens koffie zetten en de zaak bespreken.'

'Wat valt er te bespreken?'

'Heel wat. Je kunt niet voor die Steffo op de vlucht blijven, begrijp je?' Valdemar pauzeerde even en dacht na. 'Ik bedoel, wat voor leven krijg je dan? Hij moet toch begrijpen dat je niets meer met hem wilt.'

'Ik wilde dat het zo simpel was', zei Anna. 'Dat het gewoon een kwestie was van het tegen hem zeggen.'

'Heb je het geprobeerd?'

Ze haalde haar schouders op. 'Niet echt. Denk je dat we hem een antwoord moeten sturen?'

Valdemar voelde een warm klikje in zijn binnenste, en hij begreep waardoor dat kwam. Ze had het woordje *we* gebruikt. Moeten *we* hem een antwoord sturen?

'We zetten koffie en dan bespreken we dit', herhaalde hij. 'Ik denk dat hij deze plek in elk geval niet zal vinden. Het is al jarenlang voor de buitenwereld verborgen geweest. En ik ben absoluut niet van plan je in blinde paniek te laten vertrekken.'

Anna knikte en volgde hem de keuken in. 'Ik ben dankbaar dat je er bent', zei ze.

Haar ogen glansden toen ze dat zei. Valdemar keek op de klok. Het was al half zes; hij vroeg zich af hoelang die vergadering van het vrouwennetwerk zou duren.

22

Er kwam geen antwoord-sms.

Maar als ze me vraagt te blijven, dan doe ik dat, dacht Valdemar verscheidene keren terwijl ze praatten en koffiedronken en samen een pijp rookten. Het kan me niet schelen wat er gebeurt, ik moet me gedragen als een man van fatsoen. Ik kan toch verdorie niet zo'n doodsbang meisje midden in het bos achterlaten?

Als ze het me vraagt dus.

Als ze het me uitdrukkelijk vraagt.

Maar dat deed ze niet. Misschien deed ze het bijna, hij kon het niet goed inschatten. Meermalen kreeg hij de indruk dat de vraag in haar blik besloten lag, maar er werd niets uitgesproken. Hij liet haar beloven dat ze in elk geval nog een paar dagen zou blijven. Het was moeilijk om haar over te halen, maar uiteindelijk stemde ze ermee in, en toen hij haar gedag gezwaaid had en in zijn auto ging zitten, had hij de indruk dat ze het alleen maar beloofd had om ervanaf te zijn. Misschien was ze weg als hij morgenochtend terugkwam.

Dat vond hij bijna een onverdraaglijke gedachte. Plotseling voelde dat zo. Onverdraaglijk. Wat gebeurt er in godsnaam met me? dacht Ante Valdemar Roos terwijl hij Rödmossevägen op draaide. Waar is heel mijn oude leven gebleven?

In gedachten zag hij voor zich hoe het de volgende ochtend zou gaan.

Hoe hij op de tast de sleutel van de geheime plek zou pakken, hoe hij de sleutel zou omdraaien, het net geschilderde en volledig lege huis zou binnenlopen. Alleen een briefje op tafel: *Ik heb toch besloten weg te gaan, ondanks alles. Bedankt, Valdemar, veel geluk met Lograna en alle andere dingen. Kus, Anna.*

Verdomme, dacht hij. Zo mag het niet gaan. Zo rottig kan het leven me niet behandelen. Zelfs mijn leven niet.

En dan de geschilderde muren, die hem voor altijd aan haar zouden herinneren en aan de bijzondere dagen die ze samen gehad hadden.

Een week geleden, vorige week maandag, had hij ontdekt dat er iemand in zijn huis bivakkeerde, maar pas op woensdag had ze tevoorschijn durven komen. Vier dagen, met vandaag erbij was het feitelijk niet meer dan dat.

Ze had gitaar gespeeld en voor hem gezongen. Dat had niemand anders ooit voor hem gedaan, zeker een vrouw niet. Hij had gehuild, en zij had hem laten begaan zonder vragen te stellen.

As tears go by.

Hij schudde zijn hoofd en klemde zijn kaken zo hard op elkaar dat het pijn deed. Hij wist niet waarom, maar hij kneep ook harder in het stuur, kon zien hoe de knokkels van zijn handen langzaam wit werden – toen kwam het beeld van zijn vader weer bij hem op.

De wandeling in het bos. De hoge, rechte dennen. De stenen en de vossenbessenstruikjes. Hier staat de eland altijd.

Beter dan dit wordt het nooit.

Ik ga eraan kapot, dacht Ante Valdemar Roos. Nog even en ik stort in.

Ze bleef nog een hele tijd voor het raam staan nadat hij vertrokken was. Probeerde een gevoel van stabiliteit te vinden tussen alles wat er in haar omging. Een zwaartepunt.

Maar niets leek zich te willen stabiliseren, alles bleef gewoon ronddraaien en dansen als stofdeeltjes in een zonovergoten straat. Pas toen ze weer aan tafel was gaan zitten en een nieuwe kop koffie had ingeschonken kwam er iets concreets. Veel was het niet, maar het was in ieder geval in woorden te formuleren.

Als eerste was er een vraag: wat moet ik in godsnaam doen?

Als tweede was er een aansporing: neem een besluit, Anna Gambowska!

Als derde was er een oud liedje: 'Should I stay or should I go?'

Anna herinnerde zich niet hoe de band heette, maar het deed er ook niet toe. Eigenlijk was de simpele waarheid: welke pijn je ook doormaakte en welke ellende je je ook op de hals gehaald had, er was altijd wel een banaal rockliedje dat van toepassing was.

Al was dat misschien ook weer niet zo vreemd. In die muziek draaide het altijd om leven en dood en de liefde, en als het in de werkelijkheid heftig werd, dan klonk het hier natuurlijk even serieus. Even serieus en even banaal.

Should I stay or should I go?

Waarheen, als ze voor het laatste koos?

Het was dezelfde vraag als altijd. Alleen was de situatie nu tien keer erger, als Steffo inderdaad onderweg was. Alles, dacht ze, alles kan ik aan, behalve Steffo uitgerekend nu onder ogen te moeten komen.

Dat was in elk geval een gevoel dat enigszins stabiel leek.

Het ergste was dat ze zich ook heel goed kon indenken dat hij haar zou gaan zoeken. Zo iemand was hij. Hij zou er op zijn perverse manier plezier in hebben. Op internet zoeken op het woord 'Lograna'. Het op de kaart vinden, met wat bier en wat hasj in een rugzak op de scooter gaan zitten en wegrijden.

Stay or go?

Hoe groot zou de afstand tussen Örebro en Lograna zijn? Tweehonderd kilometer? Driehonderd misschien? In elk geval zou het voor Steffo niet te ver zijn als hij het zich eenmaal in zijn kop had gehaald.

Als Steffo hierheen komt betekent dat het einde voor mij, dacht ze. Heel simpel. Dan geef ik het op.

Ze liep de tuin in en stak de pijp op. De schemering had al ingezet, de hemel was bedekt met donkere wolken, dat droeg bij aan de duisternis, natuurlijk. Toen ze een paar trekjes genomen had, moest ze denken aan wat Marja-Liisa verteld had.

Dat droeg ook aan de duisternis bij.

Go, dacht ze. Ik durf hier geen nacht langer te blijven.

En als Valdemar echt gewild had dat ze zou blijven, vroeg ze zich vervolgens af, waarom had hij haar dan alleen achtergelaten? Hij moest toch hebben begrepen dat ze bang was? Ze wilde het niet voor zichzelf erkennen, maar ze besefte toch dat dat doorslaggevend was.

Hij wilde eigenlijk niet dat ze bleef.

En waarom zou hij ook? Wat verbeeldde ze zich wel

niet? Ze had de muren geschilderd en aan haar verplichtingen voldaan. Ze had haar dankbaarheid getoond, nu stonden ze quitte.

Go, dus.

Ze slikte de brok in haar keel weg en liep het huis in.

Maar even later, toen ze in de kamer haar rugzak aan het inpakken was, wierp ze een blik uit het raam en merkte twee dingen op.

Ten eerste dat het was gaan regenen.

Ten tweede dat er een eindje verderop op de weg een scooter geparkeerd stond.

Ze had hem niet horen aankomen. Hij moest hem het laatste stukje geduwd hebben, dacht ze. Dat was ook typisch iets voor hem, dat ook.

23

Hij was net voorbij Rimmersdal toen zijn mobiel afging. Hij zag dat het Alice was en naderhand vroeg hij zich af waarom hij überhaupt had opgenomen.

'Waar ben je?'

'Ik maak gewoon een ritje met de auto.'

'Ben je een ritje met de auto aan het maken?'

'Ja.'

'Dat heb je toch nog nooit gedaan?'

'Ik rij elke dag met de auto, lieve Alice.'

'Ja, maar vandaag is het zondag. Ik wil met je praten, Valdemar.'

'Is dat zo? Hoe was de vergadering met de nimfen?'

'Interessant. Om het mild uit te drukken.'

'O?'

'Waar ben je nu? Ben je alleen in de auto?'

'Wat zei je?'

'Ben je alleen in de auto?'

'Natuurlijk ben ik alleen. Over een kwartier ben ik thuis. Ik heb een ritje naar ... ja, naar Kymmen gemaakt, gewoon. Waar wilde je over praten?'

'Wat heb je vrijdag gedaan, Valdemar?'

'Afgelopen vrijdag?'

'Ja.'

‘Volgens mij niets bijzonders.’

‘Was je niet toevallig in de stad?’

‘Overdag?’

‘Ja, overdag.’

‘Nee, hoezo moet ik daar geweest zijn?’

‘Heb je niet geluncht bij Ljungmans?’

‘Ljungmans? Nee, natuurlijk niet.’

‘Dat is vreemd. Want toevallig heeft Karin Wissman je daar gezien. Kun je me dat uitleggen, Valdemar?’

Valdemar dacht even na.

‘Ik weet echt niet waarover je het hebt, Alice.’

‘Niet? En je was in het gezelschap van een jonge vrouw, zegt Karin. Een héél jonge vrouw.’

‘Wat?’

‘Je hebt het wel gehoord.’

‘Dat is onbegrijpelijk, Alice. Ik weet feitelijk niet hoe ze kan ...’

‘Ze zag jullie van een meter afstand, Valdemar. Je hebt haar gegroet. Waar ben je in godsnaam mee bezig?’

Hij haalde het mobieltje van zijn oor. Hij bekeek het kleine ding met weerzin. Toen drukte hij zo lang hij kon op het rode uitknopje, gooide het apparaat in het handschoenenvakje en parkeerde zijn auto langs de kant van de weg.

Hij zette de motor af en liet zijn hoofd tegen de neksteun leunen.

Dat is dat, dacht hij en hij deed zijn bril af. Het is zover. Tijd om een besluit te nemen.

De eerste zware regendruppels belandden op zijn motorkap.

II

24

Inspecteur Barbarotti zat aan een pokertafel.

Een laaghangende lamp wierp een geel schijnsel op een groenvilten oppervlak. De inleg, zowel munten, fiches als briefjes, torende midden op de tafel, en slierten rook van sigaren en sigaretten stegen langzaam naar het plafond om in het schemerduister boven de lampenkap te verdwijnen. Rustige muziek, een zachte vrouwenstem die jazz zong, klonk uit onzichtbare luidsprekers. Langzaam, heel langzaam haalde hij een derde aas van achter een tien tevoorschijn en veranderde een *two pair* in een hoge full house.

Ze waren met z'n drieën. Naast Barbarotti waren er nog twee andere heren, van wie hij de gezichten niet helemaal goed kon zien vanwege die lampenkap die zo verdomd laag hing, maar hij was er zeker van dat ze waardige, om niet te zeggen superieure, tegenstanders waren.

Aan de andere kant: als je een full house met azen had, dan had je die. Hij zocht in de zakken van zijn jasje naar nog meer geld om in te leggen, maar ontdekte algauw dat het enige wat hij nog op zak had wat waardeloze, ongeldige Poolse zlotybriefjes waren en een postzegel van hoogst twijfelachtige waarde. Hij zag ook dat zijn tegenstanders zijn precaire toestand hadden opgemerkt, en voor hij tot een besluit had kunnen komen, boog een van hen zijn hoofd naar het licht en liet een boosaardige glimlach zien, waarbij zijn sigaar in zijn mond bleef hangen.

'U moet uw ziel inzetten, monsieur Barbarotti', sprak hij zalvend.

'Niets meer of minder dan uw ziel.'

De andere heer boog niet naar voren om zijn gezicht te laten zien, hij volstond ermee in te stemmen met een kort 'correct', en Gunnar Barbarotti begreep plotseling met wie hij aan het spelen was. Het waren de Duivel en God, niet zomaar een paar spelers dus, en toen hij tot dat inzicht gekomen was, bevond hij zich opeens niet meer op zijn stoel, maar lag hij te spartelen tussen de stapel munten, fiches en briefjes onder de lamp, een arm, zielig lilliputtertje, slechts gekleed in zijn trots, zijn horloge en zijn onderbroek, en zonder enige mogelijkheid om invloed te hebben op wat er gebeurde.

'Precies, kleine vriend', mompelde Onze-Lieve-Heer verstrooid. 'Je bent niet meer dan een pion op het veld, was je dat simpele gegeven vergeten?'

'Praat niet met de pot, beste broer', vermaande de Duivel hem. 'Is dat kleine doetje alles wat je wilt inzetten? Dat geeft wel een indicatie over hoe dit partijtje gaat aflopen.'

'Hij is zoals hij is', gaf Onze-Lieve-Heer op wat sombere toon als commentaar. 'Je moet het kwade voor lief nemen.'

'Soms sla je de spijker op zijn kop, dat moet ik je nageven', grinnikte de Duivel.

Gunnar Barbarotti probeerde te gaan staan, maar

gleed uit over een slordig neergelegd vijfkronenstuk, viel pardoes op zijn achterwerk en werd het volgende moment wakker.

Witte muren, wit plafond. Fel licht, de geur van een soort desinfecteringsmiddel en de smaak van metaal op zijn tong. Hij lag op zijn rug en voelde zich belabberd; zijn ene been voelde zo zwaar als lood. Verderop waren stemmen te horen en voetstappen die in een gang wegstierven.

Ik lig in een ziekenhuis, was zijn eerste gedachte nadat God en de Duivel hem hadden verlaten. Ik ben net wakker geworden, er is iets gebeurd, maar met mijn hoofd is niets mis. Het is dat been natuurlijk.

Tevreden met die conclusie doezelde hij weer weg, om even later opnieuw wakker te worden, waarschijnlijk een paar minuten of seconden later, want hij kon zonder moeite zijn gedachtegang weer oppakken.

Zijn been. Het zat in het gips. Het linkerbeen, de hele voet en het hele onderbeen tot aan de knie. Maar zijn armen kon hij bewegen, hij kon een vuist maken en als hij de tenen van zijn ingepakte voet de opdracht gaf te buigen, dan bogen ze.

Conclusie, dacht Gunnar Barbarotti terwijl hij zijn ogen sloot, conclusie is dat ik mijn linkerbeen gebroken heb. Dat komt in de beste families voor. Ik ben onder narcose gebracht en geopereerd aangezien het om een gecompliceerde operatie ging.

Weer doezelde hij weg.

Toen hij voor de derde keer ontwaakte, herinnerde hij zich de hele gebeurtenis. De droom over het partijtje poker kwam ook terug en op een bepaalde manier leek het alsof het een met het ander samenhing.

Dat hij van het dak gevallen was en dat God en de Duivel een potje poker speelden om zijn ziel.

Onzin, dacht hij geïrriteerd. Zo dicht bij de dood kan ik immers niet geweest zijn, en Onze-Lieve-Heer zou me ongetwijfeld gewaarschuwd hebben als er zo veel gevaar te duchten viel.

Onze-Lieve-Heer stond op dit moment dertien punten voor – Barbarotti verbaasde zich een ogenblik hoe exact hij zich dat getal herinnerde – en had alle reden om op goede voet met de inspecteur te blijven. Zo stond de zaak ervoor.

Inspecteur Barbarotti besefte dat zijn redenatie logisch gezien niet overeind te houden was, maar die scherpe metaalsmaak in zijn mond was er ongetwijfeld de oorzaak van dat hij enigszins moeite had om zich te concentreren. Al was er van een narcose nauwelijks sprake geweest, want hij besefte plotseling dat hij zich de hele operatie herinnerde, elk pijnlijk detail. Misschien had hij naderhand iets rustgevends gekregen, ja, dat was het vast. Had hij zelf mogen beslissen, dan had hij er de voorkeur aan gegeven overal doorheen te mogen slapen, maar zulke besluiten lagen niet bij de patiënt, die lagen bij de dienstdoende orthopedisch chirurg. Waar een gefundeerde reden voor was, mocht je aannemen.

Dat hij van het dak gevallen was, was in elk geval een onbetwist feit. Met zijn linkerbeen was hij in een kruiwagen beland, die de een of andere idioot op de zachte grasmat had neergezet, vermoedelijk was hij dat zelf geweest, en het had zo ongelooflijk veel pijn gedaan dat hij het bewustzijn verloren was.

Marianne was met nationale plaag Zwager-Roger in haar kielzog aan komen rennen om hem uit zijn benarde positie te bevrijden, later was er ook een buurman bij gekomen, die Peterzén heette, een gepensioneerde piloot was en fanatiek aanhanger van de algemene sportvereniging AIK. Daarna was een ambulance gevolgd met ambulancebroeders, die zijn voet weer hadden rechtgezet, waarop hij opnieuw buiten bewustzijn was geraakt, want het had meer pijn gedaan dan eigenlijk mogelijk was.

Toen volgde pijnstilling en de rit naar het ziekenhuis, en daarachteraan een grote schare verpleegsters en artsen die bogen, constateerden en confereerden en er ten slotte voor zorgden dat hij niet nog een keer buiten bewustzijn raakte, want het zou toch zonde zijn geweest als hij zoiets interessants als zijn eigen operatie had moeten missen.

En nu was de operatie dus achter de rug. Nu zou alles goed komen met hem. Nu zou hij in een bed liggen en dagen-, wekenlang verzorgd worden, hij zou nooit ... hij zou in ieder geval nooit meer het dak op gaan om latten vast te spijkeren in een poging bij Zwager-Roger de illusie te wekken dat hij een handige gast was. Of bij Marianne of haar kinderen of bij wie dan ook.

Je moet je bewust zijn van je mogelijkheden, maar vooral van je beperkingen, bedacht Gunnar Barbarotti. Hij was weliswaar inspecteur en had, sinds zijn studietijd in Lund, een oud, niet-gebruikt kandidaatsexamen Rechten op zak, maar hij was met twee linkerhanden geboren en hij had altijd last van hoogtevrees gehad.

En hoewel hij bijna van de pijn weer buiten bewustzijn was geraakt, waren de woorden die de ene ambulancebroeder tegen de andere had gezegd hem niet ontgaan: 'Hij heeft vijfhonderd vierkante meter zachte grasmat om op te landen en hij kiest een kruiwagen. Slimme vent.'

De deur ging open en een verpleegster kwam binnen.

'Zijn we wakker?'

Inspecteur Barbarotti had gedacht dat er alleen in oude films en boeken op die manier gesproken werd, maar kennelijk was dat niet zo.

Hij probeerde bevestigend te antwoorden, maar zijn naar metaal smakende mond wilde niet meer. Er kwam een sissend geluid uit gevolgd door een hoestbui.

'Drinkt u wat', zei ze terwijl ze hem een beker met een rietje aanreikte.

Hij deed wat ze zei en wierp een betekenisvolle blik op het gipsbeen en vervolgens een vragende blik naar haar blauwe ogen.

'Ja hoor', zei ze. 'Het is goed gegaan. Dokter Parvus komt straks even bij u langs. Hebt u pijn?'

Inspecteur Barbarotti schudde zijn hoofd.

'Als er iets is kunt u op de knop drukken. Dokter Parvus komt er zo aan.'

Ze bestudeerde een papier dat aan het voeteneinde van het bed hing, knikte hem bemoedigend toe en verliet de kamer.

Voor hij weer insluimerde lag hij nog een tijdje stil in bed door het grote raam naar buiten te kijken, waar hij een gele hijskraan kon aanschouwen die zich langzaam en plechtstatig tegen de helderblauwe herfsthemel bewoog. Het zag er mooi uit, majestueus op de een of andere manier. En waardig. In mijn volgende leven wil ik een hijskraan zijn, besloot hij, dan komen de vrouwen vast als vliegen op de stroop op me af.

Terwijl hij dat mooie en waardige bekeek, reflecteerde hij een beetje over zijn situatie; ook al was de val van het dak niet een bijna-doodervaring geweest, toch voelde het natuurlijk wel zo, op de een of andere manier.

Zijn persoonlijke situatie, dat wil zeggen: zijn plaats in het coördinatenstelsel dat het leven genoemd werd, in zijn negenenveertigste levensjaar. Welke standpunten ten opzichte van oorzaak en gevolg iemand ook wilde innemen, eenieder moest het toch met hem eens zijn dat er de laatste tijd het een en ander gebeurd was.

Het laatste jaar, om precies te zijn. Afgelopen herfst rond deze tijd – in de maand september, of in ieder geval eind augustus, als je een pietje precies was – had hij moederziel alleen in zijn driekamerappartement in Baldersgatan gewoond. Hij herinnerde zich nog hoe hij 's avonds altijd vanaf zijn balkonnetje naar de zwerm kauwen zat te kijken, die boven het scherp aflopende dak van de Katedralschool cirkelden, zat te piekeren over vreemde voorvallen in de Finistère in Frankrijk en zich afvroeg hoe zijn leven verder zou verlopen. Of hij de komende twintig of dertig jaar ook op deze eenzame, steeds deprimerender, muffe wijze zou doorbrengen – of dat Marianne 'ja' zou zeggen en hij een nieuwe lente tegemoet ging.

Ja, dat waren zo ongeveer wel de opties geweest, dacht Barbarotti, en hij keek even weg van de statige kraan om naar zijn gigantische – en vooral ook imponerende – gipsklomp van een onderbeen te kijken. Het kriebelde daarbinnen, maar hij nam aan dat het zaak was op zijn tanden te bijten en er maar aan te wennen.

Hij verwachtte niet dat men zo'n groot, prachtig pakket zou openbreken alleen omdat een simpele inspecteur zich wilde krabben.

Hij dacht weer verder over de kraan en het leven. Vond dat Baldersgatan onnoemelijk ver weg leek; als iets wat hij langgeleden achter zich gelaten had – in een leven dat eigenlijk alleen maar een wachtkamer was geweest. Een adempauze na zijn scheiding van Helena. Het wachten op iets wat menens was, als het ware.

Vijf jaar lang had hij in een soort droomtoestand geleefd, samen met zijn geliefde dochter Sara, die absoluut zijn lichtpuntje in de duisternis was geweest, en toen was ... ja, toen was zijn nieuwe leven in feite begonnen. In een vloek en een zucht, zo kon het in ieder geval lijken als je terugkeek. Tegenwoordig woonde hij in een driehonderdvijftig vierkante meter groot houten huis op een perceel bij Kymmens landtong. Buren op prettige afstand, een wilde tuin, een lening van een half miljoen kronen bij de Swedbank en een vrouw van wie hij hield.

De vele vierkante meters waren echt nodig, aangezien ze tegenwoordig – hij moest het even narekenen – met negen personen onder één dak leefden.

Mijn god, dacht hij. Van een eenpersoons- naar een negenpersoonshuishouden binnen één jaar tijd. Over een ontwikkeling gesproken. Hij staarde naar de kraan en merkte dat hij glimlachte. Diep van binnen voelde hij een zacht vibrerende tevredenheid, dat hoefde hij niet te ontkennen, en het had te maken met ... ja, eigenlijk had dat alleen maar te maken met hem en Marianne. Uiteindelijk.

Vervolgens was er heel wat bij gekomen, en aangezien inspecteur Barbarotti ervan hield om lijstjes te maken –

dat deed hij al van kindsbeen af – maakte hij er nu ook een in zijn hoofd.

Van de bewoners van zijn huis, Villa Pickford, zoals de eerste eigenaar, de oude fabrikant Hugger, zijn bouwsel had genoemd. De man was al vroeg een filmfreak geweest en had het huis naar zijn favoriete actrice vernoemd toen hij het midden jaren dertig bouwde.

Gunnar en Marianne, dus. Zij waren degenen die besloten hadden hun spullen samen te voegen en ze leefden nu als man en vrouw – ook al had zij besloten haar meisjesnaam Grimberg aan te houden. Gunnar had haar dat nooit verweten; mocht ze in de toekomst toch de naam Barbarotti aan willen nemen, dan was dat vast te regelen. En verder?

Nou, zijn eigen kinderen natuurlijk: *Sara*, 20, *Lars* en *Martin*, 14 en 12.

Mariannes kinderen: *Johan*, 16, en *Jenny*, 14.

Verder Sara's vriendje *Jorge*, 20. Die twee zouden binnenkort uit huis gaan aangezien ze inmiddels een eigen flatje hadden, een uitgeleefd maar goedkoop eenkamerappartement in Kavaljersgatan in Väster dat ze aan het opknappen waren – een klus waar ze nu al drie maanden mee bezig waren, maar die volgens elk weldenkend mens voor de Kerst klaar zou moeten zijn. Het probleem was dat ze allebei hun studie hadden, hun werk en allerlei andere besognes, en dat ze het duidelijk prima naar hun zin hadden in Villa Pickford.

Ze kenden elkaar een half jaar en pappa Barbarotti vond dat ze net zo goed nog even konden wachten met samenwonen, maar daarover – zoals dat met veel dingen het geval was – had hij geen zeggenschap.

Ze woonden in elk geval voorlopig nog in Pickford, en

aangezien er zeker tien kamers in het huis waren, was dat geen enkel probleem.

Wat mogelijkerwijs wel een probleem was, was het negende en laatste lid van de grote familie: *Zwager-Roger*. De nationale plaag.

Roger Grimberg was Mariannes tien jaar oudere broer en het was natuurlijk niet de bedoeling dat hij voor eeuwig zou blijven.

Maar hij was zo vindingrijk als MacGyver. Als je hem een ei, twee potloden en een elastiekje gaf, kon hij in acht minuten een helikoptertje bouwen. Zolang er nog te klussen viel, was het praktisch om hem in huis te hebben, dat viel niet te ontkennen. Dat klussen was al aan de gang sinds ze op 1 december in het huis waren komen wonen. Tienenhalve maand geleden inmiddels. Zwager-Roger was de afgelopen vijf ervan voltijds aanwezig geweest, aangezien hij zijn baan kwijt was geraakt.

Normaal gesproken zou hij – als hij niet in Villa Pickford aan het timmeren, zagen of schilderen was, raamkozijnen verving, vloeren legde, leidingen omlegde of kachels installeerde – in Lyckelse wonen, waar hij als parkeerwacht werkte.

In Lyckelse zijn toch ook helemaal geen parkeerwachten nodig, dacht Barbarotti altijd. Logisch dat hij werkloos is.

Het probleem met Roger Grimberg, afgezien van het feit dat hij zo gruwelijk handig was dat Barbarotti er af en toe constitutioneel eczeem van kreeg, was dat hij altijd licht beschonken was, en dat hij ervan hield om commentaar te geven op de toestand in de wereld.

Zijn alcoholgebruik hield hij weliswaar nog wel onder

controle – hij dronk een sixpack bier per etmaal, zowel doordeweeks als in het weekend – maar het was zwaar om zijn analyses over de wereld te moeten aanhoren.

Bijvoorbeeld op momenten waarop je samen met hem over een heet dak rondkroop en latten vastspijkerde. Zou ik daardoor gevallen zijn? vroeg Barbarotti zich af. Kwam het door iets wat Zwager-Roger eruit geflapt had? Hij kon zich niet meer exact herinneren wat er aan zijn val in de kruiwagen voorafgegaan was, maar hij herinnerde zich nog wel dat Roger, terwijl ze nog op de grond stonden en hun buikgordels met spijkers vulden, een lange uiteenzetting had gehouden over Zweedse bedrijven die hun productieprocessen naar het buitenland verplaatsten – naar Oost-Europa en Zuidoost-Azië. Die dingen hadden waarschijnlijk een andere naam dan 'buikgordels', maar Gunnar Barbarotti hield ervan om voorwerpen uit het werktuigenarsenaal een eigen naam te geven. Het was een kwestie van integriteit en hij had het recht zijn levensbeschouwing te verdedigen, als dat bovendien toevallig de nationale plaag een beetje irriteerde, dan was dat alleen maar mooi meegenomen. Kon hij Zwager-Roger zodanig irriteren dat die besloot naar zijn tweekamerappartement in Lyckelse te verkassen als het dak eenmaal was gemaakt, dan was dat supermooi.

Marianne had onlangs nog aangegeven dat haar broer heimwee had.

Het zou ideaal zijn, dacht inspecteur Barbarotti, terwijl hij de kussens in zijn bed schikte, als dat uilskuiken het dak aftimmert, terwijl ik hier in het ziekenhuis lig bij te komen. Om daarna weer naar zijn parkeerautomaten te gaan en daar te blijven.

Met die optimistische gedachte in zijn hoofd, en met de statige hijskraan op zijn netvlies, sliep hij opnieuw in, en God noch de Duivel getroostte zich de moeite om hem die dag nog lastig te vallen.

Niet met een pokerspel noch met iets anders.

In plaats daarvan kwam er een vrouw, maar het duurde een paar seconden voor hij begreep dat hij niet meer sliep.

Ze stond naast zijn bed en leek een jaar of vijftig. Ze was stevig gebouwd, zonder direct dik te zijn, en had een haarkleur die aan bourgogne deed denken en slecht paste bij haar lichtblauwe, ietwat onzekere ogen.

Ze was in het wit gekleed, dus begreep hij dat ze tot het personeel behoorde.

'Neem mij niet kwalijk', zei ze. 'Mijn naam is Alice Ekman-Roos. Ik ben verpleegster hier op de afdeling. Al ben ik nog niet aan je bed geweest. Misschien ken je me nog?'

Barbarotti las het naamkaartje op haar borst. Het klopte kennelijk dat ze Ekman-Roos heette, maar het was ook waar dat hij haar niet herkende. Hij schudde zijn hoofd en probeerde te kijken alsof het hem speet.

'Het spijt me.'

'We zaten op de middelbare school in dezelfde klas', zei ze. 'Slechts één jaar, maar toch.'

Alice Ekman? dacht hij. Ja, zou kunnen. Er was vast wel iemand met die naam geweest, maar niet met die kleur haar, daar was hij zeker van ... in de eerste dan, waarschijnlijk, want hij was in het tweede jaar van richting veranderd. Ja, ze zou het kunnen zijn.

'Ik weet dat je bij de politie bent en zo, en als je te moe

bent moet je het zeggen, maar ik wilde je iets vragen.'

Hij zag dat ze zich ongemakkelijk voelde. Dat ze zich schaamde om hem op deze wijze te benaderen. Misschien had ze een tijdje staan wachten tot hij wakker werd.

'Alice Ekman?' vroeg hij.

'Ja.'

'Ja, ik geloof dat ik me je herinner. Je had een vriendin die Inger heette, toch?'

Haar zorgelijke rimpels verdwenen even.

'Dat klopt. Inger Mattson. Ja, we waren altijd samen.'

'Wat kan ik voor je doen?' vroeg hij. 'Ik ben zo'n beetje net geopereerd, maar dat wist je waarschijnlijk al.'

'Ja, inderdaad', zei ze. 'Daarom dacht ik ... je bent nu nog op mijn afdeling, vandaar. Je gaat straks weer terug naar Orthopedie.'

'Waar ben ik nu dan?'

'In een verkoeverkamer. Je mag hier maar een paar uur blijven.'

'O', zei Barbarotti.

De vrouw streek over haar haren en wierp een onrustige blik naar de deur.

'Het is ... het is dus zo dat ik een probleem heb, en ik weet niet of ik nu naar de politie moet gaan of niet. Ik ken ook niemand anders aan wie ik het vragen kan.'

Barbarotti wierp een blik op de hijskraan terwijl hij wachtte op wat er komen zou.

'Het is een beetje pijnlijk en ik wil eigenlijk niet dat het naar buiten komt. Hoewel, aan de andere kant ...'

'Ja?'

'Aan de andere kant kan er natuurlijk ook iets ernstigs aan de hand zijn. Ik heb er nu al twee dagen over lopen piekeren, en ik weet werkelijk niet wat ik doen moet. Dus toen ik je naam hier zag ... toen bedacht ik dat ik misschien jou om raad kon vragen.'

Ze pauzeerde even en schraapte haar keel, ze was duidelijk nerveus. 'Het spijt me dat ik me zo opdring, dat zou ik natuurlijk onder normale omstandigheden nooit doen, maar ... ja, ik ben een beetje wanhopig, simpel gezegd.'

'Wanhopig?'

'Ja.'

Gunnar Barbarotti pakte met beide handen zijn matras beet en probeerde wat meer rechtop te gaan zitten.

'Wat is er dan gebeurd?' vroeg hij.

Alice Ekman bestudeerde zijn gipsbeen even voor ze antwoord gaf. Ze beet op haar onderlip en krabde met de nagels van haar beide wijsvingers de binnenkanten van haar duimen.

'Het gaat over mijn man', zei ze. 'Het lijkt erop dat hij verdwenen is.'

25

'En waarom wil je geen aangifte doen?'

Vier uur later.

Een andere zaal en geen gele hijskraan. Maar wel een groen scherm rond de helft van zijn bed – een prijzenswaardige poging om de illusie van privacy te wekken.

Maar het bleef bij een illusie. Er lagen twee andere patiënten bij hem op de kamer – met gips op andere plekken – die je duidelijk konden horen als je je stem niet dempte. Een van hen, een heer van een jaar of tachtig, telefoneerde luid met zijn vrouw en liet er in dat opzicht geen twijfel over bestaan.

Marianne was op bezoek geweest. Sara en Jorge ook. Een paar artsen en verpleegsters waren bij hem komen kijken en hadden verklaard dat de operatie goed was verlopen. Hij zou morgen of overmorgen worden ontslagen, daarna moest hij rekenen op vier tot zes weken gips. Het zou waarschijnlijk een of twee keer vervangen moeten worden.

Maar nu was Alice Ekman-Roos terug, hoewel hij niet langer op haar afdeling lag. Het was half acht 's avonds, de lucht voor het raam was donkerder geworden en inmiddels bijna violet.

Ze haalde eens diep adem en keek hem ernstig aan.

‘Omdat het misschien uiteindelijk alleen maar om een banaal en pijnlijk voorval gaat.’

Barbarotti wachtte even voor hij commentaar gaf.

‘De politie is wel gewend aan banale en pijnlijke voorvallen.’

Ze zuchtte, keek van hem weg en staarde nu door het raam naar buiten. ‘Dat begrijp ik,’ zei ze, ‘maar ik wil niet graag dat iedereen het weet, als het inderdaad zo is ... aan de andere kant, er kan natuurlijk ook iets ernstigs aan de hand zijn.’

‘Iets ernstigs?’

‘Ja, er kan hem natuurlijk iets overkomen zijn. Er kan hem iets vreselijks overkomen zijn.’

‘Ik begrijp niet precies wat je van me wilt’, zei Barbarotti. ‘Ik ben immers niet helemaal fit, zoals je ziet.’

Hij maakte een gebaar naar het gips en probeerde een ironische grimas tevoorschijn te toveren.

‘Natuurlijk. Als je zegt dat ik weg moet gaan, dan doe ik dat direct. Ik wilde je eigenlijk alleen maar om raad vragen. Aangezien we ooit toch in dezelfde klas gezeten hebben, en jij bij de politie bent en zo.’

Gunnar Barbarotti knikte. Zoveel had ze hem nog weten te vertellen voor ze onderbroken waren op de verkoeverkamer.

Maar ook niet veel meer. Dat haar verdwenen echtgenoot Valdemar heette en dat ze hem sinds zondag niet meer gezien had. Inmiddels was het dinsdag. Barbarotti dronk een slok water uit de beker die op zijn bedtafeltje stond en nam een besluit.

‘Oké’, zei hij. ‘Laat maar horen. Ik heb toch niets anders te doen.’

‘Dank je’, zei ze en ze trok haar stoel wat dichterbij.

'Heel erg bedankt. Ik herinner me dat je me een integer mens leek ... ik bedoel vroeger, toen we op de middelbare school zaten. Ook al hebben we elkaar nooit echt leren kennen.'

'Zondag ...' begon Barbarotti, om niet nog meer gepraat over school te hoeven aanhoren. 'Je zegt dat je man sinds zondag weg is?'

Alice Ekman-Roos schraapte haar keel en vouwde haar handen. 'Inderdaad. Ik heb hem rond zes uur nog aan de telefoon gehad. Daarna heb ik niets meer van hem gehoord.'

'Aan de telefoon? Hij was dus niet thuis? Wonen jullie hier in Kymlinge?'

Ze knikte. 'Ja, in Fanjunkargatan. We wonen daar sinds ons trouwen. Zo'n tien jaar geleden ongeveer. We hebben allebei al een huwelijk achter de rug. Zo gaat dat tegenwoordig.'

'Ik bevind me in dezelfde situatie', bekende Barbarotti.

'O ja? Maar goed, zoiets als dit is nog nooit gebeurd. Valdemar is een bijzonder betrouwbaar en ... ja, velen zouden zeggen saai ... persoon. Een beetje introvert, begrijp je. Hij is echt niet het type waarvan je verwacht dat hij verdwijnt. Het is absoluut niets voor hem en hij is bovendien tien jaar ouder dan ik.'

Barbarotti vond het moeilijk te begrijpen wat het leeftijdsverschil te maken kon hebben met de neiging om te verdwijnen, maar hij nam niet de moeite om dat detail verder uit te pluizen.

'Je vraagt je af of hij het misschien uit vrije wil gedaan heeft?' vroeg Barbarotti.

Ze schrok. 'Hoe weet je dat?'

Hij maakte een weids gebaar. 'Als dat niet je vermoeden was, zou ik niet weten waar het pijnlijke in beeld moest komen.'

Ze dacht na en hij zag dat ze zijn redenatie aannemelijk vond. 'Natuurlijk', zei ze. 'Het zou niet de eerste keer zijn dat zoiets voorkwam. Ja, er is een mogelijkheid dat hij weg is omdat hij dat wil, precies zoals je zegt.'

'Wat heb je allemaal al gedaan om erachter te komen?' vroeg Barbarotti. 'In je eentje, zogezegd?'

Er verscheen een blos op haar grote, vlakke gezicht.

'Niets', zei ze.

'Niets?' reageerde Barbarotti.

'Nee, ik zou ...'

'Ja?'

'Ik zou het zo enorm gênant vinden als bleek dat het waar was. Dat hij me gewoon verlaten heeft. Ik verwachtte dat hij wel van zich zou laten horen ...'

'En zijn werk? Hij heeft toch een baan?'

Ze knikte en schudde toen van nee. 'Ja, maar nee, ik heb niet naar zijn werk gebeld.'

'Waarom niet? Waar werkt hij?'

'Bij Wrigmans Elektriska. Ik weet niet of je dat bedrijf kent. Ze fabriceren er thermoskannen en nog wat andere dingen, zijn gevestigd op Svartö.'

'Ik weet waar dat is', zei Barbarotti. 'Ik kan je in elk geval deze raad geven: bel zijn werk en informeer of zij meer weten voor je contact met de politie opneemt.'

'Juist', zei ze terwijl ze haar ogen neersloeg. 'Dat zou ik natuurlijk moeten doen. Ik weet dat ik me in deze kwestie een beetje onnozel gedraag.'

Hij merkte dat hij sympathie voor haar kreeg. Als haar echtgenoot haar inderdaad zonder een woord van uitleg had verlaten, was er geen reden om neerbuigend tegen haar te zijn. En hij had immers de tijd, zoals gezegd.

'Er zijn dus redenen waarom je denkt dat hij hier zelf achter kan zitten?' vroeg hij. 'Interpreteer ik dat zo goed?'

Ze bestudeerde een moment haar samengevouwen handen voor ze antwoord gaf. 'Ja', zei ze. 'Er zijn inderdaad redenen. Valdemar gedroeg zich de laatste tijd anders dan anders. Zowel de meisjes als mij was dat opgevallen.'

'De meisjes?'

'We hebben twee dochters. Nou ja, het zijn mijn dochters, uit mijn vorige huwelijk. Maar ze wonen bij ons. Signe en Wilma, ze zijn twintig en zestien.'

'En jullie ... en jullie hadden gemerkt dat je man zich de laatste tijd anders dan anders gedroeg.'

'Ja.'

'Op wat voor manier?'

Alice Ekman-Roos probeerde haar voorhoofd te fronsen, maar er was veel te weinig huid en veel te veel schedel om daarin te slagen. 'Ik weet het niet precies', aarzelde ze. 'Ik kan er de vinger niet op leggen, maar je merkte het gewoon aan hem. Dingen die hij zei en zo ... als je lang bij elkaar bent, heb je nou eenmaal die kleine veranderingen in de gaten. Ik dacht eigenlijk dat ...'

'Ja?'

'Ik weet niet, maar ik kreeg het idee dat hij misschien depressief was. Hij dacht zelf ook dat dat het geval kon zijn, we hebben zelfs met een psychiater gesproken, dat is een kennis van ons ... maar dan is er nog iets anders, waar ik zondag achter kwam. Het heeft hier misschien helemaal niets mee te maken, maar het blijft door mijn hoofd spoken.'

'Ik begrijp het', zei Barbarotti. 'Waar ben je afgelopen zondag dan achter gekomen?'

Ze slikte en werd weer rood, wat werd geaccentueerd door de zon, die nog snel even de laatste stralen van die dag door het raam naar binnen zond.

'Een vriendin van me had een observatie gedaan', zei ze.

'Observatie?'

'Ik weet niet hoe je het noemen moet. Ze vertelde in elk geval dat ze Valdemar gezien had in het gezelschap van ... in het gezelschap van een jongedame.'

Aha, dacht Barbarotti. Daar heb je het. Zoiets vermoedde ik al.

'Het kan natuurlijk iets volkomen onschuldigs zijn', ging Alice Ekman-Roos verder. 'Ik bedoel, ze kan een collega geweest zijn of zo, maar feit is ... dat hij het ontkent. Mijn vriendin zag hen van een meter afstand en ze hebben elkaar nog gegroet. Valdemar en die jonge vrouw kwamen een restaurant uit. Waarom zou hij dat ontkennen, als het iets onschuldigs was?'

'Dat is een goede vraag', zei Barbarotti. 'Wanneer heeft je vriendin deze ... zeg maar "observatie" gedaan?'

'Afgelopen vrijdag. Ze kwamen restaurant Ljungmans uit op Norra torg. Je weet wel waar ...?'

'Jazeker', bevestigde Barbarotti. 'Maar hoe reageerde je man toen je hem hiermee confronteerde? Want dat heb je zondag gedaan, begrijp ik dat goed?'

'Inderdaad', zei Alice Ekman-Roos. 'Maar ik weet alleen dat hij heeft ontkend. En dat is het laatste wat ik van hem gehoord heb.'

‘Het laatste?’

‘Ja.’

‘Wacht, dat was dus dat telefoongesprek van die middag? Toen heb je het gezegd en heeft hij ontkend?’

Ze knikte en nu had ze voor het eerst tranen in haar ogen. ‘Ik had het net van mijn vriendin gehoord. Ik kwam thuis en hij was er niet. Ik belde hem op zijn mobiel en vertelde wat ik zojuist gehoord had, en hij ... ja, hij zei dat het niet kon kloppen. Dat hij helemaal niet bij Ljungmans geweest was die vrijdag. En toen hing hij zomaar midden in het gesprek op. Of misschien viel de verbinding weg, ik weet het niet.’

‘Hoe laat op vrijdag was dat ongeveer?’

‘Rond lunchtijd. Dat is ook zo vreemd. Waarom zou hij zo vroeg in de stad geweest zijn?’

‘Hoorde hij op dat moment op zijn werk op Svartö te zijn?’

‘Ja.’

‘Gebeurde het wel vaker dat hij voor zijn werk in de stad moest zijn?’

‘Voor zover ik weet niet.’

Barbarotti dacht na, de zon was aan het ondergaan.

‘Waar was Valdemar toen je hem belde?’ vroeg hij toen.

Alice Ekman-Roos zuchtte. ‘Hij zei dat hij de auto had gepakt en een ritje naar het meer Kymmen had gemaakt, maar ik weet het niet. Hij doet anders nooit zoiets. Hij zei dat hij bijna thuis was.’

‘Maar hij is dus nooit thuisgekomen?’

‘Nee. Later die avond heb ik hem weer gebeld, natuurlijk, maar hij nam niet op. Gisteren niet en vandaag ook niet.’

‘Heb je hem vaak gebeld?’

'Ja.'
'Ge-sms't?'
'Ja.'
'Ik begrijp het', zei Barbarotti. 'Ik denk dat de situatie helder voor me is.'
'Zeggen jullie dat altijd zo?'
'Wat?'
'Bij de politie. Dat de zaak helder voor jullie is?'
Hij gaf geen antwoord. Ze rechtte haar rug en haalde diep adem, hij wachtte op meer.
Maar er kwam niet meer. Ze staarde door het raam naar buiten, naar de bomen en het water, terwijl de tranen over haar wangen rolden. Aan de andere kant van het scherm kwam iemand met een rammelende kar de zaal binnenlopen en Barbarotti begreep dat hun gesprek ten einde liep.
'Nog één vraag', zei hij. 'Wie zijn er allemaal van op de hoogte dat hij verdwenen is?'
'Alleen ik.'
'Je dochters niet?'
'Ik heb tegen ze gezegd dat hij voor zijn werk op reis is.'
'Gaat hij wel vaker op zakenreis?'
'Nee, nooit, maar op hun leeftijd hebben ze het druk met hun eigen dingen.'
Barbarotti knikte en dacht even na. 'Oké', zei hij. 'Het klinkt als een vervelende geschiedenis, los van wat er gebeurd is. Ik begrijp dat je bezorgd bent, maar ik denk dat het het beste is als je naar zijn werk belt en daar informeert.'
Toen verraste ze hem nog meer dan ze tot dan toe had weten te doen.

'Kun jij het niet doen?' vroeg ze. 'Alsjeblieft?'
Zijn antwoord was niet minder verrassend.
'Dat is goed. Als je me het nummer geeft, regel ik het morgenochtend.'

Een half uur nadat Alice Ekman-Roos vertrokken was, belde Marianne.
'Hoe gaat het, liefje?' wilde ze weten.
'Beter dan ik verdien', erkende Gunnar Barbarotti. 'En ze zeggen dat ik een tijdje niet hoef te werken.'
'Mag je helemaal niets doen?' vroeg Marianne.
'Vooral niet klussen', zei Barbarotti.
'Heb je geen pijn?'
'Geen greintje.'
'Lucky you', antwoordde Marianne lachend. 'Weet je, ik ben zo enorm blij dat je nog leeft. Je bent zo onhandig en het had veel erger kunnen aflopen.'
'Nou, bedankt', zei Barbarotti. 'Ik denk in elk geval dat het nog leuk wordt om de liefde te bedrijven met een gipsbeen. Dat heb ik me nou altijd al afgevraagd ... hoe dat werkt, dus.'
'Zal ik vanavond komen?' vroeg Marianne.
'Ik denk niet dat het dan al helemaal uitgehard is', zei Barbarotti. 'Begrijp me niet verkeerd, maar we zullen moeten wachten tot ik weer thuis ben.'
'Zo bedoelde ik het niet', zei Marianne. 'Ik was alleen maar van plan om je een nachtzoen te komen geven.'
'Beter dat je de rest van het gezin een nachtzoen geeft', zei Barbarotti. 'Vind je niet?'
'Ja, ja', zuchtte Marianne en hij kon haast horen hoe ze haar ogen ten hemel sloeg. 'Zes kinderen en een broer die aan de drank is; klinkt als een film, hè? Ja, het

is maar beter dat ik thuisblijf.'

'Sara en Jorg zijn geen kinderen meer', benadrukte Barbarotti. 'In ieder geval niet de hele tijd.'

'Geef ik toe. Maar Jenny heeft morgen een wiskunderepetitie en Martin heeft hulp nodig met zijn aquarium. En we hebben twee ton was, ik hoef in elk geval niet te duimendraaien.'

'Ik kom morgen thuis om dat duimendraaien te regelen', beloofde Barbarotti. 'Of overmorgen. Zeg tegen Zwager-Roger dat-ie opschiet met dat dak.'

'Hij is er bijna klaar mee. Hij zegt dat het sneller gaat als jij er niet bij bent.'

'Verdorie', zei Barbarotti.

'Misschien maakte hij een grapje', zei Marianne.

'Natuurlijk', zei Barbarotti. 'Zeg, ik denk dat ik moet gaan slapen. Slaap lekker, schone nimf. Neem me mee in je dromen.'

'Ik dacht dat je al uit je narcose was ontwaakt', zei Marianne.

Een paar minuten nadat hij opgehangen had, belde inspecteur Backman.

'Slim', zei ze.

'Wat?' vroeg hij.

'Je neemt een vrije dag om je kasteeltje te verbouwen, je doet alsof je been gebroken is en je hoeft een hele maand niet te werken.'

'Precies', zei Barbarotti. 'Ik vond zelf ook dat ik dat wel goed uitgekiend had.'

'Alhoewel Asunander zegt dat je kantoorwerk krijgt zodra je gips uitgehard is. Ik denk dat hij daarmee morgen bedoelt.'

Barbarotti dacht even na. 'Je kunt tegen onze opper-eunuch zeggen dat ik al terugverlang naar mijn werk,' zei hij, 'maar dat ik helaas niet tegen doktersorders in kan gaan.'

'Dat zal ik hem zeggen', beloofde Eva Backman. 'Al geloof ik niet dat hij het zo met artsen opheeft.'

'Weet je eigenlijk iets waar hij het wel mee opheeft?' vroeg Barbarotti. 'Ik heb me dat heel vaak afgevraagd.'

'Ik ook', zei inspecteur Backman. 'Ik denk dat hij van een bepaald soort excentrieke, enigszins vechtlustige honden houdt.'

'Hij had er toch zo een?' vroeg Barbarotti.

'Ja, maar die is doodgegaan', herinnerde Backman zich. 'Dat weet je toch nog wel?'

'Jazeker', zei Barbarotti. 'Dus momenteel heeft hij het nergens mee op?'

'Dat bedoel ik maar', zei Backman. 'En vooral niet met luie joeten die van daken vallen en zich ziek melden.'

'Dank je, ik begrijp de situatie', zei Barbarotti. 'Maar waarom zitten we over Asunander te bazelen?'

'Geen idee. Is het waar dat je in een kruiwagen beland bent?'

'Ja', antwoordde Barbarotti, terwijl hij besefte dat hij ook geen zin had om het daarover te hebben. 'Maar hoe gaat het met jou?' vroeg hij daarom.

'Ik moet je eigenlijk spreken', zei Eva Backman. 'Over de zaak-Sigurdsson onder andere. Over die verhoren die je afgenomen hebt met Lindman en de priester.'

'Ja, ik begrijp het', zei Barbarotti. 'Heeft het haast?'

'Hoelang moet je nog in het ziekenhuis blijven?'

'Waarschijnlijk word ik morgen naar huis gestuurd ... of overmorgen. Maar ik ben volledig aanspreekbaar op dit moment, dat heb je toch wel in de gaten?'

'Ik hou niet van ziekenhuizen,' zei Backman, 'maar als ik overmorgen bij je thuis langs mag komen, dan ben ik helemaal tevreden. Dan kan de aanklager volgende week die verdomde Sigurdsson te zien krijgen.'

'Afgesproken', zei Barbarotti en hij merkte opeens dat hij het niet volhield om nog langer te praten. Hij was natuurlijk ook net geopereerd, toch?

'Bel me morgen', zei hij. 'Dan kijken we hoe de vlag erbij hangt.'

'Pas op dat je niet uit je bed valt en je bezeert', grapte Eva Backman, en daarna wensten ze elkaar welterusten.

Barbarotti lag nog een tijdje na te denken voor hij in slaap viel. Hij liet zijn gedachten de vrije loop. Eigenlijk probeerde hij ze te sturen – weg van het gesprek met de ongeruste narcosezuster, naar zijn eigen leven en zijn eigen omstandigheden.

Wat het betekenen zou om de komende tijd met een gebroken voet rond te slepen, bijvoorbeeld. Het was de tweede keer in zijn leven dat er ergens in zijn lijf een bot brak, de vorige keer was hij met zijn fiets tegen een mattenrek aan gereden en had hij zijn sleutelbeen gebroken. Dat was veertig jaar geleden geweest. De breuk was destijds binnen een paar weken zonder gips genezen, maar Gunnar Barbarotti nam aan dat er een zeker verschil zat tussen het herstellend vermogen van een achtjarige en dat van een achtenveertigjarige.

Maar het lukte niet. Zijn gedachten bleven steeds teruggaan naar Alice Ekman-Roos. Of hij nu wilde of niet en hoezeer hij ook probeerde ze een andere kant op te sturen.

Misschien omdat hij medelijden met haar had, want dat had hij. Het was wel duidelijk wat er gebeurd was. Of toch niet? vroeg hij zich af. Haar man was haar zat geworden en had een andere vrouw gevonden. Het was natuurlijk walgelijk om haar zomaar zonder enige uitleg in de steek te laten, maar veel mannen waren zo. Ze durfden niet eerlijk voor hun praktijken uit te komen, in ieder geval niet meteen. Valdemar Roos zou waarschijnlijk over een dag of wat van zich laten horen, op dit moment werd hij vast te veel in beslag genomen door zijn nieuwe leven en zijn nieuwe vrouw.

Klootzak, dacht Gunnar Barbarotti. Dat doe je toch niet. Je zorgt er toch voor dat ... dat je je verre houdt van zulk karakterloos gedrag.

Maar diep van binnen huisde het vermoeden in hem – in een duister, mannelijk hoekje van zijn ziel – dat hij misschien wel precies hetzelfde gedaan zou hebben als die Valdemar Roos, als hij zelf toevallig met een vrouw als Alice Ekman-Roos getrouwd was geweest. Dat hij haar zonder een woord zou hebben verlaten. Zo was het gewoon, je moest eerlijk tegen jezelf blijven.

Maar hij was niet getrouwd met Alice Ekman-Roos; hij was getrouwd met Marianne Grimberg. Een wereld van verschil.

Sommige klootzakken hebben meer geluk dan andere, dacht inspecteur Barbarotti. Zo onrechtvaardig gaat het eraan toe in de loterij van het leven. Bedankt, goede God, dat U haar op mijn pad gebracht hebt.

Na deze pretentieloze overpeinzingen en analyses viel hij in slaap.

26

'Wrigmans, een ogenblik alstublieft.'

Het was woensdagmiddag. Hij had weliswaar beloofd om 's ochtends te bellen, maar er was van alles tussen gekomen. Gesprekken met artsen. Adviezen en instructies voor de herstellende patiënt. Het uitproberen van krukken en een toiletbezoek, dat laatste was lastiger geweest dan hij had gedacht.

Ook twee bezoekjes van Marianne, ze werkte immers op de kraamafdeling en het kostte haar nog geen drie minuten om naar de afdeling Orthopedie te rennen.

Hij zou tot de volgende dag moeten blijven, had hij te horen gekregen. Ze wilden nog een röntgenfoto maken voor ze hem naar huis stuurden. Of misschien was het iets anders; om de een of andere reden gingen medische uiteenzettingen altijd langs hem heen.

'Kun je echt wel nog een nachtje zonder mij?' had hij Marianne gevraagd.

'Het is niet anders', had ze geantwoord.

Af en toe had hij ook een beetje pijn gehad. Het been in de witte gipsklomp voelde als iets wat wel, maar ook weer niet, van hem was. Soms jeukte het, die jeuk was wel heel duidelijk van hem.

Dus was het inmiddels half drie toen hij aan de weggelopen klootzak toekwam.

'Ja, Wrigmans Elektriska. Sorry voor het wachten.'

'Ik zou graag met Valdemar Roos spreken.'

'Valdemar?'

'Valdemar Roos, ja.'

De vrouw aan de andere kant van de lijn lachte. Een beetje hees, een beetje scherp.

'Die is hier al een tijd geleden gestopt.'

'Gestopt?' vroeg Gunnar Barbarotti.

'Inderdaad', zei de vrouw.

'Nu begrijp ik het niet helemaal', zei Barbarotti. 'Bedoelt u dat Valdemar Roos niet meer bij u werkt?'

'Inderdaad, dat zeg ik', bevestigde de vrouw. 'Met wie spreek ik?'

'Mijn naam is Barbarotti', zei Gunnar Barbarotti. 'Maar ik bel eigenlijk namens een goede vriend. Kunt u mij vertellen hoelang het geleden is dat Valdemar Roos is weggegaan?'

De vrouw hoestte en dacht even na.

'Goh, dat moet ongeveer een maand geleden geweest zijn', zei ze. 'Hij heeft zomaar van de ene op de andere dag opgezegd. En Wrigman heeft hem laten gaan.'

'Ik begrijp het', zei Barbarotti, hoewel hij tegelijkertijd heel goed besefte dat dat juist niet het geval was. 'Weet u of hij ergens anders begonnen is?' vroeg hij daarop.

'Geen flauw idee', zei de vrouw. 'Hij heeft hier twintig jaar gewerkt, en toen heeft hij opgezegd. Dat was het.'

Gunnar Barbarotti dacht snel na. 'Weet u misschien hoe ik hem kan bereiken?'

'Nee.'

‘U hebt niet toevallig zijn mobiele nummer?’

‘Jawel, dat heb ik misschien wel ergens. Momentje.’

Barbarotti wachtte en hoorde hoe haar vingers over een toetsenbord gingen. Ze gaf hem het nummer van Valdemars mobiele telefoon en ze hingen op. Barbarotti constateerde dat Wrigmans Elektriska niet tot de bedrijven behoorde die hun werknemers een cursus klantvriendelijkheid aanboden.

Hij schikte zijn kussens achter zijn rug en keek een tijdje naar zijn been.

Gestopt met werken?

Een maand geleden?

Zijn vrouw had daar met geen woord over gerept. Waarom niet?

In een impuls toetste hij het nummer in dat hij van de vrouw bij Wrigmans gekregen had. Het kon immers zijn dat Valdemar Roos alleen zijn vrouw niet wenste te spreken.

Geen gehoor.

Gunnar Barbarotti schudde zijn hoofd en zocht het nummer van Alice Ekman-Roos op.

Twintig minuten later zat ze weer aan zijn bed.

‘Wat zeg je nu? Werkt hij daar niet meer?’

Hij keek naar haar gezicht en zag dat ze had gehuild. Haar grote, vlakke gezicht was lichtelijk opgezwollen en rood. Had hij zich gisteren al ongemakkelijk gevoeld, vandaag was het tig keer erger, bedacht Barbarotti en hij besloot dat zijn conclusie dat Valdemar Roos een klootzak was hoogstwaarschijnlijk volledig correct was. Het was nog niet genoeg dat hij een andere vrouw had, hij had zijn vrouw ook nog op de meest afschuwelijke manier om de tuin geleid. Zijn baan opgezegd zonder ook maar iets tegen haar te zeggen.

'Ik begrijp het niet', zei ze. 'Hij ging immers elke ochtend gewoon weg zoals altijd ... en kwam 's avonds weer thuis.'

'Ze vertelde dat hij een maand geleden opgezegd heeft', zei Barbarotti.

'Maar dat is gewoon ... dat is niet mogelijk. Als hij niet naar Wrigmans ging, waar ging hij dan naartoe?'

'Reed hij altijd met zijn eigen auto?' vroeg Barbarotti.

'Ja, altijd ... dat deed hij al voor we elkaar hadden leren kennen. Hij heeft daar ... ik weet niet precies ... zeker twintig jaar gewerkt.'

'En hij reisde niet met iemand samen?'

Alice Ekman-Roos schudde haar hoofd. 'Ik denk niet dat iemand samen met Valdemar wilde rijden.'

Barbarotti dacht even na over die uitspraak en krabde op zijn gips.

'Heeft hij nooit een opmerking gemaakt over dat hij wilde stoppen?'

'Nooit', zei Alice Ekman-Roos en ze staarde hem met grote, hulpeloze ogen aan. Alsof ze iets huiveringwekkend bovennatuurlijks meemaakte en niet wist wat ze daarmee aan moest. 'Hij heeft nooit met een woord over zoiets gerept. Mijn god, wat kan er toch gebeurd zijn?'

'Ik weet het niet', moest Barbarotti toegeven. 'Hebben jullie ... of heeft hij ... goede vrienden die misschien iets kunnen weten?'

Ze dacht even na, toen schudde ze haar hoofd.

'Een bekende die hij misschien in vertrouwen kan hebben genomen?'

'Nee, ik geloof van niet', zei ze na een korte pauze.

'Valdemar heeft bijna geen vrienden. Hij is nogal op zichzelf. Maar je bedoelt dus dat hij ... dat hij ...'

'Ja?' vroeg Gunnar Barbarotti voorzichtig en hij probeerde haar een bemoedigende glimlach toe te werpen, die meer als een grimas uitpakte. Alice Ekman-Roos moest diep zuchten om weer tot zichzelf te komen. Er verstreken vijf seconden.

'Je zegt dus', zei ze, 'dat hij al een maand lang iedere morgen net doet alsof hij naar zijn werk gaat? Waarom ... ik bedoel, waarom zou een volwassen kerel zoiets doen?'

Jij bent met hem getrouwd, niet ik, dacht Barbarotti, terwijl hij voorzichtig wat gips wegpulkte dat onder zijn nagels was gaan zitten en probeerde te bedenken wat hij tegen haar moest zeggen.

'Misschien is het toch maar beter om contact op te nemen met de politie', stelde hij ten slotte voor. 'Als je niet op iemand kunt komen die misschien weet waar hij is.'

Alice Ekman-Roos zat een tijdje zwijgend naar haar gevouwen handen te kijken. Toen slaakte ze een diepe zucht en rechtte ze besluitvaardig haar rug. 'Nee', zei ze. 'Hij is bij die vrouw, natuurlijk. Hij reed elke dag naar haar toe.'

'Dat is een mogelijkheid', gaf Barbarotti toe.

'Ik wist dat er iets was', ging ze verder. 'Hij was de laatste maanden niet zichzelf ... ik had wel gemerkt dat er iets niet klopte. Hij heeft een ander en nu is hij ervandoor.'

Ja, dacht inspecteur Barbarotti. Dat is wel de meest waarschijnlijke verklaring van de situatie. Hij ging ervan uit dat ze nu zou opstaan en weggaan – haar houding en het laatste wat ze had gezegd wezen daarop – maar in plaats daarvan kromp ze iets meer in elkaar, ze liet haar blik door het raam naar buiten gaan en beet op haar onderlip. Een hele tijd bleef ze zo zitten.

'Maar zo'n jonge vrouw?' zei ze ten slotte met een stem vol twijfel. 'Wat moet een jonge vrouw in godsnaam met zo iemand als Valdemar?'

Barbarotti haalde zijn schouders op, maar hij gaf geen antwoord.

'En waarom heeft hij zijn baan opgezegd? Nee, toch klopt er iets niet. Er moet meer aan de hand zijn.'

'Ik weet niet of het zo'n goed idee is om ...' probeerde Barbarotti, maar ze onderbrak hem.

'Die vrouw met wie hij was, kan niet ouder dan vijfentwintig geweest zijn, beweerde Karin, mijn vriendin die hen heeft gezien. Valdemar is bijna zestig. Hij heeft een zoon van zeven- of achtendertig.'

'Een zoon?' vroeg Barbarotti. 'Zou die misschien meer weten?'

'Dat denk ik niet', zei Alice Ekman-Roos beslist. 'Ze hebben bijna geen contact. Hij woont in Maardam.'

'Op die manier', zei Barbarotti. 'Nou, hoe dan ook, ik adviseer je om contact met de politie op te nemen. In elk geval als je de komende dagen niets van hem hoort. Er kan hem immers ook altijd nog iets zijn overkomen, dat moeten we niet vergeten.'

Alice Ekman-Roos schudde haar hoofd. 'Dat betwijfel ik', zei ze en ze stond wat onhandig op uit haar stoel. 'Valdemar is niet iemand wie van alles overkomt. Hij is meer een soort ... ja, een soort meubelstuk, zou je kunnen zeggen.'

'Een meubelstuk?' vroeg Barbarotti.

'Ja, een bank of zo. Hij valt elke avond voor de tv in slaap en hij zegt nooit een woord als je niet eerst wat aan hem vraagt.'

Na deze woorden bedankte ze hem voor zijn hulp en vertrok.

Mooi, dacht inspecteur Barbarotti en hij sloot zijn ogen. Dat was dus Valdemar Roos, de man die een meubelstuk was.

Niet een geheel correct vermoeden, naar later zou blijken.

Eva Backman haalde haar fiets uit het rek bij de ingang van het politiebureau terwijl ze bedacht hoe fijn het zou zijn om straks thuis te komen. Ongelooflijk fijn. Twee dagen lang had ze op haar kamer zitten werken, terwijl de heldere herfstzon voor haar raam zich op de meest hoonvolle en verspilde manier van de linkerkant naar de rechterkant had verplaatst.

Ze had niet eens Barbarotti tot haar beschikking gehad, omdat die idioot in een kruiwagen gevallen was en zijn voet had gebroken.

Dit kan nooit de bedoeling van mijn leven zijn geweest, dacht ze terwijl ze Kvarngatan in reed. Ik had opzichter bij staatsbosbeheer moeten worden, of architect of fotomodel.

Of wat dan ook. Op zijn minst een agent die zo slim was om te zorgen dat ze buitendienst had als de mooiste maand van het jaar in een sneltreinvaart aan haar voorbijtrok.

Het waren geen nieuwe gedachten, misschien was het verkeerd om het überhaupt gedachten te noemen. Het waren eerder oude clichés, die tot leven kwamen en even in haar hoofd rondspookten zodra ze haar hersenen uitzette.

Het is anders gelopen dan de bedoeling was, gingen haar halfgedachten verder. Eva Backman had toen ze twintig was alle mogelijkheden gehad om met haar leven te doen wat ze wilde – ze was mooi, ambitieus, belezen, had lange benen en was slim – twaalf jaar later was ze getrouwd, had ze drie kinderen, een politiediploma en een huis in stadsdeel Haga, dat ze stiekem verfoeide. Het stadsdeel dus, het huis kon ze nog verdragen.

Shit happens, maar het had erger gekund.

Weer twaalf jaar later was ze vierenveertig, woonde ze nog steeds in hetzelfde huis met hetzelfde gezin en met een beetje geluk had ze nu nog de helft van haar leven vóór zich. Van klagen werd je maar een verbitterde bitch.

En vandaag keek ze er dus naar uit om naar huis te gaan. Want haar echtgenoot Wilhelm, gewoonlijk Ville genoemd, en haar drie floorball spelende zonen waren vertrokken naar een trainingskamp in de buurt van Jönköping. Het was het begin van een nieuw seizoen voor KFT, Kymlinge Floorballtijgers, en ze zou het huis tot zondagavond helemaal voor zichzelf hebben.

Vandaag was het woensdag, vier dagen lang geen enkele stick om over te struikelen.

Het had erger gekund. Ze maakte vaart en probeerde in te schatten hoe waarschijnlijk het was dat Ville inderdaad het bubbelbad gerepareerd had, zoals hij had beloofd.

Ze was tien minuten thuis toen haar vader belde. Ze zag zijn nummer op het display en na een korte innerlijke strijd besloot ze om op te nemen.

'Eva, ik heb iets verschrikkelijks meegemaakt', begon hij. 'Je gelooft het niet.'

Nee, waarschijnlijk niet, dacht ze somber.

'Eva, ik denk dat ik een moord heb zien gebeuren.'

'Lieve pappa, ik weet zeker dat ...'

'Ik weet dat ik me soms dingen inbeeld. Zo is dat met mijn hoofd, maar ieder mens wordt oud, Eva. Dat word jij ook op een dag.'

Eva Backman zweeg. Was hij alweer in de war aan het raken? vroeg ze zich af. Maar hij schraapte zijn keel en ging verder: 'Het is niet vandaag gebeurd. Het was onlangs, ik heb er een tijdje over lopen nadenken en toen bedacht ik dat jij bij de politie bent, Eva. Het was dom van mij, ik had daar natuurlijk direct op moeten komen, maar af en toe gaat het een beetje mis in mijn hoofd, zoals je weet. En ik was natuurlijk helemaal van de kaart, dat maakt het niet gemakkelijker. Maar vanmiddag heb ik even geslapen ... en toen ik wakker werd, was mijn hoofd helemaal helder, en toen besefte ik dat ik jou moest bellen, Eva.'

Eva Backman keek op de klok. Het was kwart voor zes. Oké, dacht ze, hij krijgt tien minuten, dat moet toch wel lukken. In ieder geval heb ik mijn geweten dan wat gesust.

Het kwam en ging, het schuldgevoel dat ze ten opzichte van haar vader had. Of eerder ten opzichte van haar broer Erik, want ze stond bij hem in het krijt. Bij hem en zijn vrouw Ellen, die ervoor zorgden dat Sture Backman een enigszins waardig leven kon leiden, ondanks het feit dat zijn geestelijke vermogens achteruitgingen. Ondanks het feit dat hij langzaam maar zeker naar het definitieve duister afgleed.

De afgelopen tweeënhalf jaar hadden zij hem in huis gehad. Het was het enige alternatief voor een opname in een instelling, en Eva wist dat het voor hen geen gemakkelijke stap was geweest. Erik was vijf jaar ouder dan zij, hij en Ellen hadden zelf geen kinderen, maar ze hadden een jongen en een meisje uit Vietnam geadopteerd. Twaalf en tien waren die nu. Het gezin woonde op het platteland. Erik en Ellen waren een soort deeltijdboeren, kon je zeggen, beiden hadden ze er een andere baan naast, maar op de een of andere manier liep het allemaal goed.

Meer dan goed, als ze erover nadacht. Ze hadden net twee nieuwe paarden gekocht en de grote SUV was, de laatste keer dat Eva hem gezien had, keurig gepoetst geweest. Hun boerderij heette Rödmossen en lag ongeveer veertig kilometer ten westen van Kymlinge, en vrijwel na ieder bezoek zei ze tegen zichzelf dat je eigenlijk zo leven moest. Precies zo. In harmonie met je familie, je omgeving en jezelf. Noch Erik noch Ellen had ooit iets gezegd wat erop wees dat Sture op wat voor manier dan ook een belasting voor hen was.

En misschien was hij dat ook wel niet, dacht Eva altijd. Het huis was groot genoeg, hij verzorgde zichzelf nog steeds goed en meestal ging hij zijn eigen gang, voor zover ze wist. Hij lag in zijn kamer op bed na te denken of dwaalde rond in de bossen rond Rödmossen. Het was twee keer voorgekomen dat hij de weg naar huis niet meer had kunnen terugvinden, maar tegenwoordig droeg hij een zendertje, waardoor ze hem konden lokaliseren als hij verdwaald was.

Want de gedachten kwamen en gingen zoals ze dat zelf wilden bij Sture Backman. Oude en nieuwe dingen liepen door elkaar, en je kon alleen maar bij vlagen een zinnig gesprek met hem voeren.

Maar wie bepaalt eigenlijk wat een zinnig gesprek is? dacht ze. Wat voor de een geen betekenis heeft, kan voor een ander heel belangrijk zijn.

Nu schraapte hij omstandig zijn keel en vervolgde zijn verhaal.

'Het was daar verderop bij dat boerderijtje. Dat ene, niet dat andere. Ik kom er af en toe langs. Ze kwamen het huis uit rennen, eerst zij, toen hij. Het was avond, het was zo onwerkelijk, Eva, alsof ... ja, ik vroeg me af of ik niet gewoon naar een film op tv aan het kijken was, maar dat was niet zo. Ik zweer je dat het geen film was, Eva, hoor je wat ik zeg?'

'Ja, pappa', zei ze. 'Ik luister. Wat is er dan gebeurd?'

'Ik was zo bang, Eva. Weet je wel hoe bang ik was? En dat bloed zo rood was ... ik bedoel lichtrood, ik heb altijd gedacht dat het donkerder was. Veel donkerder, maar dat komt misschien doordat je het altijd ziet als het al is gestold. Als het al een beetje oud is. Alhoewel ik me nog herinner dat jij je aan dat afschuwelijke vleesmes sneed toen je klein was, weet je dat nog? Mijn god, wat bloedde je. We hadden dat mes om de een of andere reden van de Lundins geleend, en het ... het was toen ook aardig licht. Je moeder viel flauw van de schrik, ze dacht vast dat je doodbloedde, dat was het natuurlijk, ze was altijd zo snel ...'

Hij begon te grinniken en ze begreep dat hij met zijn gedachten in een ver verleden was.

'Hoe gaat het met Erik en Ellen?' vroeg ze in een poging hem weer naar het heden terug te brengen. 'En de kinderen?'

Maar hij negeerde wat ze zei. 'Een keer toen we op bezoek waren bij Margit en Olle,' ging hij met plotseling enthousiasme verder, 'had een van hun kinderen, volgens mij was het die Staffan, dat was trouwens een onmogelijk rotjoch, al heeft hij het later nog tot rector van een volkshogeschool geschopt, raar toch hoe het lopen kan, vind je niet? Hij was in een put gekropen – ik snap niet wat hij daar te zoeken had – maar misschien had hij zich alleen maar verstopt om ons bang te maken, wat een streek, hè? Dat ben je toch met me eens ... Eva?'

Ze vermoedde dat de vragende toon in zijn stem kwam doordat hij zich niet meer precies herinnerde met wie hij zat te praten.

'Ja', zei ze. 'Ik herinner me Staffan.'

'Staffan?' zei haar vader. 'Wie is in hemelsnaam Staffan? Ik denk niet echt dat ik ... je hebt toch niet een nieuwe vent? Ben je niet meer met die Viktor getrouwd?'

'Pappa', zei Eva Backman. 'Ik denk dat we nu moeten ophangen. Leuk dat je belde.'

'Ja ...?' zei hij. 'Bedankt, er gebeurt zo veel de laatste tijd, ik denk dat ik even moet gaan liggen.'

'Doe dat', zei ze. 'En doe de groeten aan Erik en Ellen en de kinderen.'

'Vanzelfsprekend', zei hij. 'Die wonen hier immers ook, dat komt voor elkaar.'

'Dag, pappa', zei ze en ze hing op.

De rest van de avond besteedde ze uitsluitend aan zichzelf.

Ze jogde haar gebruikelijke vijf kilometer in het stadspark en langs het water. Warmde risotto op in de magnetron en at die met een stuk kaas en een glas rode wijn erbij. Lag vijfenveertig minuten lang in het bubbelbad – Ville had de motor gerepareerd, ondanks haar bange vermoedens van het tegendeel – en daarna kroop ze in bed en keek naar een oude Hitchcockfilm die ze in de dvd-verzameling vond.

De man die te veel wist.

Mijn vader was jong toen ze deze film maakten, dacht ze. Misschien maar half zo oud als ik nu ben.

Waarom moeten mensen zo veel sneller verouderen dan de sporen die ze nalaten?

Dat was een goede vraag, besloot ze. De tijd die van ons vliedt. Iets om eens wat langer met Barbarotti over te praten misschien. Bij een biertje in café Älgen, ja, waarom niet?

Als hij er nou maar eerst voor zorgde terug te komen met zijn verdomde voet.

27

'Met de artsenij in dit land heb ik niet veel op' zei Zwager-Roger en hij maakte een biertje open.

'O?' zei Barbarotti.

'Met dat been zul je de rest van je leven mank lopen. Dan maak ik maar liever gebruik van de gezondheidszorg in Duitsland of Frankrijk.'

'Is dat zo?' zei Barbarotti.

Zwager-Roger duwde het ringetje in het blikje en nam een grote slok. Het was vrijdagochtend. Barbarotti lag op de bank in de woonkamer met zijn been omhoog op een paar kussens. Het deed een beetje pijn en het kriebelde ook lichtelijk. Zwager-Roger zat in een stoel, in een korte broek en met zijn overhemd open, hij maakte duidelijk geen aanstalten om vandaag aan het werk te gaan. Misschien was er sprake van plamuur die droogtijd nodig had, of zo. Dat was eerder gebeurd.

Ze waren alleen thuis. Alle andere gezinsleden waren op hun werk of op school. Gunnar Barbarotti besefte plotseling dat het heel goed mogelijk was dat hij hier de komende drie, vier uur zou zitten – of liggen – met de werkloze parkeerwachter uit Lyckelse in zijn buurt.

'Ze laten tegenwoordig verdorie iedereen maar toe tot de doktersopleiding', constateerde die nu. 'En dan heb ik het nog niet eens over al die kwakzalvers die met bosjes de grens over komen. Polen en Arabieren en wat niet al. Ze spreken geen woord Zweeds en ze weten het verschil niet eens tussen een nier en een knie, verdorie. Wil je een biertje?'

'Nee, dank je', zei Gunnar Barbarotti.

Een geluk dat ik geen pistool bij de hand heb, dacht hij. Want dan had ik op die eikel geschoten. In zijn been in elk geval, dan had hij de veerboot naar Duitsland kunnen nemen om geopereerd te worden.

'Ik moet even een telefoontje plegen', zei hij. 'Zou je me de draadloze telefoon aan willen geven en me even alleen willen laten?'

Zwager-Roger nam weer een slok en krabde over zijn buik. 'Ik zit net', zei hij. 'Je bent vast niet zo immobiel als je doet voorkomen, agentje. Ik heb bij mij thuis over een vent gehoord die ze in het gips hadden gedaan vanwege een spierverrekking. Een arts uit Iran of zoiets.'

Barbarotti gaf geen commentaar. Even later hees Zwager-Roger zich uit zijn stoel, liet een boer en haalde de telefoon.

'Ik ga zolang op het terras zitten', kondigde hij aan. 'Je roept toch wel even als je uitgekletst bent?'

Reken maar dat ik dat niet ga doen, dacht Gunnar Barbarotti bij zichzelf.

Hij kreeg Eva Backman meteen te pakken.

'Bedankt nog voor gisteren', zei ze.

Ze was donderdagavond naar Pickford gekomen en een uur gebleven om de zaak-Sigurdsson te bespreken. Ze hadden ook een glas wijn gedronken; hijzelf, Marianne en inspecteur Backman – de nationale plaag had de voorkeur gegeven aan de tv en een biertje – en hij merkte dat hij gedacht had dat er eigenlijk maar twee mensen in de wereld waren op wie hij blind vertrouwde: deze twee vrouwen. Zijn echtgenote sinds een jaar, zijn collega sinds twaalf jaar.

Hij had zich ook afgevraagd of hij ooit gedurfd zou hebben Eva Backman om haar hand te vragen. Als de situatie niet was geweest zoals nu dus; als ze niet al bezet was door haar Ville en nog drie floorballspelers en als hijzelf Marianne niet op dat Griekse eiland had ontmoet.

Het was een oude en steeds meer hypothetische vraag, die nu en dan nog door zijn hoofd kwam zeilen, als het ware via zijn linkeroor naar binnen en er via zijn rechteroor weer uit, en het was een vraag die niet om een antwoord vroeg. Mooi dat ook dat soort vragen bestaat, dacht inspecteur Barbarotti altijd.

Alternatieve levenspaden die je nooit hoefde te betreden.

'Geen dank', zei hij. 'Trouwens, dat is waar ook.'

'Wat?'

'Ik heb een besluit genomen. Ik kom maandag weer naar het werk. Dat kun je tegen Asunander zeggen.'

'Jeetje', zei Eva Backman. 'Waarom zou je dat in hemelsnaam doen?'

'Ik vind het mijn plicht om mijn steentje bij te dragen', zei Gunnar Barbarotti.

Eva Backman zweeg even. 'Weet je zeker dat je niet op je hoofd geland bent in die kruiwagen?' vroeg ze toen. 'Waarom naar dat gekkenhuis komen als je thuis op de bank kunt liggen en uit je neus kunt eten?'

'Ik heb zo mijn redenen', zei Barbarotti.

'Dat hoop ik dan maar', zei Eva Backman.

'Maar ik zal dus wel aan mijn bureau gekluisterd zijn, en als ik te veel pijn in mijn been krijg, ga ik naar huis. Dat kun je ook tegen Asunander zeggen.'

'Oké', zei inspecteur Backman. 'Je doet maar wat je niet laten kunt, en je werkt tenslotte in eerste instantie niet met je been.'

'Inderdaad', zei Barbarotti. 'Het is bijna onmogelijk om met een been in je hand te werken.'

'Ik heb nu geen tijd meer voor je', zei Backman en ze hing op.

'Ik heb met hem gesproken.'

'Ik bedoelde het niet zo.'

'Hij is mijn broer, Gunnar. Ik vind het niet leuk om me te moeten schamen voor mijn broer.'

'Hij is een nationale plaag.'

'Ik weet het. Maar je moet accepteren dat hij een onvolmaakt mens is.'

'Heel anders dan jij.'

Ze keek hem aan, waarschijnlijk vermoedde ze iets van ironie.

'Dat was serieus bedoeld', verduidelijkte hij voor de zekerheid. 'Ik vind je volmaakt.'

'En jij bent wie jij bent', zei ze laconiek. 'Heb je pijn?'

'Nee. Niet zo erg in elk geval. Maar je voelt meer als je niets anders te doen hebt. Een mens heeft afleiding nodig, zeg maar.'

'Ik begrijp het.'

Het was vijf minuten over twaalf, ze lagen eindelijk in bed. Barbarotti's been lag weer op een stapel kussens, het deed een beetje pijn, hij nam aan dat hij die avond te veel gelopen had en dat het bloed er te veel naartoe gestroomd was. Vrijen? dacht hij. Niet erg waarschijnlijk, dat zou een paar dagen moeten wachten. Of weken.

'Het spijt me', zei hij. 'De nationale plaag is ook zoals hij is, maar ik had nu wel met hem om moeten weten te gaan. Hij heeft ons meer geholpen dan ik van hem had kunnen vragen. Kunnen we het over wat anders hebben?'

Ze deed het bedlampje uit. 'Zeker. Ik wilde alleen maar zeggen dat hij nog een week blijft. Dat hebben we afgesproken. Als die spullen voor de aanlegsteiger op maandag komen, zoals ze hebben beloofd, dan heeft hij nog drie, vier dagen nodig en dan gaat hij de komende zaterdag of zondag naar zijn eigen huis. Je moet het zolang met hem zien uit te houden, het liefst ook een beetje aardig zijn.'

'Ik weet het', zei Gunnar Barbarotti. 'Ik schaam me. En ik ga toch naar mijn werk maandag.'

'Is dat wel slim?' vroeg Marianne. 'Je beseft toch wel dat je een gebroken voet met je meesleept?'

'Ik ga alleen maar bureauwerk doen', verzekerde hij. 'Ik kan net zo goed daar in papieren zitten snuffelen als thuiszitten en me ergeren aan die arme broer van je, toch?'

'Ja, waarschijnlijk wel', zei Marianne.

Ze klonk een beetje teleurgesteld. Of misschien was ze gewoon moe. Er was in elk geval reden voor beide. Ze bleven een tijdje zwijgend naast elkaar liggen, toen deed ze de lamp weer aan, strekte een hand uit en trok de lade van het nachtkastje open.

Ze haalde de Bijbel tevoorschijn, hield hem een tijdje in haar handen terwijl ze haar ogen sloot en een paar keer diep en rustig ademhaalde. Vervolgens stak ze er een vinger in en opende het boek ongeveer in het midden.

Hij knikte. 'Een wegwijzer nodig?'

'Precies, een wegwijzer.'

Ze liet haar vinger over de bladzijde lopen, stopte op goed geluk, keek en lachte een beetje.

'Laat horen', zei Gunnar Barbarotti.

Marianne kuchte en las hardop:

'De dwaas slaat zijn armen over elkander en verteert zichzelf. Beter is een handvol rust dan beide vuisten vol zwoegen en najagen van de wind.'

Gunnar Barbarotti overpeinsde de tekst een paar seconden.

'Najagen van de wind', zei hij. 'Dat vind ik een mooie uitdrukking. Al begrijp ik niet wat het met de nationale plaag te maken heeft.'

'Misschien is niet hij degene die een wegwijzer nodig heeft', zei Marianne.

'Een handvol rust?' ging Barbarotti verder. 'Ja, meer kan een mens zich tenslotte niet wensen. Dat is de reden waarom ik maandag naar mijn werk ga, neem ik aan. Wat is dat voor tekst?'

'Prediker', antwoordde Marianne. 'Niet bepaald een vrolijke frans, maar ik ben het wel met je eens. Dat over het najagen van de wind is goed. Daar zijn we niet mee bezig, toch?'

'Absoluut niet', zei Barbarotti. 'Ik zal aardig tegen je broer doen, beloofd. Nog maar een week dus? Zeven dagen?'

'Hooguit tien', verzekerde Marianne.

Daarna vertelde hij over Alice Ekman-Roos en haar verdwenen echtgenoot. Hij wist niet waarom hij dat deed, maar Marianne was direct een en al aandacht.

'Die man is dus al sinds afgelopen zondag weg?'

'Ja. Al weet ik het niet zeker, misschien is hij inmiddels wel weer terug.'

'Wanneer heb je voor het laatst met zijn vrouw gesproken?'

'Gistermiddag. Voor ik uit het ziekenhuis kwam.'

'En toen wist ze nog steeds niets?'

'Nee.'

'En ze had geen contact met de politie opgenomen?'

'Nee.'

'Ik begrijp het niet helemaal. Hij kan toch ook vermoord zijn of wat dan ook?'

'Dat lijkt me onwaarschijnlijk. En ze schaamt zich, hij heeft haar immers al behoorlijk lang misleid.'

'Zei je dat het een maand geleden was dat hij gestopt was met werken?'

'Minstens een maand.'

Ze dacht even na.

'Er lijkt maar één verklaring mogelijk', zei ze toen. 'Niet dan? Dat hij er met die vrouw vandoor is gegaan.'

'Ja', antwoordde Gunnar Barbarotti. 'Dat is inderdaad wel het waarschijnlijkst.'

Marianne bleef een tijdje zwijgen.

'Maar als dat niet het geval is,' zei ze toen, 'dan is dit juist een serieuze zaak voor de politie, want dan moet er wel sprake zijn van een misdrijf. Corrigeer me als ik het fout heb.'

'Nee, je hebt het absoluut niet fout', zei Barbarotti. 'Ik moet dit maandag uitzoeken.'

'Beloof het me', zei Marianne. 'Ik vind zelfs dat je haar morgen moet bellen. Die arme vrouw, ze moet toch enorm in de rats zitten.'

Hij schikte de kussens onder zijn been en dacht na.

'Misschien', zei hij. 'Maar als ik eraan denk hoe ze hem omschreef, kan ze ook best weleens blij zijn dat ze hem kwijt is. Ze zei letterlijk dat hij een meubelstuk in huis was.'

'Een meubelstuk?'

'Ja, een bank om precies te zijn.'

'Mm', zei Marianne. 'Ik denk dat het vast gecompliceerder ligt. Bedrogen vrouwen hebben vaak een aparte kijk op de dingen.'

'Nu komen we op een punt waarbij ik niet aan de voorwaarden voldoe om het te begrijpen', constateerde Gunnar Barbarotti. 'Maar ik ga absoluut morgen bellen om te kijken hoe de situatie ervoor staat.'

Er gingen vijf seconden voorbij. Marianne deed de lamp uit.

'Ik vraag me af of Johan niet stiekem rookt.'

'Dat zal ik ook morgen uitzoeken', zei Barbarotti.

'Bedankt', zei Marianne. 'Ik hou van je. Ik hou feitelijk van heel die kudde die we om ons heen verzameld hebben, maar nu kan ik mijn ogen niet meer openhouden.'

Ze gaapte en rolde op haar zij.

'Ik hou ook van jou', zei Barbarotti. 'Het hele zooitje bij elkaar, net wat je zegt. En ik heb niet het gevoel dat wij een paar najagers van de wind zijn.'

'Mm?' bromde Marianne.

28

Commissaris Asunander keek sceptisch.

Zo keek hij meestal, maar vandaag was het meer zichtbaar dan anders.

'Een vent die er met zijn minnares vandoor is?' zei hij. 'En jij vindt dat wij daar onze kostbare tijd aan moeten besteden?'

'Het ligt misschien niet zo simpel als het in eerste instantie lijkt', verdedigde Barbarotti zich. 'Het leek me wellicht verstandig om toch even nader onderzoek te doen ... een beetje, in elk geval.'

'Heeft mevrouw aangifte gedaan?'

'Nee.'

'Zijn er andere theorieën dan het minnaresverhaal?'

'Eigenlijk niet', zei Barbarotti en hij draaide wat op zijn stoel. Het was niet gemakkelijk om te draaien met gips en al, het was meer een innerlijk draaien.

'Heb je het vermoeden dat er sprake is van een misdrijf?'

'Ik kan het niet uitsluiten', zei Barbarotti.

'Of denk je soms een beetje te kunnen doen en laten wat je wilt, alleen maar omdat je hier gekomen bent met die klompvoet van je?'

'Dat zou ik nooit in mijn hoofd halen.'

Commissaris Asunander snoof. Hij is welbespraakt sinds zijn tanden weer zijn vastgezet na dat incident destijds, dacht Barbarotti. Onaangenaam welbespraakt, het was vroeger beter.

'Het is namelijk zo,' ging de commissaris verder, 'dat ik een klusje heb dat een fitte inspecteur met klompvoet min of meer op het lijf geschreven is.'

'Werkelijk?' zei Barbarotti.

'Ik denk dat we het zo doen: jij handelt eerst mijn klusje af en als je daarmee klaar bent, heb je je handen vrij om met die wegloper aan de gang te gaan. Hoe heette hij ook alweer, zei je?'

'Roos', zei Barbarotti. 'Ante Valdemar Roos.'

'Interessante naam', zei de commissaris. 'Maar dat is waarschijnlijk ook het enige interessante aan het verhaal.'

'Wat voor klus had je in gedachten?' vroeg Barbarotti terwijl hij een zucht onderdrukte.

'De graffitizaak', zei Asunander en Barbarotti zou hebben durven zweren dat er heel even een glimlachje om een mondhoek van de commissaris verscheen. Tegelijkertijd voelde hij een krachtige pijnscheut in zijn been.

'De graffitizaak?' zei hij en hij weerstond de impuls om braakgeluiden te maken. 'Ik denk niet dat ik ...'

'Het wordt tijd dat we een einde maken aan die soap', onderbrak de commissaris hem terwijl hij zijn bureauonderlegger optilde en er een papier onder vandaan viste. 'We maken nu al bijna twee jaar jacht op die klojo, of klojo's, en aangezien inspecteur Sturegård minstens acht maanden met ouderschapsverlof zal zijn, heb ik iemand nodig die het overneemt.'

Deze keer kon Barbarotti een zucht niet onderdrukken. Hij kende de omstandigheden rond de zogenoemde 'Meester-graffitispuiter'. Alternatief: 'Meester-graffitispuiters'. Alternatief: 'Die verdomde kleine vandalen die op de brandstapel gegooid zouden moeten worden, verdorie nog aan toe'. Ze (of hij, maar zeer waarschijnlijk geen zij) hielden al minstens twee jaar lang huis in Kymlinge, maar er was niet veel aandacht aan het probleem besteed totdat een redacteur van *Lokaltidningen*, de lokale krant, een zekere Lars-Lennart Brahmin, naar Olympen was verhuisd, een van de oude gebouwen van rond de eeuwwisseling aan de oostkant van het water. Hij was onmiddellijk gekozen tot woordvoerder van de vereniging van eigenaren, en laat nou juist die licht roomkleurige gevel van Olympen tot de favoriete plekken van de Meester-graffitispuiter behoren om irritante tags op te kladden.

En steeds als hij weer bezig geweest was – het afgelopen jaar was dat zo gemiddeld eens per maand – werd er in *Lokaltidningen* op een prominente plaats over het onderwerp gediscussieerd.

'Die verdomde Brahmin belt me zeven keer per week', zei Asunander. 'Ik heb mijn lidmaatschap van de krant opgezegd, ik krijg jeuk van die redacteur.'

'Dat kan ik me voorstellen', zei Barbarotti.

'Ik had gedacht dat Sturegård dit zaakje in een handomdraai opgelost zou hebben, maar kennelijk is er iets misgegaan.'

'Kennelijk', zei Barbarotti.

Hij kende inspecteur Malin Sturegård niet zo heel goed, maar hij wist dat ze er in haar eentje verantwoordelijk voor was om een einde aan het vandalisme te maken. Hij wist ook dat ze ondanks eindeloze, volhardende pogingen nog nergens gekomen was – en dan deed ook nog het gerucht de ronde dat ze opzettelijk zwanger was geraakt om van de ellende af te zijn. Ze was over de veertig en had al drie of vier kinderen, dus mogelijk zat er een kern van waarheid in deze speculaties.

Deze trieste feiten gingen vluchtig door Barbarotti's hoofd, terwijl commissaris Asunander zijn handen voor zich op het bureau gevouwen hield en hem aankeek alsof ... ja, hij wist het niet precies. Dat was meestal zo met de gezichtsuitdrukkingen van de commissaris. Maar in elk geval was het duidelijk niet bedoeld om sympathie uit te drukken voor een van zijn ondergeschikten die toevallig van een dak gevallen was en zijn voet in een kruiwagen had gebroken.

Gunnar Barbarotti had een dergelijke sympathie ook niet verwacht. Hij schraapte zijn keel, begon een beetje met zijn krukken te rommelen en slaagde erin om op te staan.

'Natuurlijk', zei hij. 'Ik zal zorgen dat Sturegårds materiaal naar mijn kamer gestuurd wordt.'

'Daartoe heb ik al opdracht gegeven', zei Asunander. 'Ik denk dat de mappen er al liggen. Zorg dat die verdomde zaak de wereld uit geholpen wordt.'

'Ik zal zien wat ik doen kan', zei Barbarotti en hij strompelde de kamer van de commissaris uit.

'Daarna heb je je handen vrij om je met die Roos bezig te houden', bracht Asunander hem in herinnering op het moment dat hij de deur sloot.

Bedankt, lieve baas, dacht Barbarotti. Zou die nationale plaag niet misschien toch te verkiezen zijn geweest, uiteindelijk?

‘Hoe ging het?’ vroeg Eva Backman. ‘Wat zijn dat voor mappen?’

‘Graffiti’, zei Barbarotti. ‘Inspecteur Sturegårds eenvrouwsonderzoek.’

‘Wat doen die op jouw kamer?’

‘Ik had iets nodig om mijn been op te leggen’, zei Barbarotti.

‘Daar trap ik niet in’, zei Eva Backman en plotseling moest ze glimlachen. ‘Je wilt toch niet zeggen dat ...?’

‘Ja dus’, zei Barbarotti. ‘Als je lacht sla ik je met mijn kruk.’

‘Sturegård?’ vroeg Backman. ‘Verdorie ja, die is vorige week met ouderschapsverlof gegaan.’

Barbarotti gooide twee stukjes kauwgom in zijn mond en begon te kauwen.

‘Dus jij neemt het over en gaat die schurk nu te pakken nemen?’

‘Kwam je ergens voor?’ vroeg Barbarotti.

‘Mm’, zei Backman ‘Ik dacht dat jij je ging bezighouden met dat verdwenen heerschap.’

‘Asunander was een andere mening toegedaan’, zei Barbarotti.

‘Echt waar?’ zei Backman en ze ging op de nieuwe bezoekersstoel van staal met geel plastic zitten. Ze legde haar ene been over het andere en keek hem met een blik vol bezorgde scepsis aan.

Of wat voor blik het ook was.

‘Er is iets niet pluis daar’, zei Barbarotti.

‘Waar?’ vroeg Eva Backman. ‘Bij die ... hoe heette hij ook alweer? Ante Valdemar Roos?’

‘Precies’, zei Barbarotti.

‘Leg uit’, zei Backman.

'Graag. Al valt er niet zo veel uit te leggen. Hij is inmiddels meer dan een week weg. Natuurlijk kan hij er met een minnares vandoor zijn, maar ik denk niet dat dat het geval is. Het voelt niet aannemelijk, simpel gezegd.'

'Niet?' vroeg Eva Backman. 'Je zou denken dat alle kerels daarvan dromen. Om zonder uitleg alles achter zich te laten: hun zeurende vrouw, de kinderen en die rottige baan. Waarom zou die Roos dat dan niet gedaan hebben?'

Barbarotti krabde op zijn gips. 'Daadkracht', besloot hij. 'Het vereist een enorme daadkracht om zoiets ook werkelijk te doen. Maar zijn vrouw beweert dat hij sinds 1975 geen originele gedachte meer gehad heeft.'

'Wanneer heb je voor het laatst met haar gesproken?'

'Afgelopen zaterdag.'

'En ze had geen nieuwe informatie?'

'Helemaal niets. Maar ze wilde geen aangifte doen. En zolang ze dat niet wil, vindt Asunander dat we niet te veel moeten ondernemen.'

'Maar jij ziet dat anders?'

'Inderdaad', zei Barbarotti en hij legde voorzichtig zijn been op het bureau. 'Ik zie dat anders.'

'Heb je nog hulp nodig?' vroeg Backman.

'Geenszins', zei Barbarotti.

Backman zweeg een tijdje.

'Ik heb toevallig wat gaatjes in mijn agenda', vervolgde ze. 'Vind je het misschien een goed idee als ik nog eens een gesprekje ga voeren op zijn werk? Misschien is je iets ontgaan. Wellicht kan ik ook zijn vrouw bellen, het kan zijn dat ze gemakkelijker met een vrouw praat.'

'Ze heeft ervoor gekozen zich voor me open te stellen

aangezien ze veel vertrouwen in me heeft', benadrukte Barbarotti. 'Al sinds de middelbare school.'

'Wat wil je daarmee precies zeggen?' vroeg Backman.

'Niets', zei Barbarotti. 'Maar natuurlijk, doe een gooi, dan zien we wel. Misschien kunnen we het straks bij de lunch bespreken. Kungsgrillen?'

'Doen we', zei Backman. 'Nou, ik zal je niet langer storen. Succes met die graffitispuiter.'

'Bedankt, inspecteur', zei Barbarotti. 'Doe alsjeblieft de deur goed dicht.'

Het aantal mappen van de zaak van de Meester-graffitispuiter was opgelopen tot zes. Drie ervan waren geel, drie waren er rood. Gunnar Barbarotti keek naar de klok, het was vijf voor half tien.

Oké, dacht hij. Tweeënhalf uur tot de lunch, laten we eens kijken hoever een paar fitte ogen en een bundeltje gezonde hersencellen kunnen komen.

Tegen de tijd dat het kwart voor twaalf was, had hij nog steeds geen bevredigend antwoord op die vraag. Inspecteur Malin Sturegård had er duidelijk veel tijd en energie in gestoken om de vandaal die de draak met hen stak te traceren. Ze was ruim elf maanden bezig geweest met de zaak, dat kon je zien aan de datums op de ruggen van de mappen. In die periode waren er een aantal spuitbuskunstenaars ontmaskerd en veroordeeld tot welverdiende boetes, maar met betrekking tot de vandaal die de meeste irritatie wekte, had ze dus geen vorderingen gemaakt.

Of zou het om twee personen gaan? Er was namelijk sprake van twee zogenaamde tags, die bijna altijd samen werden gevonden. Als ze 's ochtends werden aangetroffen, was er meestal een tiental gebouwen besmeurd, altijd in het centrum van de stad, en in negen van de tien gevallen, in elk geval het afgelopen jaar, was het statige Olympen aan de oostkant van het water daar een van.

De tags waren ook totaal niet te duiden en onuitspreekbaar, wat niet altijd het geval was bij dit soort vandalisme, kon Barbarotti lezen. Volgens inspecteur Sturegårds zorgvuldige documentatie waren ze ruim een jaar eerder tegelijkertijd opgedoken, meestal met rode of blauwe verf gemaakt – bij voorkeur een van elke kleur op iedere muur – maar ook zwart en donkergroen was een paar keer voorgekomen.

PIZ was de ene.

ZIP was de andere.

Het was overigens ongewoon dat een tag een langere levensduur dan drie jaar had. De daders waren namelijk bijna altijd tieners van het mannelijke geslacht, en volgens de weinige onderzoeken die ernaar gedaan waren, leken de meeste de activiteiten al snel beu te worden en nieuwe interesses te ontwikkelen. Kunstzinnige of criminele, meestal de laatste.

Voor een leek kon het wellicht een eenvoudige klus lijken om een of meer graffitivandalen achter slot en grendel te zetten – en als het om misdrijven van een wat zwaarder kaliber en met een zwaardere strafmaat was gegaan, dan had de politie het probleem waarschijnlijk inderdaad op een beduidend effectievere manier kunnen tackelen. Je kon er immers bijvoorbeeld 'met grote zekerheid van uitgaan dat de gevel van het wooncomplex Olympen in de loop van iedere periode van dertig dagen van het komend jaar verscheidene malen (d.w.z. 's nachts) beklad zal worden' (zoals inspecteur Sturegård op twee verschillende plaatsen schreef, waarbij ze tevergeefs verzocht om meer financiële middelen), maar om nu politiebewaking in te zetten alleen maar om de dader(s) op heterdaad te kunnen betrappen als hij (zij) ervoor koos (kozen) toe te slaan ... ja, dat was om budgettaire redenen in Kymlinge even ondenkbaar als in alle andere steden van het land. Waarschijnlijk in alle andere landen ook.

Er was trouwens wel gepost, op initiatief van hoofdredacteur Brahmin zelf, maar de overige leden van de vereniging van eigenaren waren dat algauw zat geworden. Om tweemaal per week 's nachts twee of drie uur verstopt achter een gordijn te zitten en naar traag stromend water en een verlaten straat te staren, met af en toe een beschonken – maar verder onschuldige – voorbijganger, was niet iets wat doorsneeleden van een vereniging van eigenaren als een bijzonder nuttige bezigheid beschouwden.

Dus ZIP of PIZ had zijn irritante werkzaamheden in alle rust voort kunnen zetten. Hij (zij) had (hadden) er waarschijnlijk geen idee van dat er een inspecteur op het politiebureau zat die voltijds met zijn (hun) zaak bezig was en al zijn onderzoeksijver en kunde inzette om zijn (hun) werkzaamheden een halt toe te roepen.

En als hij (zij) dat wel deed (deden), dat was het vast niet zo dat het hem (hun) veel schelen kon. Integendeel waarschijnlijk, hij (zij) zou (zouden) zich waarschijnlijk rot lachen.

Inspecteur Barbarotti zuchtte, klapte map nummer drie dicht en besloot eerst te gaan lunchen voor hij aan nummer vier begon, de eerste van de gele mappen.

Ik vraag me af waarom ze van kleur veranderd is, dacht hij.

En zou ze weer een andere kleur gekozen hebben als er een zevende map had moeten komen? Was dat soms het moment geweest waarop ze besloten had zwanger te worden? Tussen map drie en vier?

Barbarotti besefte dat dit de minst urgente vraag was die die hele ochtend bij hem opgekomen was. Tijd voor een pauze dus, absoluut. Hij haalde zijn been van het bureau en pakte zijn krukken.

Inspecteur Eva Backman was niet op haar kamer.

Bij de balie konden ze ook niet vertellen waar ze was.

In Kungsgrillen zat ze niet. En ze reageerde niet op zijn telefoontje. Gunnar Barbarotti zuchtte en bestelde het menu van de dag: biefstuk met gebakken aardappeltjes en knoflooksaus, en ging aan een van de tafeltjes zitten die uitkeken op Riddargatan.

Dan kan ik haar zien aankomen, dacht hij. Het was tenslotte pas tien over twaalf. Ze hadden geen tijd afgesproken en het kon best zijn dat ze niet vóór half één op kwam dagen als ze onverwacht de een of andere opdracht had gekregen.

Hij bleef tot vijf voor een zitten. Belde nog een keer naar haar mobiel. Ze nam niet op en hij sprak een bericht in met de vraag of ze hem terug wilde bellen en met de mededeling dat de biefstuk voortreffelijk gesmaakt had.

Daarna hinkte hij schuin Riddargatan over, schuin Fredsgatan over, schuin de spoorwegovergang over, en om ongeveer acht minuten over één zat hij weer op zijn kamer met de graffitimappen van Sturegård.

Met een grote kop zwarte koffie. En een koek met amandelspijs erbij, die hij uit een pak in de onderste rechterla had gehaald en waarvan hij zich realiseerde dat hij die in de week rond Pasen gekocht moest hebben. Inmiddels was het september.

ZIP en PIZ, dacht hij. Het najagen van de wind?

29

Op de terugweg van Svartö naar de stad vroeg inspecteur Eva Backman zich twee dingen af.

Ten eerste hoe een vrouw als Red Cow eigenlijk in elkaar stak.

Of in elk geval vroeg ze zich af hoe de vrouw zich tot haar bijnaam verhield. Haar echte naam was Elisabet Rödko, rode koe, en haar wortels lagen in Hongarije, of misschien Transsylvanië – dat was Backman niet helemaal duidelijk geworden – en toen een van die briljante geesten bij Wrigmans Elektriska had verzonnen dat ze haar naam wat Amerikaanser konden laten klinken, was ze daarin meegegaan. Niet alleen door de naam te accepteren, maar ook door haar van nature muisgrijze haar vuurrood te verven.

Vandaag de dag, veertien jaar later, was het nog steeds vuurrood en de vrouw had Backman toevertrouwd dat zelfs haar man en kinderen haar inmiddels Red Cow noemden.

Rode koe, dacht Eva Backman. Het is er niet beter op geworden door er wat Engels en wat kleur aan toe te voegen, toch?

In elk geval was haar naam van invloed op haar geloofwaardigheid, en dat bracht inspecteur Backman tot de tweede vraag waarmee ze in de middagspits achter het stuur worstelde.

Kon je vertrouwen op haar woorden, preciezer gezegd: op haar beoordelingsvermogen ten opzichte van Valdemar Roos?

Backman had niet de kans gekregen om met iemand anders bij Wrigmans te praten, dus zou het mooi zijn als ze hier een besluit over wist te nemen. Een voorlopig besluit in elk geval, ze kon er natuurlijk later op terugkomen, mocht dat nodig blijken.

Alhoewel, waarom zou dat nodig moeten zijn? dacht ze. Waarom in hemelsnaam? Het besluit om naar Svartö te gaan was spontaan opgekomen toen ze Alice Ekman-Roos niet te pakken had gekregen. Misschien was het vooral om Barbarotti te verrassen geweest, maar ze had ook de behoefte gevoeld om haar eigen nieuwsgierigheid te stillen. Als ze eerlijk was.

Maar Red Cow had haar dus niet veel wijzer gemaakt. Eerder het tegendeel.

'Minnares?' had ze gesnoven. 'Valdemar Roos? Krijg nou wat!'

'Hij schijnt dingen stiekem gedaan te hebben', had Backman benadrukt.

Dat was heel goed mogelijk, had Red Cow gemeend. Maar dat een jongere vrouw zo iemand als Valdemar zou kiezen was ongeveer even ondenkbaar als dat Madonna seks zou hebben met die vreselijke Bert Karlsson van de tv. Of de inspecteur begreep wat ze bedoelde?

Backman had even nagedacht en toen geantwoord dat ze dat deed. Ze had vervolgens gevraagd of Red Cow misschien een verklaring had voor het feit dat Roos na meer dan twintig jaar trouwe dienst zonder voorafgaande waarschuwing besloten had bij Wrigmans Elektriska weg te gaan, en waarom hij er bij zijn familie met geen woord over gerept had.

Red Cow had verklaard dat ze echt geen flauw idee had. Ze hadden er bij de koffie veel over gepraat natuurlijk, vooral de afgelopen dagen, sinds naar buiten gekomen was dat Valdemar het voor zijn vrouw verzwegen had. En bovendien kennelijk ook nog eens spoorloos verdwenen was.

Maar niemand was er tot dan toe in geslaagd met een geloofwaardige uitleg op de proppen te komen. Red Cow niet en de anderen evenmin.

Misschien, had ze tot slot met slecht verholen leedvermaak gezegd, misschien was Tapanen wel het dichtst bij de waarheid gekomen toen hij beweerde dat de laatste stop in dat apenbrein van Roos wellicht gesprongen was en hij het verschil tussen zijn eigen gat en een gat in de grond niet meer zag.

Red Cow citeerde Tapanen weliswaar, maar ze deed alsof het een pikante en behoorlijk trefzekere grap betrof.

Hetgeen ook meegenomen moest worden in het beoordelen van haar geloofwaardigheid, bedacht Eva Backman terwijl ze vaart minderde achter een vrachtwagen en op haar horloge keek.

Het was tien voor half vijf. Ze had nog een eindje te gaan tot de Rockstarotonde en abrupt nam ze het besluit om rechtstreeks naar huis door te rijden in plaats van terug te gaan naar het politiebureau en daar nog tien of vijftien minuten haar plicht te doen.

Dit moet ik morgen maar met Barbarotti bespreken, besloot ze. Er is iets vreemds aan deze zaak, precies wat hij zei. Misschien is er een vrouw bij betrokken, in elk geval klopt er iets niet.

Nieuwsgierigheid had hetzelfde effect als jeuk, constateerde ze ook, en dat had ze weleens eerder bedacht. Het was moeilijk te negeren.

Gunnar Barbarotti herkende de man die de mahoniekleurige deur opende meteen, maar het duurde een paar seconden voor hij weer wist waarvan.

De man was kort en gedrongen, zo iemand met een hoger soortelijk gewicht dan zijn omgeving, en hij keek niet blij.

Dat was de vorige keer dat Barbarotti hem gezien had ook niet het geval geweest. Barbarotti probeerde snel te berekenen hoeveel jaren geleden dat was. Ouderverdadering met de achtste klas van Sara, vlak voor een schoolreisje ... dat moest december 2002 geweest zijn, een jaar na zijn scheiding van Helena, hij herinnerde zich nog dat hij het moeilijk had gevonden om het vol te houden.

Zowel het uitzitten van de vergadering als al het overige.

Kent Blomgren had duidelijk ook problemen gehad om het vol te houden. Hij had gedurende de hele vergadering verbeten gezwegen, had geen boe of bah gezegd bij al de vragen die tijdens de discussie opgekomen waren, maar toen uiteindelijk het besluit genomen was dat de klas in mei een reisje naar Londen zou maken, had hij resoluut zijn stoel naar achteren geschoven en verklaard dat zijn Jimmy verdorie niet meeging met zo'n idioot luxereisje naar Londen. Daar konden die bourgeoisiekinderen en hun ouders op eigen gelegenheid wel naartoe gaan als ze zo nodig moesten.

Na dat statement had hij het klaslokaal verlaten, waarbij hij de deur zo hard achter zich had dichtgeslagen dat de muren ervan nadreunden.

Of het door dat uitgesproken optreden van de man was gekomen of door iets anders wist Barbarotti niet, maar in plaats van het geplande weekje Londen waren het voor Sara en haar klas drie regenachtige dagen Kopenhagen geworden. Blomgren junior was niet meegegaan.

En nu stond Blomgren senior in de deuropening Barbarotti en zijn krukken boos aan te staren. Hij wekte de indruk te overwegen of hij de deur ook deze keer dicht zou smijten, maar Barbarotti was hem voor.

'Hallo', zei hij. 'Volgens mij zitten onze kinderen in dezelfde klas. Ik heb daar niet aan gedacht toen ik je belde.'

'Aha', zei Kent Blomgren.

'Hoe heette dat jong van je ook alweer? Jimmy?'

'Jimmy en Billy', zei Kent Blomgren. 'Ik heb er twee.'

Barbarotti knikte en stapte de hal binnen met zijn gipsbeen vooruit. Kent Blomgren sloot de deur achter hem zonder hem dicht te slaan.

'Ik heb ze in mijn eentje opgevoed', voegde hij eraan toe. 'De vrouw is er met een ander vandoor gegaan toen ze klein waren. Was maar beter ook.'

Dat was een onverwachte, vertrouwelijke mededeling. Barbarotti kuchte en aarzelde even.

'Het is soms niet anders', zei hij. 'Ik leef ook niet samen met de moeder van mijn kinderen. Het leven loopt niet altijd zoals je verwacht.'

Waarom sta ik hier over het leven te wauwelen met

deze stormram? dacht hij. Moesten we het niet over graffiti hebben?

'Wil je koffie?' vroeg Kent Blomgren en hij ging hem voor een smalle keuken in. 'Het is geen moeite, ik heb al gezet.'

Ze gingen aan een blauwe keukentafel zitten. Een cactus van tien centimeter hoog midden op de tafel. Vier in de magnetron opgewarmde kaneelbroodjes op een schaaltje en twee mokken met het logo van voetbalclub IFK Göteborg. Geen suiker, geen melk.

'Zoals ik al zei', zei Barbarotti. 'Ik hou me bezig met het graffitiprobleem.'

'Je bent aan het werk hoewel je in het gips zit', constateerde Kent Blomgren met een knikje naar de voet die Barbarotti met wat moeite op een stoel getild had. De stoel was geel. Er waren maar drie stoelen in de keuken: een gele, een rode en een groene.

'Ik heb geen zin om thuis te zitten', verklaarde Barbarotti.

Kent Blomgren grijnsde op een moeilijk te duiden manier, schonk koffie in en ging op de groene stoel zitten.

'Je komt het vast behoorlijk vaak tegen, neem ik aan?' vroeg Barbarotti. 'Graffiti bedoel ik.'

Kent Blomgren nam een slok van zijn koffie, veegde zijn mond af met de achterkant van zijn hand en leek na te denken. Of te zoeken naar de juiste woorden.

'Godgeklaagd vaak', zei hij langzaam en nadrukkelijk. 'Als ik een van die rotzakken in mijn klauwen kreeg, brak ik zijn nek en voerde ik hem aan de varkens.'

'Precies', zei Barbarotti. 'Pak ze! Hoelang heb je dat schoonmaakbedrijf nu?'

'Tien jaar', zei Kent Blomgren. 'Ik heb eerst bij Brinks gewerkt, maar toen ben ik voor mezelf begonnen.'

'Er is vooral één graffitispuiter die veel last veroorzaakt', zei Barbarotti. 'Of misschien zijn het er twee. De tags PIZ en ZIP, je bent ze vast al vaak tegengekomen.'

Kent Blomgren hapte in een kaneelbroodje, kauwde omstandig terwijl hij Barbarotti strak aankeek.

'Ik heb meer PIZ en ZIP weggestraald dan jij kunt tellen', zei hij toen en hij knarste daarbij met zijn tanden, waardoor het leek alsof hij elke lettergreep probeerde te benadrukken. 'Het is te erg voor woorden. Is het dan zo moeilijk om zo'n vandaal te stoppen?'

'Ik ben net op de zaak gezet', probeerde Barbarotti voorzichtig. 'Ik heb me er nog niet volledig in kunnen verdiepen, maar het is duidelijk dat hij een probleem vormt.'

Kent Blomgren bleef boos voor zich uit kijken en at weer van zijn broodje.

'Heb jij geen theorie?' vroeg Barbarotti.

'Theorie?' vroeg Kent Blomgren.

'Wie er achter dat vandalisme kan zitten? Of kunnen zitten. Ik bedoel, je bent al een tijdje werkzaam in deze branche.'

'Al veel te lang', beaamde Kent Blomgren.

Maar een theorie kon hij niet geven. 'Ik haal die rotzooi weg', constateerde hij laconiek. 'De rotzooimakers krijg ik nooit te zien.'

Ergens in het appartement ging een deur open en een jongeman met lang haar kwam de keuken binnenlopen. Hij droeg een short met daarboven een T-shirt van Homer Simpson erop.

'Jimmy?' zei Barbarotti.

'Billy', antwoordde de jongen en hij stak zijn hand uit. Barbarotti schudde hem de hand, Kent Blomgren keek op zijn horloge en bromde iets.

'Geen zorgen', zei Billy Blomgren, die kennelijk had verstaan wat zijn vader zei. 'Ze zeiden dat het ook goed was als ik na de lunch kwam.'

Hij opende de deur van de koelkast, dronk een paar slokken jus d'orange rechtstreeks uit het pak en verdween weer.

'Moeilijk', zei Kent Blomgren. 'Moeilijk voor ze om tegenwoordig een baan te vinden. Dit hele land gaat naar de kloten.'

Gunnar Barbarotti besefte plotseling dat hij waarschijnlijk tegenover iemand zat met hetzelfde gedachtegoed als Zwager-Roger en besloot niet te lang te blijven. Hij wist niet precies waarom hij hiernaartoe gekomen was, maar hij had de naam Kent Blomgren in de vierde map gevonden en gemeend dat het in ieder geval geen kwaad kon.

'Het is nooit gemakkelijk geweest om jong te zijn', zei hij. 'In elk geval ga ik verder met deze zaak. Op de een of andere manier moeten we die PIZ en ZIP stoppen. Mag ik je een verzoek doen?'

'Wat dan?' vroeg Kent Blomgren terwijl hij zijn laatste beetje koffie opdronk. Barbarotti kwam overeind en pakte zijn krukken.

'Bel me de volgende keer als je opdracht krijgt een ZIP of PIZ weg te halen zodat ik er eerst naar kan kijken.'

Kent Blomgren trok een wenkbrauw op, maar toen knikte hij.

'Geen probleem', zei hij. 'Het zal wel weer Olympen worden, zodat je erover in de krant kunt lezen. Die idioot van een Brahmin lijkt niet veel anders te hebben om over te schrijven.'

'We wachten af', zei Barbarotti en hij verliet huize Blomgren.

Ik ben vergeten te vragen waarom zijn bedrijf in hemelsnaam Kerberos heet, dacht hij toen hij weer op straat stond. Als hij het goed had, was Kerberos een hond die bij de overtocht naar de hel de hellepoort bewaakte, en hij kon maar moeilijk begrijpen wat dat te maken moest hebben met graffitiverwijdering.

Maar hij wist dan ook niet zo goed raad met dit soort half criminele sporen.

Ik ben beter met moordenaars dan met graffitispuiters, dacht hij somber en hij wurmde zich in zijn auto.

In elk geval een geluk dat ik een automaat heb, dacht hij ook. En een geluk dat ik mijn réchtervoet gebroken heb. Hij wist niet helemaal zeker of het wettelijk toegestaan was om met een voet in het gips auto te rijden, maar sommige dingen hoefde je niet persé tot op de bodem uit te zoeken.

Misschien behoorde ook het bedrijf Kerberos Sanering AB tot die dingen.

'Ik geloof dat ik ergens begin te komen', zei Eva Backman.

'Waarmee?' vroeg Barbarotti.

'Met Alice Ekman-Roos', zei Backman.

Het was dinsdag, kwart voor één. Ze zaten bij Kungsgrillen en hadden net ieder het dagmenu gekregen: *kalops*, een stoofschotel met rundvlees, ui, peperkorrels en laurier, geserveerd met bietjes.

'Perfect', zei Barbarotti. 'In welke zin dan precies?'

'Ik denk dat ze bereid is om aangifte te doen', zei Backman. 'Ik heb vanochtend met haar gesproken.'

'Het werd tijd', zei Barbarotti. 'Hij is nu immers al tien dagen weg. Het zou een schandaal zijn als we niet serieus naar deze zaak keken.'

'Ik weet niet of het een schandaal is', zei Backman. 'Maar ik weet wel dat het een rare zaak is. Denk je dat hij bewust zomaar in rook is opgegaan?'

Barbarotti dacht na. 'Voor veel mensen is het een aanlokkelijk idee', zei hij. 'Maar ik begrijp niet waarom hij het dan niet in één keer gedaan heeft. Waarom eerst een maand lang net doen alsof hij naar zijn werk gaat om daarna pas te verdwijnen? Dat klinkt mij niet logisch in de oren.'

'Misschien had hij die maand ergens voor nodig', opperde Backman.

'Waarvoor dan?' vroeg Barbarotti terwijl hij aan zijn gips krabde.

'Wat voor zin heeft het om aan je gips te krabben?' vroeg Eva Backman. 'Het is me opgevallen dat je dat best vaak doet.'

'Het is een symbolische daad', zei Barbarotti. 'Als je niet kunt doen wat je eigenlijk wilt doen ... om wat voor reden dan ook ... ja, dan neem je je toevlucht tot een symbolische daad.'

'Zoals het verbranden van vlaggen?' zei Backman.

'Verbranden van vlaggen?' vroeg Barbarotti. 'Nou ja, ik weet niet of dat als een symbolische daad wordt gezien ... maar genoeg hierover. Waarom zou Valdemar Roos een maand nodig hebben gehad voor hij zijn plan kon uitvoeren en echt kon verdwijnen?'

'Daar ben ik nog niet uit', zei Backman. 'Maar misschien had hij wat tijd nodig om een plan te maken. Of voor geld te zorgen. Een bank beroven, bijvoorbeeld?'

'Ik geloof niet dat er eind januari een bank is beroofd', zei Barbarotti.

'Misschien is hij naar een andere plaats gegaan', zei Backman.

'Een geslepen persoon', zei Barbarotti.

'Een crimineel genie', zei Backman. 'Geloof jij daarin?'

'Nee', zei Barbarotti.

'Wat geloof je dan?'

Barbarotti legde zijn vork en mes neer en leunde naar achteren. 'Ik weet het niet precies', zei hij. 'Maar als we dit als een politiezaak beschouwen, is het ook toegestaan om met mensen te gaan praten. Wie wil je als eerste nemen?'

'Die vriendin', zei Eva Backman na een paar seconden aarzelen. 'Die vrouw die beweert dat hij restaurant Ljungmans uit kwam met een jongedame in zijn kielzog.'

'Precies', zei Barbarotti. 'Die theorie over een minnares is immers geheel en al op haar verhaal gebaseerd.'

'Het zou goed zijn als er ook een fatsoenlijk opsporingsbericht kwam', zei Eva Backman. 'Hij kan immers nog hier of daar gezien zijn. Zijn vrouw is tenslotte de enige die hem tot nu toe mist ... om het zo maar te zeggen.'

'Om het zo maar te zeggen', beaamde Gunnar Barbarotti. 'Ik ben voor een opsporingsbericht. Regel jij dat alsjeblieft, ik denk dat het voor mij goed is om bij Asunander uit de buurt te blijven. Trouwens, ben je niet nieuwsgierig om te horen hoe het gaat met de jacht op die graffitispuiter die de spot met ons drijft?'

'Op dit moment even niet', zei Eva Backman. 'Als je het me niet kwalijk neemt. Ik vind dat het tijd is om af te rekenen en terug naar onze bureaus te gaan. Maar ik hou je op de hoogte over Roos.'

'Dank je', zei Barbarotti. 'Zou je me even mijn krukken willen aangeven?'

30

De foto van de vermiste Ante Valdemar Roos werd in het donderdagnummer van *Lokaltidingen* gepubliceerd en om half elf diezelfde ochtend kwam het eerste telefoontje binnen bij de politiecentrale.

Het was een vrouw die Yolanda Wessén heette. Ze werkte in een ICA-supermarkt in Rimmersdal en beweerde dat de man op de foto in de afgelopen periode een paar keer bij haar boodschappen had gedaan. Hij had zich voorgesteld als Valdemar.

Maar het was al wel een tijdje terug. Als ze het zich goed herinnerde had ze hem een week geleden voor het laatst gezien. Misschien was het zelfs wel tien dagen geleden.

'Rimmersdal?' zei Eva Backman toen ze de vrouw uiteindelijk sprak. 'In de buurt van Vreten?'

Yolanda Wessén bevestigde dat Rimmersdal vijf kilometer van Vreten vandaan lag, en ze vertelde ook dat ze een goed geheugen voor gezichten had. Ze hield ervan om een praatje met haar klanten te maken, ook al zat ze maar achter de kassa en kwam ze meestal niet verder dan een opmerking over het weer.

Backman vroeg wanneer ze Valdemar Roos voor de eerste keer gezien had. Yolanda Wessén vertelde dat dat ongeveer een maand geleden moest zijn; daarop besloot Backman om naar Rimmersdal te rijden om uitvoeriger met haar te praten.

In de tussentijd, dat wil zeggen tussen elf uur en half twaalf die donderdagochtend, nam inspecteur Barbarotti Gordon Faringer voor zijn rekening, de psychiater die een bekende van de familie Ekman-Roos was, en die een paar weken eerder een gesprek met Valdemar gehad had over diens algemene psychische toestand en zijn vermeende depressie.

Gordon Faringer was een slungelige man van vijfenvijftig jaar. Hij was zongebruind en zag er goed uit, vond Barbarotti. Een paarse zakdoek stak in het borstzakje van zijn colbert, maar zijn grootste pluspunt in gesprekken met patiënten was waarschijnlijk wel zijn stem.

Die klonk diep en welluidend, deed denken aan het geluid van een cello en maakte dat alles wat hij zei doordacht en wijs klonk. Barbarotti besefte dat je niet snel zou twijfelen aan wat de man zei, zelfs niet als je daar je best voor deed. 'Ik heb weliswaar maar bij één gelegenheid met Valdemar over zijn gemoedstoestand gesproken', zei Faringer bijvoorbeeld. 'Het was geen officieel consult, maar ik zou hem toch niet beoordelen als gedeprimeerd in de klassieke zin van het woord.'

'Ik begrijp het', zei Gunnar Barbarotti.

'Hij is nooit een enorm extravert persoon geweest, we zijn allemaal verschillend van aard op deze planeet. Maar nee, ik denk niet dat zijn verdwijning de oorzaak is van een psychische instabiliteit.'

'Hij heeft vijf weken geleden zijn baan opgezegd',

bracht Barbarotti hem in herinnering. 'Zonder het tegen zijn vrouw te zeggen.'

'Ja, daarvan ben ik op de hoogte', zei Faringer. 'Alice belde me gisteren en we hebben lang gepraat. Het is voor mij even onbegrijpelijk als voor ieder ander.'

'Zei zijn vrouw nog iets over het feit dat er misschien een andere vrouw bij betrokken is?'

Gordon Faringer knikte zorgelijk en streek een paar keer over zijn rechterslaap, een onbewust – maar mogelijk zeer bewust – gebaar voor bedachtzaam nadenken waarschijnlijk. Hij kuchte en zette zijn bril recht.

'Ja', zei hij. 'Dat heeft ze ook verteld. Kennelijk had een vriendin een observatie gedaan. Zeer merkwaardig, ik wil niet beweren dat Valdemar een aseksueel persoon is, maar dat hij Alice met een jonge minnares zou bedriegen lijkt ons zeer onwaarschijnlijk en we kunnen ons dat nauwelijks voorstellen ... als ik zeg "we", dan doel ik op mijzelf en mijn vrouw.'

'Mm', zei Barbarotti. 'Maar het staat onomstotelijk vast dat hij bij Wrigmans gestopt is. Misschien wordt het tijd om die hele Valdemar Roos in een ander daglicht te gaan zien, als u begrijpt wat ik bedoel.'

'Ik begrijp heel goed wat u bedoelt', zei Gordon Faringer en hij glimlachte vluchtig. 'En ieder mens heeft natuurlijk kanten waarvan de omgeving niet op de hoogte is. Vaak zijn we er ons zelf niet eens van bewust.'

'Is het heus?' reageerde Barbarotti. 'Dus in een bepaalde situatie zouden zulke onbekende kanten naar boven kunnen komen en kunnen resulteren in ... onverwacht gedrag?'

Faringer raakte zijn slaap weer aan. 'Dat is geen slechte redenatie', zei hij. 'Je zou eraan kunnen toevoegen dat er meestal iets nodig is wat het allemaal in gang zet: een katalysator.'

'En zou daar in het geval van Valdemar Roos sprake van kunnen zijn?'

'We kunnen het niet uitsluiten', antwoordde Gordon Faringer. 'Al heb ik er natuurlijk geen flauw idee van wat die katalysator dan geweest kan zijn.'

Barbarotti dacht even na.

'Zou u durven beweren dat u Valdemar Roos goed kent?'

'Absoluut niet', antwoordde Gordon Faringer onmiddellijk. 'Ik ken zijn vrouw in feite beter. We kennen elkaar al minstens twintig jaar. Valdemar is immers pas ongeveer tien jaar geleden in haar leven gekomen. En over het algemeen gaan we niet zo heel veel met elkaar om, we eten een paar keer per jaar over en weer, dat is alles.'

'Ik begrijp het', zei Barbarotti, 'Wat vindt u trouwens van haar reactie, om zo lang niets over zijn verdwijning te zeggen?'

Faringer haalde zijn schouders op. 'Dat is heel menselijk', zei hij. 'Zo'n verdwijning bezorgt iemand natuurlijk een enorm gevoel van schaamte, als de partner zonder een woord te zeggen ervandoor gaat.'

'Als het inderdaad zo gegaan is', zei Barbarotti.

Voor het eerst was er een glimp van verbazing op het gezicht van de dokter te zien. 'Hoe moet het anders gegaan zijn?' vroeg hij.

'U zei net zelf dat u maar moeilijk kunt geloven dat er een andere vrouw in het spel is', zei Barbarotti.

'Zeker,' zei Gordon Faringer en hij liet weer een vluchtige glimlach zien, 'maar ik beweerde ook niet dat Valdemar een andere vrouw nodig had om Alice te verlaten.'

Barbarotti dacht weer na.

'Bedoelt u dat u niet verbaasd zou zijn als Valdemar Roos op dit moment op Malaga een sangria zat te drinken?'

'Of een Singha Beer in Phuket', opperde Gordon Faringer terwijl hij op zijn horloge keek. 'Ja, op dat alternatief zou ik wel een honderdje durven te zetten. Het spijt me, over een kwartier heb ik een afspraak in het ziekenhuis. Denkt u dat ...?'

'Vanzelfsprekend', zei Barbarotti. 'Misschien hoort u nog van me, mocht het om wat voor reden dan ook nodig blijken.'

'U kunt altijd contact met me opnemen', antwoordde dokter Faringer.

Hij stond op, gaf hem een hand en verliet de kamer.

Toen Barbarotti weer alleen was, haalde hij voorzichtig zijn gipsbeen van zijn bureau, leunde naar achteren in zijn stoel en vouwde zijn handen achter zijn nek. Hij bleef zo minstens tien minuten zitten, terwijl hij een duidelijk beeld van Ante Valdemar Roos voor zich probeerde te zien.

Om te beginnen constateerde hij dat de beschrijvingen die hij tot dan toe gekregen had – van de echtgenote, van Red Cow, van Gordon Faringer – vrij goed overeenkwamen.

Dat was toch zo? Valdemar Roos was introvert, saai, sociaal onhandig en niet erg geliefd. Een traag, somber en voorspelbaar persoon, van wie je niet blij werd en van wie niemand iets bijzonders of verrassends verwachtte.

Ja, zo was het beeld wel ongeveer. Maar stel dat ... bracht Gunnar Barbarotti ertegen in, stel dat Valdemar Roos als het erop aankwam een beduidend gecompliceerder mens was dan zijn omgeving zich wilde voorstellen. Wat wist Alice Ekman-Roos bijvoorbeeld over de diepere lagen van haar mans persoonlijkheid? Over zijn dromen, zijn verlangens, zijn drijfveren? Wat wist Red Cow? Wat wist Gordon Faringer?

Niemand kon toch van binnen zo zijn als de buitenkant van Ante Valdemar Roos omschreven werd? Een meubelstuk? Iedereen had toch recht op zijn eigen wereldbeeld en zijn kijk op de belangrijke vragen van het leven? De buitenkant was de buitenkant, maar diep was diep, en velen kozen er gewoon voor om niet zomaar iedereen tot hun meest private kamers toe te laten. Om verschillende maar wellicht heel legitieme redenen. Wie zei dat Roos geen interessant of veelzijdig mens was, alleen maar omdat hij niet zijn hele ziel en zaligheid blootgaf?

Daar kwam het op neer.

Barbarotti leunde naar achteren in zijn stoel en keek door het raam naar buiten.

En waar wil ik eigenlijk naartoe met deze schijnredenatie? vroeg hij zich af. Waarom kan ik niet accepteren dat de meeste saaie pieten simpelweg door en door saaie pieten zijn?

Omdat het veel spannender is als ze meer in zich hebben? Omdat ik zou willen dat de wereld zo in elkaar stak?

Het leven moet een verhaal zijn, anders is het zinloos. En dus ondraaglijk. Niet dan? *Niet dan?*

Er werd op de deur geklopt en Asunander stak zijn hoofd naar binnen.

'Hoe staat het met de graffiti? Is er al een oplossing in zicht?'

Barbarotti stopte abrupt met alle gedachtespinsels over Valdemar Roos en het leven op zich, en probeerde meer rechtop in zijn stoel te gaan zitten zonder zijn been van het bureau af te halen. Het deed pijn in zijn rug.

'Ai', zei hij. 'Bedankt, commissaris, het gaat uitstekend. Ik probeer juist een paar ingevingen tegen elkaar af te wegen.'

'Werkelijk?' zei Asunander zonder de kamer binnen te stappen. 'Wat voor ingevingen?'

'Het is enigszins gecompliceerd', zei Barbarotti. 'Ik was van plan om morgen verslag bij je te komen doen van de zaak ... of maandag.'

'Mooi', zei Asunander. 'Daar kijk ik naar uit. Maar ik heb geen trek in geneuzel en nog meer mappen. Ik wil dat dit sujet een halt wordt toegeroepen en ik verwacht resultaten van je.'

'Vanzelfsprekend', antwoordde Barbarotti. 'Wat mij betreft is het slechts een kwestie van tijd.'

'Des te beter', zei Asunander en hij sloot de deur.

Het probleem, dacht inspecteur Barbarotti, het grootste probleem is dat ik totaal niet in die graffitispuiter geïnteresseerd ben. Wat had ik nou net bedacht over Valdemar Roos?

'Moet je horen', zei Eva Backman. 'Dit is echt interessant.'

Barbarotti knikte en keek op zijn horloge. Het was half vijf. Hij had beloofd Marianne om kwart over vijf op te halen voor de weekboodschappen bij de Coop in Billundsberg. Dat was hun gebruikelijke donderdagse uitje. Als er iets was in het leven waar Gunnar Barbarotti niet blij van werd, naast graffitispuiters, rapmuziek en roddeljournalistiek, dan was het wel de weekboodschappen doen, maar hij besefte dat het voor een gezin van acht, tien personen een noodzakelijk onderdeel van het bestaan was. Zelfs al liep een bepaald lid van het gezin op krukken.

'Ik heb een beetje haast om naar huis te gaan', zei hij. 'Had je daar niet eerder mee kunnen komen?'

'Ik heb nog geprobeerd om ook Karin Wissman te pakken te krijgen', legde Backman uit. 'Die getuige uit het restaurant. Maar ze is kennelijk nog op een conferentie in Helsingfors. Ze zou vandaag thuiskomen, maar nu blijkt dat ze pas zaterdag terugkomt.'

''t Is toch wat', zei Barbarotti. 'Maar wat was er nu zo interessant?'

'Yolanda Wessén', zei Eva Backman. 'Die vrouw van de ICA-supermarkt in Rimmersdal, die vanmorgen belde. Ik ben naar haar toe gegaan en heb anderhalf uur met haar gepraat. Het was een bijzonder nuttig gesprek, niet alleen wat betreft de informatie over Valdemar Roos die ze kon geven.'

'Vrouwen onder elkaar?' vroeg Barbarotti.

'Als je het wilt vereenvoudigen tot jouw begripsniveau', antwoordde Backman.

'Sorry, maar wat kon ze over Valdemar Roos vertellen?'

Eva Backman sloeg haar aantekeningenblok open. 'Nou, die buitengewoon aardige vrouw dus, Yolanda Wessén – of Yolanda Pavlovic, zoals ze heette voor ze naar ons fantastische land kwam en met een cholerische bakker trouwde – beweert dat Valdemar Roos de afgelopen maand minstens vijf keer bij haar in de winkel is geweest om boodschappen te doen. Met uitzondering van de afgelopen week, toen is hij niet één keer gesignaleerd.'

'Wacht even', zei Barbarotti. 'Die winkel zit in Rimmersdal, dat is toch zo'n dertig, veertig kilometer van de stad af?'

'Vijfendertig', zei Backman. 'De kant van Vreten op, mijn broer woont in die omgeving.'

'En het gaat om een ICA-supermarkt?'

'Klopt.'

'Wat heeft hij gekocht?'

'Basisdingen', zei Eva Backman. 'Melk, brood, koffie, eieren. De noodzakelijke boodschappen.'

'Waar duidt dat op?' vroeg Barbarotti.

'Wat denk je zelf?' ketste Backman terug.

Barbarotti dacht na.

'Nu moeten we niet meteen allerlei conclusies gaan trekken', zei hij.

'Goodness no', zei Eva Backman.

'Je kunt snel te overhaast zijn.'

'Goodness yes.'

'Misschien nam hij die boodschappen mee naar zijn huis in Fanjunkargatan.'

'Al die keren', zei Eva Backman. 'Je slaat vast de spijker op zijn kop. Hij stapt 's morgens in zijn auto, rijdt vijfendertig kilometer naar het westen, stopt bij een gezellig ICA-supermarktje en haalt daar zijn boodschapjes. Vervolgens rijdt hij er weer mee terug naar huis. Bij elkaar zeventig kilometer.'

'Precies', zei Barbarotti. 'Volkomen normaal gedrag voor een Zweedse man zoals hij.'

'Dus?' zei Backman.

'Dus heeft hij een andere plek', zei Barbarotti. 'Waar hij naartoe rijdt.'

'Tot die conclusie kom ik ook', zei Backman.

'Mooi', zei Barbarotti.

'Misschien naar zijn minnares.'

'Mogelijk. Al heb ik moeite om in die minnares te geloven.'

'Ik ook', zei Backman. 'Maar in ieder geval moet het daar ergens in de buurt zijn. In de buurt van Rimmersdal. Niet?'

'Klinkt uiterst aannemelijk', zei Barbarotti. 'Heeft ze nog meer gezegd, die Yolanda Wessén? Hij had zich toch ook aan haar voorgesteld?'

'Inderdaad', zei Backman.

'Stel jij je aan de kassière voor als je boodschappen gaat doen?'

'Nee', zei Backman. 'Als ik heel eerlijk ben, laat ik dat wel uit mijn hoofd.'

'Dat geldt voor mij ook', zei Barbarotti.

'Maar Yolanda zegt dat hij zich beleefd en aardig gedroeg, hij leek haast graag een praatje te willen maken. En ja ... het klopt inderdaad.'

'Wat?' vroeg Barbarotti.

Backman krabde op haar hoofd en kreeg een bezorgde rimpel in haar voorhoofd. 'Er staat haar bij dat hij een keer iets in die richting gezegd heeft. Dat hij vaker boodschappen zou komen doen, omdat hij kort tevoren ... in de buurt was komen wonen.'

'In de buurt was komen wonen?' zei Barbarotti. 'Zei hij dat? Dan is het toch wel duidelijk?'

'Nou ja,' weifelde Backman, 'ze herinnert zich niet of

hij dat echt expliciet heeft gezegd. Het was ... ja, het was meer een indruk die ze kreeg. En aangezien hij vervolgens een paar keer per week verscheen, werd die indruk versterkt.'

'Maar ze herinnert zich niet dat hij letterlijk gezegd heeft dat hij een woning in de buurt heeft?'

'Nee, ze zou er niet op durven zweren. Het kan zijn dat ze zelf gewoon die conclusie getrokken heeft.'

'Mm', zei Barbarotti. 'Nou, toch interessant in elk geval. Nog meer?'

'Er is niet zo veel meer', zuchtte Backman. 'Helaas. Wat vind je dat we nu moeten doen?'

Barbarotti krabde aan zijn gips en bleef tien seconden zwijgen.

'Nadenken', zei hij toen. 'Gaan zitten bedenken wat dit in hemelsnaam kan betekenen. En die getuige horen natuurlijk ... wanneer zei je dat ze terug was? Zaterdag?'

'Zaterdagavond', bevestigde Backman. 'We hebben ten minste twee dagen om zuiver en alleen maar na te denken. Als dat is wat we willen, tenminste. Het is tenslotte ... het is tenslotte ondanks alles maar een saaie piet die verdwenen is.'

Barbarotti knikte. 'Ik weet het', zei hij. 'Ik begrijp ook niet waarom ik me zo druk maak om die meubelman.'

Eva Backman leek naar een antwoord te zoeken, maar vond dat kennelijk niet, want ze klapte het aantekeningenblok dicht en keek door het raam naar buiten.

'Het ziet ernaar uit dat het gaat regenen', zei ze.

'Het lijkt er inderdaad op', antwoordde Gunnar Barbarotti. 'Hoe dan ook, ik ben heel slecht in zuiver nadenken. Maar dat hoef ik jou niet te vertellen.'

Eva Backman sloeg haar ogen even ten hemel, toen

keek ze op de klok. 'Moest jij niet met je geliefde boodschappen doen?'

'Verdorie, ja', zei Barbarotti. 'Waar zijn mijn krukken?'

31

Dat laatste waar hij die donderdagmiddag met Eva Backman over had gesproken bleef hem maar bezighouden.

De vraag wat er nu zo interessant was aan Valdemar Roos. Die hield hem niet alleen op donderdagavond bezig, maar ook op vrijdag, toen er niets nieuws over de zaak naar voren kwam, op zaterdag, toen hij vrij was en Zwager-Roger eindelijk zijn belofte waarmaakte en naar Lyckelse terugreed – het was eigenlijk naar Bollnäs, waar een bekende van hem woonde bij wie hij van plan was te overnachten – en in de nacht van zaterdag op zondag, waarin hij en Marianne voor het eerst sinds de val in de kruiwagen, twaalf dagen daarvoor, weer met elkaar vrijden.

Natuurlijk had hij het verhaal over Valdemar Roos niet continu in zijn hoofd – zeker niet tijdens de enigszins gecompliceerde liefdesdaad – maar het kwam steeds met irritante hardnekkigheid terug. Je kon je afvragen waarom.

Een saaie piet verdwijnt?

Misschien een mooie titel voor een toneelstuk, meende hij, maar hoe zat dat inhoudelijk? Wat gaf die trieste geschiedenis van een zestigjarige man die zijn werk en gezin verlaat zo'n ... glans?

Glans? dacht Barbarotti terwijl hij constateerde dat de klokradio net van 02 uur 59 naar 03 uur 00 sprong. Waar kwam dat woord vandaan? Als er één woord was dat niet bij de levensloop van Ante Valdemar Roos paste, dan was het wel 'glans'. Nee, het moest om iets anders gaan.

Ik heb met hem te doen, bedacht hij. Het is mijn humanistische inborst waardoor ik me interesseer voor zulke duistere, menselijke lotsbestemmingen. Niemand in heel de wereld maakt zich druk om Valdemar Roos, en daarom doe ik het juist. Ik wil dit tot op de bodem uitzoeken, ongeacht Asunander en zijn graffitispuiters, dat is mijn plicht ten aanzien van een van mijn mindere broeders.

Maar deze filantropische invalshoek klopte ook niet helemaal, moest hij na enig nadenken erkennen. Hoe graag hij het ook gewild had. Eva Backman was net zo nieuwsgierig naar wat er met Roos gebeurd was als hijzelf, en misschien had ze vrijdag de vinger wel op de zere plek gelegd toen ze zei dat het hele gebeuren de natte droom van ieder mens was.

Misschien vooral van de man, had ze eraan toegevoegd na even nagedacht te hebben. Om uit je leven te kunnen stappen zoals je een kledingstuk uittrekt dat je zat bent. Om van de ene op de andere dag je hele bestaan om te gooien. Alles wat saai en ingesleten is: je werk, je vrouw, je huis, je gezin. Om vervolgens ergens anders fris en nieuw te beginnen.

Aanlokkelijk? dacht Barbarotti. Absoluut – in ieder geval voor bepaalde mensen in bepaalde levensomstandigheden – maar waarschijnlijk ook behoorlijk naïef. Het gras is niet groener aan de andere kant van de heuvel, en waar je ook naartoe gaat, je neemt altijd jezelf mee.

En was dat nu echt wel de kern van deze vreemde gebeurtenis?

Valdemar Roos moest in elk geval een wonderlijk plan voor zichzelf bedacht hebben. Als hij inderdaad van plan geweest was zijn vrouw en dochters te verlaten, waarom had hij dat dan niet in één keer gedaan? Waarom met zijn werk stoppen om vervolgens toch nog de schijn op te houden en net te doen alsof hij er elke dag heen reed? Een hele maand lang. Wat was de reden daarvan? En waarom ging hij met de auto naar het gebied rond Vreten? Wat was daar? Zijn minnares?

Goede vragen misschien. Of juist totaal verkeerde vragen? In elk geval kon Barbarotti geen logische antwoorden vinden; dat was hem al een paar dagen lang niet gelukt, en misschien kon hij daarom die verdwenen saaie piet wel niet uit zijn hoofd zetten.

Omdat het zo vreemd was.

Omdat inspecteur Barbarotti geen flauw benul had wat er gebeurd kon zijn en hem dat irriteerde.

Hij had er op zaterdagavond met Marianne over gesproken, na het avondeten, toen alle kinderen hen eenzaam met de afwas hadden achtergelaten.

'Dit verhaal kan best weleens alleen maar interessant zijn zolang we niet weten hoe het zit', had hij gezegd. 'Zodra we erachter zijn, als de kaarten op tafel liggen, blijkt het banaal en treurig te zijn en niets meer dan dat.'

'Ja, maar is dat niet met het hele leven zo?' had Marianne geantwoord na even te hebben nagedacht. 'De vragen en het onderzoeken zijn groot, niet de antwoorden en duidelijkheden.'

'En het zoeken naar antwoorden?' had hij gevraagd.

‘Is dat niet het najagen van de wind, zoals we zeiden?’

‘Niet altijd’, had ze gezegd, maar hij had aan haar gezien dat ze niet tevreden was met haar eigen antwoord.

‘God?’

‘God, ja? Ik weet het niet, maar ik weet in elk geval zeker dat een god zonder vragen of mysteries alleen maar een afgod kan zijn. Het is niet de bedoeling dat we alles begrijpen. Vooral Hem niet.’

Daarna had ze hem iets langer gekust dan handig was voor het moment en de afwas.

Wat is het toch fantastisch om getrouwd te zijn met een vrouw die zo veel meer van het leven begrijpt dan ikzelf, had Gunnar Barbarotti gedacht.

Maar hoe zou het voor haar zijn om met mij getrouwd te zijn?

Op zondagochtend belde hij Eva Backman.

‘Sorry’, zei hij. ‘Ik weet dat het zondag is en dat er floorball is enzovoort, maar heb je gisteren nog contact gehad met die getuige?’

‘Hoe staat het met het zuivere nadenken?’ antwoordde Backman.

‘Dat is nog niet helemaal klaar,’ bekende Barbarotti, ‘maar er wordt aan gewerkt. Die getuige?’

‘Ja’, zei Eva Backman. ‘Ik heb inderdaad met haar gesproken, maar ik ben bang dat ze niet erg veel licht op de zaak heeft kunnen werpen. Anders had ik je wel gebeld.’

‘Dat waardeer ik’, zei Gunnar Barbarotti. ‘Maar ze moet toch wel íéts zinnigs te melden hebben gehad?’

‘We hebben een behoorlijk goed signalement van dat meisje gekregen’, zei Backman.

‘Meisje?’

'Ja', zei Backman. 'Die vrouw gebruikte dat woord. De jongedame was nauwelijks ouder dan twintig, dacht ze. Misschien nog wel jonger.'

'Een tiener?' riep Barbarotti uit. 'Mijn hemel, Valdemar Roos is bijna zestig.'

'Daarvan ben ik op de hoogte', zei Backman. 'Ja, die theorie over een minnares lijkt steeds minder hout te snijden. En die getuige, Karin Wissman heet ze overigens, had zelf ook een beetje moeite om in die theorie te geloven toen ik erop doorging. Al had ze zelf ook geen andere. In elk geval kunnen we met grote zekerheid zeggen dat Valdemar Roos ruim twee weken geleden met een jong meisje het lunchrestaurant uit is gekomen.

'Vervolgens verdwijnt hij twee dagen later als zijn vrouw hem vertelt dat hij is gesignaleerd met dat jonge meisje.'

'Exact', zei Backman. 'Het is wel duidelijk dat dat telefoontje iets in werking moet hebben gezet. Maar verder ... ja, op dat punt draaien we nog steeds in cirkeltjes rond.'

'Wat verdomd irritant toch', zei Barbarotti.

'Ja', zei Backman. 'Dat kun je wel stellen, maar ik vond het dus niet nodig om je te bellen gisteren.'

'Nee, dat begrijp ik', zei Barbarotti.

'Al is er nog wel iets anders.'

'O?'

'Het gaat over een eigenaardig klein voorval. Ik heb gisteren met nog een andere getuige gesproken.'

'Met wie dan?'

Eva Backman aarzelde kort. 'Het is vast niet belangrijk, maar het was een vrouw die in een café met Valdemar gesproken had.'

'In een café?'

'Ja. Café Prince in Drottninggatan. Al is het wel twee maanden geleden. Of in ieder geval anderhalf, ze herinnerde zich de datum niet precies. Maar ze herkende hem van de foto in de krant en daarom had ze contact opgenomen.'

'O?'

'Hij was kennelijk een beetje aangeschoten die avond. Had haar een paar drankjes aangeboden. Ze hebben ongeveer een uur met elkaar zitten praten, beweert ze.'

'In café Prince in Drottninggatan?'

'Ja.'

'Ik had niet gedacht dat Valdemar Roos het type was dat in een café met vrouwen aan de praat raakte.'

'Ik ook niet,' zei Eva Backman, 'maar ik zei toch dat het eigenaardig is? Ze komt morgenmiddag naar het politiebureau, dan kunnen we uitgebreid met haar praten.'

'Mooi', zei Barbarotti. 'Ik vind ... ik vind dit heel vreemd klinken.'

'Wat hij zei was kennelijk ook erg raar.'

'Wat? Wie zei wat?'

'Valdemar Roos. Deze vrouw beweert dat hij eigenlijk de hele tijd maar over één ding zat te wauwelen. Dat hij met zijn vader in een bos liep.'

'Nu volg ik het even niet meer', zei Barbarotti.

'Dat snap ik', zei Eva Backman. 'Maar dat zei ze dus. Dat *hij* dat zei. Iets met zonovergoten dennen en dat dat het belangrijkste moment van zijn leven was ...'

'Toen hij met zijn vader in een bos liep?'

'Precies', zei Eva Backman.

Barbarotti bleef even zwijgen.

'Denk je dat hij misschien gewoon de weg kwijt is?' vroeg hij toen.

'Ik weet het niet', zei Eva Backman. 'We zullen morgen misschien iets meer van die getuige horen. Ik ben het met je eens dat het een merkwaardig verhaal is.'

'Merkwaardig is nog zacht uitgedrukt', antwoordde Barbarotti en toen hingen ze op.

Er volgde echter nog een telefoongesprek met Backman op die bewolkte zondag in de herfst.

Nu was zij degene die belde en het was om half elf 's avonds.

'Sorry dat ik bel, hoewel het zondag is en er dood blad geharkt en zuiver nagedacht moet worden, en al dat soort dingen', begon ze.

'Blanke vrouw spreekt met gespleten tong', zei Barbarotti.

'Ik denk dat we een doorbraak hebben.'

'Hoe bedoel je?' vroeg Barbarotti.

'Mogelijk, in elk geval,' zei Backman, 'maar ik weet het niet zeker.'

'Ga door.'

'Ik heb net met een zekere Espen Lund gesproken.'

'Espen Lund?'

'Ja, hij is makelaar en een oude vriend van Valdemar Roos. Hij was op reis, is vandaag thuisgekomen en zag een uur geleden de foto in de krant. Hij zegt dat hij ongeveer een maand geleden een huis aan Valdemar heeft verkocht. In de buurt van Vreten. Wat zeg je daar nu van?'

'Wat zeg je daarvan?' riep Gunnar Barbarotti uit. 'Ik zeg: we zetten die makelaar in een auto en rijden er onmiddellijk met hem naartoe. Wat zou je dan verdomme willen doen?'

'Ik had zo ongeveer hetzelfde bedacht,' zei Eva Backman, 'maar ik heb het naar morgen verschoven. Het is namelijk al half elf en die makelaar zegt dat hij een jetlag heeft.'

'Oké', zei Barbarotti. 'Dan spreken we morgen af. Hoe laat?'

'Hij komt om negen uur naar het politiebureau', zei Eva Backman.

'Verdomme', zei Barbarotti.

'Waarom vloek je steeds?'

'Omdat ik morgenochtend met mijn been in het ziekenhuis moet zijn. Ik denk dat ik moet ...'

'Zo gaat dat als je in een stomme kruiwagen landt', zei Eva Backman, en bijna kwam er nog een vloek uit zijn mond.

'Ik stel het uit', besloot hij. 'Dat ziekenhuisbezoek dus. Heb je al met mevrouw Roos over de nieuwste ontwikkelingen gesproken?'

'Nee', zei Eva Backman. 'Ik vond het beter om daarmee te wachten tot we ter plaatse zijn geweest en de boel hebben geïnspecteerd.'

Gunnar Barbarotti dacht even na, toen merkte hij op dat dat waarschijnlijk een juist besluit was, gezien de omstandigheden.

III

32

Net na zes uur kwam hij bij het strand aan. De zon was nog niet op, maar het zou niet lang meer duren. Het morgenrood bedekte in het oosten al de helft van de hemel, vogels cirkelden in uitgerekte ellipsen boven de strandvlaktes, en de zee lag er verstild en verwachtingsvol bij.

Verwachtingsvol? dacht hij. Is er een mooiere toestand?

Hij besloot om in zuidelijke richting te lopen. Na een paar honderd meter stopte hij om zijn schoenen uit te doen. Liet ze in het zand achter in de beschutting van een afgebladderde, houten boot die op zijn kop lag en die een redelijk eind van de waterkant was neergelegd. De sokken erin, in elke schoen één. Hij vermoedde dat niemand de moeite zou nemen om een paar van zulke lelijke, afgetrapte instappers te ontvreemden, en als iemand dat toch deed, kon hij altijd nog zonder problemen op blote voeten het pension bereiken.

Hij had een paar reservesandalen. Die had hij in Malmö gekocht voor ze de Sont overgestoken waren; ze had gezegd dat ze hem stonden, maar dat hij er absoluut geen sokken in mocht dragen, en hij had ze nog niet geprobeerd.

Het pension heette Paradijs, ze hadden er nu vier nachten doorgebracht en dit was de eerste nacht waarin hij niet had kunnen slapen. Hoe dat kwam wist hij niet; rond middernacht was hij in slaap gevallen nadat hij een kruiswoordpuzzel had afgemaakt, maar om drie uur was hij alweer wakker geworden en daarna had hij geen oog meer dichtgedaan.

Om kwart voor vijf was hij zachtjes opgestaan, had een uitgebreide douche genomen, zich aangekleed en was naar buiten geslopen. Het pension lag tussen de bebouwing, het was een rozegeschilderd, houten huis van twee verdiepingen hoog, ingebed tussen groepjes seringenstruiken en fruitbomen; maar binnen vijf minuten was je bij de zee.

Anna had geslapen toen hij vertrokken was. Ze had op haar gebruikelijke manier gelegen, opgerold met haar handen tussen haar knieën en een kussen op haar hoofd. In de deuropening was hij even naar haar blijven kijken. Zo wonderlijk, had hij gedacht, zo snel als ze de spil van mijn leven geworden is, ik kan me haast niet meer voorstellen dat we ooit zonder elkaar geweest zijn.

Hij had ook op dit moment het beeld van haar op zijn netvlies, terwijl hij langzaam zuidwaarts liep over het oneindige strand. Voor zover hij wist liep dat helemaal door tot aan de Duitse grens, waarschijnlijk nog verder. Ja, de wereld is oneindig, dacht hij plotseling. Zo is het werkelijk. Ons leven en onze mogelijkheden zijn onbegrensd; het is gewoon een kwestie van het ontdekken en vastpakken.

En iedere dag is een kadootje.

Er waren inmiddels veertien dagen verstreken. Twee weken en een nacht sinds die zondagavond waarop het leven een totaal nieuw en onverwacht spoor op was gegaan. Ante Valdemar Roos wist dat deze tijd met Anna – ongeacht wat er vóór hen lag, ongeacht of alles uiteindelijk positief of negatief zou eindigen – de meest betekenisvolle was die hij ooit beleefd had. Misschien, was hij gaan denken, misschien was wat er nu gebeurde het doel van alles. Van zijn geboorte, van zijn jeugd en van zijn tocht door dit aardse tranendal. Dat hij een tijdje samen zou leven met dit bijzondere meisje.

Hij was zijn aforismen blijven opschrijven in het zwarte notitieboekje, elke dag één. Soms was het een citaat, soms was het iets wat hij zelf wist te formuleren. Twee keer was het iets wat Anna had gezegd. De woorden van de dag ervoor kwamen opnieuw van die Roemeen.

Hij koesterde nog steeds de illusie dat hij alleen liep, dat híj degene was die bewoog, en niet de wereld onder zijn voeten, dat hij elke kant op zou kunnen gaan die hij wilde, en dat het spoor dat hij volgde – zijn eigen unieke leven – alleen maar achter hem zichtbaar was en het resultaat was van zijn moeizame stappen. Nog steeds begreep hij niet dat datzelfde spoor even ingesleten en onbarmhartig voor hem uit liep.

Zo was het vroeger, dacht Ante Valdemar Roos. Zo stelde ik me mijn leven altijd voor. Als mijn eigen grafsteen die al is ingegraveerd vóór mijn dood. Alsof ... alsof die grafsteen – en het oneindig langzame lezen van de inscripties erop – het doel op zich was.

Hij was er niet zeker van of Cărtărescu het echt zo bedoeld had. Maar wat kan het schelen, dacht hij met opeens opkomende vrolijkheid terwijl hij tegen een lekke rubberbal schopte zodat die een aardig eindje verderop in het water belandde. Het maakt allemaal geen drol uit! Ooit was hij rechtsbinnen geweest in het jeugdelftal van Framtidens IF en de trap met zijn rechterbeen zat er nog steeds in. Het gevoel en de weg maken het de moeite waard, niet de woorden en de eventuele oplossing van het vraagstuk.

De vorige avond had ze voor hem gezongen; twee liedjes maar, omdat ze opeens weer vreselijk moe geworden was. Het ene liedje was 'Colours', een oud liedje van Donovan, hij vond het bijzonder dat ze zo veel uit de langvervlogen jaren zestig had opgepikt; het andere had ze zelf gecomponeerd en het ging over hem. 'Valdemar the Penguin'. Hij merkte pas achteraf dat hij erbij had gehuild.

En hij had dankbaarheid gevoeld. Een diepe dankbaarheid dat ze niet bezweken waren van paniek en angst na de absurde gebeurtenis in Lograna – maar dat ze de tijd genomen hadden om na te denken en het een en ander in de auto te laden. Haar gitaar, bijvoorbeeld. De meeste van haar bezittingen ook. De bedoeling daarvan was geweest om alle sporen van haar in het huis te wissen, maar na een paar uur rijden in de eerste nacht had ze zich herinnerd dat ze een plastic tas met vuile was onder het aanrecht in de keuken had laten liggen.

Dus natuurlijk zouden ze begrijpen dat daar ook een meisje had gewoond. Dat Lograna niet alleen Ante Valdemar Roos' plekje op aarde geweest was.

Dat wil zeggen, als ze tenminste zo ver kwamen dat ze Lograna vonden. Er was nog steeds niets wat erop wees dat dat het geval was, maar vroeg of laat zou het natuurlijk wel gebeuren. Vroeg of laat, hij maakte zich geen illusies dat het anders kon gaan.

De eerste dagen had hij angstig naar elk nieuwsbericht op de radio geluisterd en alle kranten die hij tegenkwam uitgeplozen, maar zo langzamerhand begon ook hij besmet te raken met haar kalmte. En toen ze besloten hadden dat de wond op haar hoofd er, ondanks alles, beter begon uit te zien en dat ze niet voor haar naar het ziekenhuis zouden hoeven, was dat ook een keerpunt geweest. Want nu hoefden ze niet in het land te blijven. Ruim een week nadat ze Lograna verlaten hadden, reden ze de Sontbrug over, een vroege herfstzon begeleidde hen, en met een overweldigend gevoel van vrijheid lieten ze Zweden achter zich. Zo ervoer Valdemar het in elk geval; een benauwde, kleine wereld lieten ze achter zich en een oneindige ruimte opende zich voor hen.

Hij had dat ook tegen haar gezegd, in precies die bewoordingen.

Ze had gelachen en haar hand op zijn arm gelegd.

'Als iemand een deur sluit, opent God een venster', had ze gezegd.

'Wat bedoel je daarmee?' had hij gevraagd.

'Dat zei mijn moeder altijd', had ze geantwoord. 'Tegen mijn vader, toen ik jong was. Ik vond dat een heel mooie uitspraak. Ik lag er altijd 's avonds in mijn bed over te denken als ze ruzie hadden gemaakt.'

'Ik vind het ook een mooie uitspraak', had hij toegegeven. 'Als iemand een deur sluit, opent God een venster. Mis je je moeder?'

'Een beetje.'

'Hoe gaat het met je hoofd?'

De eerste dagen had hij dat te vaak gevraagd.

Heb je pijn? Wil je even op de achterbank liggen? Moet ik je helpen een nieuw verband om te leggen?

Veel te vaak, maar het was ook niet zo verwonderlijk dat hij zich ongerust maakte. Toen hij haar gevonden had, had ze bewusteloos in het gras gelegen en het had een aantal minuten geduurd voor hij haar weer bij bewustzijn had gekregen. Heel de linkerkant van haar hoofd was met kleverig bloed bedekt geweest, en toen hij haar hoofd eenmaal met natte handdoeken schoongemaakt had, was er een bijna tien centimeter lange wond zichtbaar geworden. Boven haar linkeroor, een zwelling en een ruwe maansikkel die tot aan haar slaap reikte, op de plek waar de haargrens ophield; de roestige, ijzeren pijp die haar geraakt had lag een paar meter verderop onder de appelboom.

De zwelling was een paar dagen gebleven, maar ze had algauw ontdekt hoe ze haar haren op een andere manier kon kammen zodat er eigenlijk niets van te zien was. Al bij het eerste hotel, de tweede nacht, hadden ze zich als vader en dochter Eriksson ingeschreven. Ze had een stekende hoofdpijn gehad terwijl ze beneden bij de receptie incheckten, maar de wond en het verband waren goed verborgen geweest onder haar dikke, donkerbruine haar.

Drie dagen waren ze in Halmstad gebleven. Het grootste gedeelte van die tijd had zij in bed gelegen. Hij had op haar gepast alsof hij werkelijk een goede vader was met een zieke dochter, had erop toegezien dat ze voldoende dronk en in ieder geval een klein beetje at, had pijnstillers, pleisters, kompressen en vitamines bij de apotheek gekocht, had bij haar bed gezeten en over haar gewaakt.

En gevraagd of ze iets nodig had. Of ze pijn had.

Veel te vaak. Op de ochtend van de vierde dag was ze opgestaan, ze had een douche genomen en verklaard dat hij nu mocht stoppen met kletsen en ze had zich vervolgens afgevraagd of het niet tijd voor hen werd om verder te reizen.

Even had hij haar haast niet herkend, niet begrepen wie daar in de nauwe deuropening naar de badkamer stond, gehuld in de witte badlakens van het hotel, een om haar lichaam, een om haar hoofd – en tegen hem sprak alsof ze Signe of Wilma was. Zoals die altijd klonken als hij om een onduidelijke reden weer eens niet aan hun verwachtingen voldeed.

Maar toen ze had gezien dat hij verdrietig werd, was ze in drie stappen bij hem geweest en had ze hem een dikke knuffel gegeven.

'Sorry, zo bedoelde ik het niet. Maar vind je zelf ook niet dat we weer verder zouden moeten gaan?'

Het voorval had hem bang gemaakt, en het was niet makkelijk om dat gevoel kwijt te raken. Het bleef ergens in een hoekje van zijn geest hangen, als een waarschuwing of een voorbode, en het weigerde te verdwijnen.

Om de een of andere reden was hij daarna naar Karlskrona gereden. Misschien omdat dat wat meer reistijd kostte. Ze hoorden in de auto en op de weg te zitten, in elk geval deze dagen. Alsof de beweging op zich de enig denkbare tactiek was voor wat er op dit moment gebeurde. Maar het was maar één enkele nacht in Blekinge geworden, ze had dertien uur achter elkaar geslapen, daarna waren ze doorgereisd naar hotel Baltzar in Malmö.

Haar hoofdpijn kwam en ging. Een paar keer moest

ze overgeven. Hij kocht verschillende soorten pijnstillers: Treo, Ipren, Alvedon. Treo werkte het best, vond ze, en toen ze de Sont overstaken had ze twaalf buisjes in voorraad gehad.

Maar de zwelling verdween en de wond zag er steeds beter uit. Op zaterdag in Malmö hadden ze besloten om de pleisters en kompressen achterwege te laten; ze hadden een lange wandeling in het Pildammsparken gemaakt, ze was weliswaar moe geweest, maar achteraf had ze hem beloofd dat ze hem zou volgen tot het einde van de wereld, zolang hij maar geld had voor benzine en wat proviand.

Hij had in Halmstad al 500.000 kronen opgenomen; bij de bank hadden ze gevraagd wat hij in godsnaam met zo veel contanten van plan was en hij had geantwoord dat het voor de aanschaf van een boot was. Een excentrieke verkoper, dan moest je eieren voor je geld kiezen.

Hij wist dat hij dat uit een boek had, dat over die boot, en hij was blij dat hij enigszins belezen was. Zelf zou hij er niet op gekomen zijn.

Maar geld voor benzine en proviand hadden ze dus. In Malmö had hij zijn Zweedse kronen naar 30.000 euro en 20.000 Deense kronen omgewisseld, dat had geen problemen opgeleverd.

Hij had er geen boot of iets dergelijks bij hoeven halen.

Hij bleef staan en keek op zijn horloge.

Half zeven. De zon was nu helemaal op, maar het strand lag er nog steeds verlaten bij. Hij was nog geen mens tegengekomen, misschien bleven de Denen graag

’s morgens in bed liggen. Ze hadden immers een bepaalde reputatie.

Ante Valdemar Roos gaapte en begon weer in de richting van de bebouwing te lopen. Of misschien hadden ze gewoon belangrijker zaken te doen, corrigeerde hij zichzelf even later. Werk en zo. Geen tijd om tijdens zonsopgang langs mooie stranden te lopen, zelfs al waren die binnen handbereik.

In elk geval waren zijn schoenen en sokken niet gestolen.

‘Ik had zo’n rare droom.’

Hij knikte. Ze had al een paar keer eerder over haar dromen verteld. Bij voorkeur als ze aan het ontbijt zaten, het was bijna een gewoonte geworden.

‘Hij was heel echt, toen ik wakker werd kon ik bijna niet geloven dat het maar een droom was geweest.’

Als het leven maar uit één enkele dag bestond, dan mocht het wat hem betrof beginnen zoals vandaag, bedacht hij. Eerst een wandeling van een uur over een verlaten zandstrand. Daarna ontbijt in de tuin van een pension met een droom uit de mond van dit bijzondere meisje.

‘Waar ging hij over?’ vroeg hij.

Ze nam een slok thee en begon nog een sneetje brood met marmelade te besmeren. Goed zo, dacht hij, ze begint weer trek te krijgen.

‘Ik denk dat het eigenlijk over de dood ging. En dat je er niet bang voor hoeft te zijn.’

‘O?’ zei hij. ‘Nee, dat hoef je natuurlijk niet.’

‘Jij kwam erin voor. Mijn kleine broertje en mijn moeder ook, maar ík had de hoofdrol. Ik was de dood.’

'Was je de dood?' bracht hij onwillekeurig verbijsterd uit. 'Nu denk ik toch dat ...'

'Ja, echt', verzekerde ze. 'Ik was de dood en iedereen moest vroeg of laat naar mij terugkeren. Dat wist ik en daarom was ook nergens haast bij. Jij, mamma en Marek zaten in een boot op een rivier ...'

'Marek, je kleine broertje?'

'Ja, jullie zaten in die boot en die dreef in de richting van een waterval. Jullie waren zeg maar de controle over alles kwijt. Alleen hadden jullie het niet in de gaten, want de stroming was in het begin nog niet zo heel erg sterk, jullie vonden het op dat moment nog een spannend avontuur. En ik wachtte jullie op op het punt waar de stroom sterker werd, op het punt waarvan ik wist dat jullie zouden doorkrijgen dat de situatie ernstig was en jullie echt in gevaar waren.'

'Kenden we elkaar?' vroeg hij. 'Ik en je moeder en je broertje?'

'Jazeker, en ik zag ernaar uit om jullie allemaal te gaan ontmoeten, want ik was al een hele tijd dood en de laatste keer dat ik jullie gezien had was op mijn begrafenis, en toen hadden jullie je zo verdrietig en verlaten gevoeld.'

'Verlaten?'

'Ja, zo voelt dat als de doden de levenden achterlaten.'

'Hoe weet je dat?'

'In de droom wist ik dat, maar het is trouwens iets wat iedereen toch weet.' Ze knikte bevestigend. 'Bijna de hele droom ging erover dat ik alleen maar zat te wachten tot jullie via de stroming naar me toe zouden komen. Ik wist dat jullie eerst angstig zouden worden, maar daarna, als het voorbij was en als jullie er eindelijk waren, zou alles weer goed zijn.'

'Ik, je moeder en je broertje?'

'Ja.'

'Wat gebeurde er toen? Kwamen we in de waterval terecht?'

'Nee, het vreemde is dat dat niet gebeurde. Ik weet feitelijk niet hoe het wel ging. Ik bedoel, jullie hadden geen roeispanen of iets, en toch slaagde de boot erin van koers te veranderen en ergens aan land te komen. Ik zat daar te wachten en was feitelijk een beetje teleurgesteld, maar niet zo heel erg. Ik wist immers dat jullie op een dag zouden komen. En toen kwam hij in plaats daarvan.'

'Hij? Wie?'

'Hij.'

'Steffo?'

'Ja. En hem wilde ik absoluut niet zien, hij kwam op zijn scooter door het water, maar net voordat hij bij mij was aangekomen, kwam jij er dus toch aan. Misschien Marek en mijn moeder ook wel, ik weet het niet. Je blies op hem en toen was hij weg.'

'Blies ik op hem?'

'Ja, het was meer ademen eigenlijk. Maar het was voldoende, je boog je voorover vanuit de hemel, volgens mij, ik zag je hoofd in ieder geval ondersteboven, en toen ademde je op Steffo, en plotseling was hij er niet meer. Ik kuste je en toen werd ik wakker.'

'Mijn hemel, Anna. Nu voel ik me ...'

'Wat?'

'Ik voel me in verlegenheid gebracht.'

'Voel je je in verlegenheid gebracht omdat ik je een kus gaf in een droom?'

‘Ja, stel je voor.’

‘Oké, ik zal me de volgende keer proberen in te houden.’

Ze moest lachen. Hij moest ook lachen. Hij meende dat dit de gelukkigste ochtend van zijn leven was.

Beter dan dit wordt het nooit.

’s Middags zaten ze in stoelen op het strand. De zon kwam nu van de goede kant.

‘Herinner je je het nog steeds niet?’ vroeg hij.

Ze schudde haar hoofd. ‘Nee.’

‘Ook niet vaag?’

‘Nee. Ik ren naar buiten en pak van het aanrecht het mes mee. Ik hoor dat hij me achternakomt. Ik struikel over die wortel in het gras en val. Daarna ... daarna is er niks meer.’

‘Goed’, zei hij. ‘Het is misschien alleen maar goed dat je je het niet meer herinnert.’

‘Ik weet het niet. Misschien wel, maar ik zou het me toch ook graag herinneren.’ Ze zweeg even en dacht na. ‘Ik moet hem immers gedood hebben, uiteindelijk. Op het moment dat hij me met die pijp sloeg. Het kan haast niet anders gegaan zijn, toch?’

‘Je kunt het nooit helemaal zeker weten. Anna?’

‘Ja?’

‘Wat er ook gebeurd is, je hoeft je niet schuldig te voelen.’

‘Ik begrijp dat je er zo over denkt. Ik denk er ook zo over, maar schuldgevoelens heb je niet zelf in de hand.’

Hij bleef een tijdje zwijgend naar haar kijken. Twee joggers, een man en een vrouw in rode en zwarte sportkleding, renden wat verderop over het strand voorbij.

'Heb je pijn? Wil je dat we teruggaan zodat je echt kunt rusten?'

Op haar gezicht verscheen even een uitdrukking die hij niet kon duiden. 'Hoelang blijven we nog hier, Valdemar?'

'Wanneer wil je weer verder?'

'Ik weet het niet. Morgen misschien. Of overmorgen.'

'Dan nemen we morgen een besluit.'

Ze knikte en legde even haar hand op de zijne.

'Er is iets mis met mijn arm, Valdemar.'

'Hoezo? Met je arm?'

'Ja, mijn rechter. Hij voelt zwaar en vreemd.'

'Heb je ... ik bedoel, voel je dat al lang?'

'Het viel me gisteravond op toen ik gitaar speelde. Mijn vingers voelden dik en onhandig.'

'Heb je het gevoel dat het iets ernstigs is? Denk je dat het te maken heeft met ...?'

'Nee, het gaat vast over als ik een beetje rust neem. Kijk eens, wat zijn dat daar? Zwanen?'

Hij kneep met zijn ogen tegen de zon.

'Reigers, ik denk dat het reigers zijn.'

33

'Heeft hij iets gedaan?' vroeg Espen Lund. 'Ik bedoel, wordt hij verdacht van een strafbaar feit?'

Eva Backman schudde haar hoofd en klikte de veiligheidsgordel vast.

'Hij is sinds twee weken zoek', informeerde inspecteur Barbarotti hem vanaf de achterbank. 'Hebt u toevallig enig idee wat er aan de hand kan zijn?'

Hij duwde een kussentje onder zijn been en besloot dat hij nooit meer een gedachte aan die verdomde voet zou wijden zodra dat gips eraf was. Die voet had echt al meer aandacht gekregen dan hij verdiende.

'Ik?' zei Espen Lund. 'Waarom zou ik in godsnaam moeten weten waar Roos uithangt?'

'U hebt dat huis aan hem verkocht', benadrukte Eva Backman. 'Niemand anders schijnt daarvan op de hoogte te zijn geweest.'

'Discretie is een erezaak', zei Barbarotti.

'Mijn god', steunde Espen Lund. 'Ik verkoop dertig huizen en appartementen per maand. Ik wist niet dat ik ook verantwoordelijk was voor wat mijn kopers ermee van plan waren.'

'Rustig maar', zei Barbarotti. 'We proberen er alleen maar achter te komen wat er aan de hand is. U en Valdemar Roos zijn toch oude bekenden van elkaar? Hij heeft vast wel verteld wat hij met dat huisje van plan was. En waarom hij niet wilde dat zijn vrouw ervan wist.'

Espen Lund aarzelde even.

'Hij deed inderdaad een beetje geheimzinnig.'

'Geheimzinnig?' herhaalde Backman.

'Ja. Hij wilde dat het discreet afgehandeld werd ... net als u ... hoe was uw naam ook alweer?'

'Barbarotti', zei Barbarotti.

'Aha, bent u dat? Wat hebt u met uw voet gedaan?'

'Met gangsters gevochten', antwoordde Barbarotti.

Espen Lund lachte geforceerd. 'En die andere vent ligt zeker in het ziekenhuis?'

'Op de begraafplaats', zei Eva Backman. 'Nou, waarom deed hij zo geheimzinnig? U moet toch wel een beetje nieuwsgierig geworden zijn toen?'

Espen Lund zuchtte. 'Valdemar is een ontzettend saaie vent', zei hij. 'Ik ken hem eigenlijk niet, maar er was een periode in ons leven dat we elkaar veel zagen. Na zijn scheiding en zo. Als kind speelden we met elkaar, kan ik ook niets aan doen. De afgelopen vijftien jaar heb ik hem hooguit vier of vijf keer gezien.'

'Dus u was verbaasd toen hij belde omdat hij een huis van u wilde kopen?'

'Ach, wat is verbaasd', zei Espen Lund en hij stopte een zakje mondtabak onder zijn lip. 'Na een aantal jaren in mijn branche verbaas je je nergens meer over. Valdemar Roos wilde een huisje om wat rust te hebben. Wat is daar voor vreemds aan?'

Eva Backman haalde haar schouders op en reed de Rockstarotonde op. Barbarotti besloot dat hij nooit iets zou kopen van deze blasé makelaar. Aan de andere kant, als je eigenaar van een renovatiepand van 350 vierkante meter was, had je misschien ook geen ander huis nodig.

'Hebt u naderhand nog contact met hem gehad?' vroeg hij. 'Nadat de koop gesloten was, om het zo maar te zeggen?'

Espen Lund schudde zijn hoofd. 'Niks, nada. We hebben samen met de vorige eigenaar de papieren ondertekend, sindsdien heb ik hem niet meer gezien.'

'Wanneer was de overdracht precies?' vroeg Backman.

'Op 27 augustus hebben we getekend', zei Espen Lund. 'Op 1 september heeft hij de sleutels gekregen. Ja, toen heb ik hem natuurlijk ook gezien, maar dat was slechts tien seconden. Ik heb gisteravond de datum nog eens gecontroleerd nadat ik met jullie gesproken had.

'Oké', zei Barbarotti. 'Zijn vrouw kent u niet volgens mij, toch?'

'Die heb ik nog nooit ontmoet', zei Espen Lund.

'En zijn eerste vrouw?'

'Haar ook niet', zei Espen Lund.

'O nee', zei Backman. 'Nu begint het nog te regenen ook.'

Gunnar Barbarotti keek door het zijraampje naar buiten en moest constateren dat ze gelijk had. Toen keek hij op zijn horloge. Het was tien voor half tien, maandag 29 september, en ze wisten nog steeds helemaal niets over het lot en de avonturen van Ante Valdemar Roos.

Binnen een half uur zouden ze bij zijn huis in het bos zijn. Er is ook altijd wat, dacht Barbarotti.

Altijd wat.

Ze hadden geen huiszoekingspapieren bij zich, maar dat bleek niet zo heel erg van belang, want al na een minuut ontdekten ze het stoffelijk overschot, waarmee het idyllische boshuisje veranderde in een plaats delict en er totaal andere regels golden.

Ondanks zijn gipsbeen slaagde inspecteur Barbarotti erin om de deur van het huis al bij de tweede poging te forceren; misschien was het beter geweest om vanwege de regen in de auto op assistentie te wachten, maar wat kon het bommen, dacht hij, en zo dacht Eva Backman er ook over, dat meende hij van haar gezicht af te lezen en bovendien protesteerde ze niet. Je moest de regels niet altijd te letterlijk nemen.

'Fijn dat we in elk geval het huis binnen kunnen komen', verklaarde hij terwijl hij in de eenvoudige keuken om zich heen keek.

Eva Backman vond een lichtknopje en deed de plafondlamp aan. Het was nog ochtend, maar de regen zorgde voor een somber halfduister. Ze haalde haar telefoon tevoorschijn en belde om assistentie. Ze legde kort uit wat de situatie was en hing weer op.

Barbarotti keek haar onderzoekend aan en besefte dat ze allebei geen zin hadden om naar buiten te gaan om het stoffelijk overschot te bewaken.

'Waarom moet het altijd regenen als je een lijk vindt?' zei hij. 'Het is ook altijd hetzelfde liedje.'

'De hemel huilt', zei Eva Backman. 'We blijven zolang wel binnen, toch?'

Hij knikte.

'Het heeft toch geen zin om buiten doornat te staan worden?'

'Nee, inderdaad.'

Espen Lund snikte. De arme makelaar was lijkbleek geworden bij de aanblik van het dode lichaam, en nu zat hij ingezakt aan de keukentafel met zijn hoofd op zijn onderarmen. Backman en Barbarotti keken snel in de kleine woning om zich heen. Een kamer en een keuken, dat was alles. Eenvoudig gemeubileerd, maar duidelijk bewoond geweest, dacht Barbarotti. Er lag nachtgoed op het bed en eten in de koelkast, er lagen kranten van een paar weken oud, een aantal kledingstukken en er stond een functionerende klokradio.

Maar niets wat een aanwijzing gaf waarom er een lijk in de tuin lag.

Wat zou er in hemelsnaam gebeurd zijn? dacht Gunnar Barbarotti. Deze zaak wordt steeds vreemder.

De politieversterking arriveerde na een half uur, een arts en een onderzoeksteam twee minuten later.

Het was intussen harder gaan regenen en Espen Lund had buiten in de nattigheid drie sigaretten staan roken.

'Zowel mondtabak als sigaretten?' had Barbarotti geïnformeerd, maar hij had geen antwoord gekregen.

Espen Lund had geen woord meer gezegd sinds ze het lijk hadden aangetroffen; Barbarotti nam aan dat hij in shock was, maar dat hij beter niets kon ondernemen om dat te veranderen.

Het slachtoffer lag dus achter de aardkelder, tegen de bosrand aan, maar direct zichtbaar als je het terrein op kwam. Het was zo te zien een jongeman van een jaar of twintig, dertig, maar aangezien een aantal dieren uit het bos langs geweest waren en aan zijn gezicht geknaagd hadden, was het moeilijk om een precieze schatting te maken. Hij lag op zijn rug met zijn armen langs zijn zij, en ook al kon je misschien twisten over hoe hij gestorven was, het opgedroogde bloed, dat zijn lichtblauwe jack vanaf navel- tot ongeveer tepelhoogte bedekte, gaf een redelijke indicatie. De dieren hadden zo te zien op die plek ook een feestje gehouden, en toen inspecteur Barbarotti het slachtoffer wat nauwkeuriger wilde bekijken, vond hij het helemaal niet moeilijk te begrijpen waarom Espen Lund zo bleek en stil was.

'Een mes in zijn buik, denk je niet?' zei Eva Backman terwijl de fotograaf vanuit alle mogelijke hoeken foto's nam en de forensisch en technisch rechercheurs stonden te trappelen om hun plastic tent op te mogen zetten, zodat ze in ieder geval niet doorweekt zouden raken tijdens hun delicate werkzaamheden.

'Niet een erg gedurfde aanname', antwoordde Barbarotti. 'Hij heeft hier ook al een aardig tijdje gelegen.'

'Zeker', zei Backman. 'Het is twee weken geleden sinds Ante Valdemar Roos verdwenen is. Als er enige logica in deze geschiedenis zit, zal de jongen ongeveer even lang dood zijn.'

'Logica?' zei Barbarotti. 'Je wilt toch niet zeggen dat je enige logica in deze zaak kunt ontdekken?'

'Het is hem in ieder geval niet', zei Backman en ze nam de paraplu die een van de assistenten haar aanreikte aan.

'Wat?' zei Barbarotti.

'Het is niet Valdemar Roos die daar ligt.'

Barbarotti bestudeerde het verminkte lichaam nog een keer. 'Correct', zei hij. 'Zijn vrouw heeft ons niets verteld over een piercing in zijn wenkbrauw.'

Drie uur later zaten ze weer in de auto, terug naar Kymlinge. Makelaar Lund was eerder naar huis gebracht, dus van hem hadden ze in elk geval geen last meer. Het was ook gestopt met regenen, toeval of niet. De lucht boven de bosrand in het zuidwesten zag er blauwzwart en slechtgehumeurd uit, ongetwijfeld zou er meer neerslag komen.

'Oké', zei Eva Backman. 'Zullen we proberen een beetje te resumeren?'

'Graag', zei Barbarotti. 'Jij mag beginnen.'

'Man van rond de vijfentwintig', zei Backman. 'Doodsoorzaak: messteken in de buik.'

'Grote lichaamsslagader', stelde Barbarotti vast. 'Een echte voltreffer, groot bloedverlies. Is waarschijnlijk na een minuut overleden.'

'Bewusteloos geraakt na een halve', voegde Backman eraan toe. 'Maar hij kan zich nog een paar meter verplaatst hebben voor hij in elkaar gestort is.'

'Geen aanwijzingen dat iemand hem naar die plek gesleept of gedragen heeft.'

'Maar iemand heeft wel het mes eruit getrokken. Het moordwapen is niet aangetroffen op de plaats delict.'

'Waarschijnlijk een groot vleesmes. Soort van koksmes.'

'Ik vind het niet prettig als je het zo uitdrukt', zei Backman. '"Soort van".'

'Dat snap ik', zei Barbarotti. 'Maar goed, de woordkeuze interesseert me eigenlijk niet, ik ga verder: identiteit onbekend. Geen portemonnee. Waarschijnlijk vermoord op de vindplaats, waarschijnlijk twaalf tot achttien dagen geleden.'

'Laten we zeggen twee weken', zei Backman. 'Om logische redenen.'

'Zoals gezegd', zei Barbarotti.

'Die zondagavond dus', ging Backman verder. 'Het is toch hoogstwaarschijnlijk zo dat er toen iets gebeurd is? Maar wat? En wie is hij?'

'Goede vragen', zei Barbarotti. 'Wat hebben we nog meer?'

'We hebben een rode scooter van het merk Puch', zei Backman. 'Registratienummer SSC 161. Op honderd meter van het huis bij de weg aangetroffen. We weten nog niet van wie het barrel is, maar als we geluk hebben komen we op die manier achter de naam van het slachtoffer.'

'Denk je?' zei Barbarotti.

'Als het goed is belt Sommerman, alias Somberman, ons straks', zei Backman. 'Hij heeft er al een half uur de tijd voor gekregen.'

'Dat komt dan nog', zei Barbarotti. 'Wat kunnen we over het huis zeggen?'

'Roos heeft er gewoond', zei Eva Backman. 'Hij heeft het huisje als een soort toevluchtsoord gebruikt in plaats van naar zijn werk te gaan. Dat is duidelijk.'

'Hoezo?' vroeg Barbarotti.

'Ik weet het niet', zei Backman.

'En verder?'

'En verder lijkt het alsof er ook een vrouw gewoond heeft. Of zullen we zeggen een meisje? Die slipjes en hemden in de tas met vuile was wijzen op een jong iemand.'

'Rond de twintig?' zei Barbarotti.

'Soort van', zei Backman en ze zette een wijsvinger tegen haar slaap.

'Dus?'

'Dus kunnen we ervan uitgaan dat het klopt wat getuige Wissman die vrijdag bij Ljungmans gezien heeft, toch?'

'Inderdaad', zei Barbarotti. 'Maar wie is ze in hemelsnaam?'

'Waar zijn ze naartoe gegaan?'

Barbarotti dacht even na. 'Wie zegt dat ze niet ook in het bos liggen met ieder een messteek in hun buik?' opperde hij. 'Niemand, voor zover ik weet.'

'Hou op', zei Eva Backman. 'Eén lijk is wel voldoende.'

'Oké', zei Barbarotti. 'Waar zijn ze dan?'

'In twee weken kom je een heel eind, zei Backman.

'Aan de andere kant van de wereld als je wilt', beaamde Barbarotti.

Backman bleef een tijdje zwijgend op haar onderlip bijten. 'Veel vraagtekens', zei ze ten slotte.

'Veel', herhaalde Barbarotti met een zucht. 'Ik denk dat ik trouwens water in mijn gips heb gekregen. Het voelt als een schuimgebakje, het regende ook zo enorm.'

Eva Backman wierp een blik over haar schouder en keek naar hem, zoals hij daar half op de achterbank lag. 'Zal ik meteen naar het ziekenhuis doorrijden?' vroeg ze toen.

'Ja, graag', zei Gunnar Barbarotti. 'Ik heb om twee uur een afspraak en het is inmiddels half twee.'

Eva Backman knikte. 'We moeten dit later nog even op een rijtje zetten. Sylvenius wordt de leider van het vooronderzoek, en de uitvoering komt op mijn bordje te liggen. Denk je dat je naar het politiebureau kunt komen als je klaar bent?'

'Vanzelfsprekend', zei Barbarotti. 'Alleen even een beetje vers gips erom, dat gaat in een handomdraai. Alhoewel ...'

'Ja?'

'Ik heb ook een date met Asunander over die graffitizaak, ik hoop dat hij ermee instemt die te verzetten.'

'Moord gaat toch voor graffiti?'

'Ik denk van wel,' zei Barbarotti, 'maar zeker ben ik er niet van.'

Uiteindelijk bleek Barbarotti een groot deel van de middag in het ziekenhuis kwijt te zijn – vooral met veel wachten – en had hij daardoor alle tijd om over de vondst bij Lograna na te denken.

Het huis met het terrein heette zo, had Espen Lund gemeld toen hij nog over zijn spraakvermogen beschikte. Lograna, het was een beetje onduidelijk of de naam bij de plek hoorde of bij het huis zelf. De vorige eigenaar heette in elk geval Anita Lindblom, net als de beroemde zangeres van het lied 'Zo is het leven', en de koopsom was 375.000 kronen geweest.

Net voor hun aankomst bij het huis had Barbarotti Espen Lund nog een keer gevraagd of Roos niet iets over een vrouw gezegd had, en Lund had opnieuw ontkend dat dat het geval was.

'En u had zelf ook niet een vermoeden dat daar sprake van was?' had Backman geprobeerd.

'Totaal niet.' Makelaar Lund was heel erg zeker van zijn zaak geweest. Hij wist weliswaar niet bijzonder goed hoe het tegenwoordig met Valdemar Roos ging, maar dat hij op zijn oude dag achter de vrouwtjes aan zou zitten, leek hem even ondenkbaar als ... tja, hij wist zo gauw even niet wat.

Dat hebben we eerder gehoord, dacht Barbarotti, terwijl hij zijn schuimvoet in de wachtkamer wat hoger legde. Iedereen die een uitspraak gedaan had over die Ante Valdemar Roos had hetzelfde gezegd. Had benadrukt hoe onwaarschijnlijk het was dat hij er een minnares op na hield.

En toch was dat het geval geweest. Hij had een meisje in zijn geheime huisje gehad. Alles wees daarop. Niet alleen de zak met vuil wasgoed, er was nog meer. Een paar lange, donkerbruine haren in het bed, bijvoorbeeld, maandverband in een vuilniszak in het schuurtje.

Was er enige twijfel mogelijk?

Kon het, ondanks alles, zo zijn dat ze toch niet bestond?

Wellicht, dacht Barbarotti – een lichte twijfel was mogelijk, zoals dat heette – maar eigenlijk had hij die niet. De getuige uit restaurant Ljungmans, de aanwijzingen in Lograna, het hele gedrag van Valdemar Roos de laatste tijd, zoals zijn vrouw en anderen verteld hadden ... Nee, besloot inspecteur Barbarotti, alles duidde erop dat er een jong meisje bij deze zaak betrokken was.

Maar wie was ze?

Waar kwam ze vandaan en waar had Valdemar haar ontmoet?

En wie was het dodelijke slachtoffer? Wie was de man die met een mes in zijn buik gestoken was, was doodgebloed en twee weken lang onopgemerkt achter een aardkelder had gelegen?

Hij had geen identiteitspapieren bij zich gehad. Geen speciale kenmerken, in elk geval hadden ze die tot dan toe niet ontdekt. Een spijkerbroek, gympen, een polotrui en een licht jack.

Dat was alles. De secundaire verwondingen die waren toegebracht door dieren uit het bos, waren afstotelijk.

Zijn ogen waren opgegeten, Barbarotti herinnerde zich dat zijn ex-vrouw Helena zo'n kaartje voor orgaandonatie in haar portemonnee had gehad, waarin ze had aangegeven dat ze ermee akkoord ging om alle organen te schenken die maar nodig waren mocht ze door een dodelijk ongeval om het leven komen, maar van haar ogen moesten ze afblijven.

Was hij op die scooter naar Lograna gekomen? Ze hadden gegevens over de rechtmatige eigenaar binnengekregen, had Backman hem telefonisch gemeld. Maar zo te oordelen was dat een doodlopend spoor; de eigenaar van het voertuig was namelijk een zekere Johannes Augustusson uit Lindesberg, maar de scooter was begin juni als gestolen opgegeven. Johannes Augustusson was achttien jaar oud, inspecteur Somberman had hem aan de telefoon gehad en er was geen reden om te twijfelen aan zijn informatie. De scooter was verdwenen nadat hij hem op een parkeerplaats bij zwemparadijs Gustavsvik aan de rand van Örebro had geparkeerd, en hij had hem sindsdien nooit meer gezien.

Het huis zelf was natuurlijk grondig onderzocht. Of werd momenteel onderzocht. Zowel op vingerafdrukken als op andere dingen, en een aantal zakken met uiteenlopende inhoud zou naar het forensisch laboratorium in Linköping gestuurd worden voor analyse. Zo was het. Met bepaalde dingen moest je je gewoon aan de routine houden.

Inspecteur Barbarotti was echter niet bijzonder optimistisch gestemd, en hij vroeg zich af hoe dat kwam. Misschien kwam het eigenlijk alleen maar door de pijn in zijn voet, en doordat Marianne verdrietig gekeken had toen hij van huis weggereden was.

Alleen maar?

Hij tikte haar nummer in op zijn mobiel, maar er werd niet opgenomen.

Nou ja, dacht hij. Vanavond zeg ik haar dat ik van haar hou en dat ik zonder haar niet leven kan – en wat betreft het mysterie Valdemar Roos waren ze toch een klein stapje verder gekomen. Of niet?

Ze hadden een huis gevonden en ze hadden een lijk. Het kon erger.

Barbarotti keek op zijn horloge. Kwart over drie. Dokter Parvus was inmiddels een half uur te laat. De wachtkamer was grijsgroen en hij zat er al vijfenveertig minuten alleen. Hij vond een beduimeld exemplaar van *Svensk Damtidning*. Het blad was van juni 2003 en er stond een vrolijk lachende prinses in klederdracht voorop.

Spannend, dacht inspecteur Barbarotti en hij begon te bladeren.

Het was half zes eer hij terug was op het politiebureau. Meteen liep hij naar inspecteur Backman om de laatste bevindingen te horen. In de deuropening stuitte hij op Somberman, die net de kamer uit liep.

'Eigenaardig verhaal', zei Somberman. 'Veel onbekenden.'

'Twee', zei Barbarotti. 'Als ik goed tel. Valdemar Roos is toch in ieder geval bekend?'

'Maar wel verdwenen', zei Somberman. 'Zeg, ik moet nu naar huis. We zullen het er morgen verder over hebben.'

Hij knikte naar Backman en Barbarotti en vertrok.

'Wat is er met hem aan de hand?' vroeg Barbarotti.

'Hij heeft anders toch nooit haast om naar huis te komen?'

'Zijn vrouw is hoogzwanger', zei Backman. 'Was je dat vergeten? Mooi gips.'

Maar ze klonk somber. 'Waar denk je aan?' vroeg Barbarotti.

Eva Backman ging zuchtend achter haar bureau zitten. 'Aan van alles', zei ze. 'Die jongen bijvoorbeeld. Dat beeld blijft op de een of andere manier op mijn netvlies gebrand staan. Je zou niet zo moeten sterven. Stel dat we er nooit achter komen wie hij is.'

'Natuurlijk komen we dat wel', zei Barbarotti. Hij zette zijn krukken tegen de verwarming en ging op de gele plastic stoel zitten. 'Wil je me weer even bijpraten, ik lig een paar uur achter.'

Inspecteur Backman keek hem aan met de sombere uitdrukking nog op haar gezicht. 'Nou,' zei ze, 'afgezien van het feit dat we een heleboel verzoeken om inlichtingen hebben uitgezet en een aantal persberichten de wereld in hebben gestuurd, is er niets belangwekkends gebeurd. Het enige is dat Alice Ekman-Roos naar het slachtoffer is komen kijken.'

'En heeft ze hem niet herkend?' vroeg Barbarotti.

'Nee', zei Backman. 'Maar ze heeft wel over hem heen gekotst.'

Je hebt gelijk, dacht Barbarotti. Dit is een dag zonder glans.

Eva Backman werd met een schok wakker.

Ze keek op de klok. De rode cijfers sprongen juist op 05 uur 14.

Mijn hemel, dacht ze. Waarom word ik wakker om

kwart over vijf in de ochtend?

Ville lag van haar afgedraaid en ademde zwaar. Het was pikdonker in de slaapkamer en de regen ruiste op de bladeren in de tuin. Ze draaide haar kussen om en besloot dat ze verder ging slapen. Ze had nog anderhalf uur voor ze echt moest opstaan, wat had het voor zin om hier te liggen ...?

Maar voor de cijfers de kans hadden gekregen om naar 05 uur 15 te springen, begreep ze het.

Ze had zich in een droom iets herinnerd, en die herinnering had haar uit haar slaap gehaald. Het was iets belangrijks. Het had ... het had met Valdemar Roos te maken en met ... haar vader.

Het gesprek.

Dat telefoongesprek dat ze met hem gehad had ... hoelang geleden was dat? Twee weken?

Ja, dat moest het zijn. Ze had haar vader sindsdien niet meer gesproken, ook haar broer en schoonzus niet trouwens. Natuurlijk had ze gisteren in Lograna aan hen gedacht. Tijdens de autorit had ze al begrepen dat het huis van Valdemar Roos ergens in de buurt van Rödmossen moest staan, maar ze had het niet tegen Barbarotti gezegd. Dat haar eigen vader, haar broer en zijn gezin slechts op ongeveer een kilometer afstand van de plaats woonden waar ze de vermoorde man hadden gevonden, dat was als het ware ... niet relevant geweest.

Behalve dan voor haar persoonlijke coördinatensysteem.

Tot nu. Ze sloeg haar dekbed open en liep de badkamer in. Deed het licht aan, stapte uit haar nachtjapon en ging onder de douche staan.

Waar had haar vader het in vredesnaam over gehad?

Hoe was het gesprek eigenlijk begonnen?

Hij had beweerd dat hij een moord gezien had, toch? En bloed, hij had het over de kleur van bloed gehad, dat herinnerde ze zich nog.

Vervolgens was het gesprek alle kanten opgegaan, zoals dat altijd ging als Sture Backman eenmaal aan het praten was. Ze had maar met een half oor geluisterd, maar hij was het gesprek toch inderdaad begonnen met iets over een moord.

Dat hij iets gruwelijks gezien had en dat hij daarom zijn dochter belde.

Aangezien zij politierechercheur was.

Ja, zo was het inderdaad gegaan.

En twee weken na dat gesprek hadden ze een lijk gevonden op een kilometer afstand van zijn huis.

Waarom ben ik hier gisteren niet op gekomen? dacht Eva Backman, terwijl ze van warm naar koud water wisselde – het was zaak haar hersenen een beetje aan het werk te krijgen, zo te oordelen. Waarom duikt dit een half etmaal later in een droom op? vroeg ze zich geïrriteerd af. Ik begin werkelijk mijn scherpte te verliezen.

Of was dat misschien juist waar dromen voor waren?

Ze ging de badkamer uit, liep de keuken in en zette koffie.

'Mijn arme, oude vadertje', mompelde ze zacht voor zich uit. 'Je moet wel heel erg geschrokken en bang geweest zijn.'

Want zo was het met Sture Backman. Hij werd vaak angstig en onrustig als hij de wereld om zich heen niet langer kon begrijpen. Als de donkere wolk bezit van hem nam en zijn geestelijke vermogens overschaduwde. Als hij begreep dat hij bezig was de controle te verliezen over alles wat hij zijn hele leven – zonder de minste inspanning – onder controle had gehad.

'Een zonsverduistering', zei hij altijd. 'Het is net een zonsverduistering, Eva.'

Wat zou ze doen?

Hem ondervragen? Hem uitvragen over wat hij werkelijk die dag gezien had?

Was dat überhaupt mogelijk? Het risico dat hij alles vergeten was, was behoorlijk groot. En ze zou hem waarschijnlijk onrustig maken. Hij zou niet weten waar ze het over had, misschien zou hij gaan huilen. Het voelde ... ja, *ongepast* – ze kon niet precies verklaren waarom.

Aan de andere kant: stel je voor dat hij werkelijk iets gezien had wat van vitaal belang was. Stel dat er toch iets uit zijn verwarde geest op te duikelen was.

De plek met hem bezoeken?

Eva Backman dronk haar eerste slok koffie van die dag en voelde zich plotseling niet lekker.

34

Ze vertrokken op dinsdag 30 september rond lunchtijd uit Grærup. Anna had tot tien uur geslapen en was met hoofdpijn wakker geworden.

Ze had twee pijnstillers genomen en daarna nog een half uur geslapen. Er was een vreemde droom gekomen over dode vissen die aanspoelden op een klein eiland met mooie palmbomen, waar ze moederziel alleen was. Haar dromen waren sinds ze vertrokken waren steeds wonderlijker geworden, en tegelijkertijd helderder. Werkelijker dan de werkelijkheid op de een of andere manier.

Valdemar was eropuit gegaan en had koffie en verse Deense koffiebroodjes voor haar gekocht, maar ze kreeg met moeite iets naar binnen. Zoals gewoonlijk hadden ze ook samen een pijp gerookt op het kleine balkon, maar ook die had niet gesmaakt. Ze besloot dat ze hem zou vragen sigaretten te kopen. Niet meteen, maar later op de dag. Ze begreep immers dat het voor hem iets speciaals betekende om samen met haar een pijp te roken, maar dat speelde geen rol. Ze was het moe.

Ze was überhaupt moe. Opnieuw had ze bijna twaalf uur achter elkaar geslapen. Dat was in haar leven nog nooit gebeurd; zeven à acht uur was voor haar normaal, misschien kwam ze tot tien uur als ze een tekort had opgebouwd. Maar twaalf? Dertien zelfs? Nooit.

Ik weet dat er iets mis is, dacht ze. Er is bij Lograna iets met mijn hoofd gebeurd, ik weet niet wat, maar er moet iets stukgegaan zijn.

Ze vocht met herinneringsbeelden. Of ze nu wakker was of sliep.

Maar wat er van die bewuste dag in haar dromen terugkwam, was steeds helderder dan enig ander beeld. Ze slaagde er echter nooit in om het naar het oppervlak mee te nemen; maar een enkele keer, als ze naast Valdemar in de auto zat, of op de achterbank lag met een dekentje over zich heen ... dan verscheen er plotseling een beeld of een kort filmfragment; in een seconde of wat kwam dat dwars door haar bewustzijn dwarrelen om daarna weer te verdwijnen.

Steffo's gezicht. Zijn dicht opeenstaande, zieke ogen. Een arm die opgeheven wordt, hij heeft iets langwerpigs in zijn hand, ze slaagt er steeds maar niet in zich te realiseren wat. Haar eigen hand die krampachtig het lemmet van het mes omvat ...

Maar niets beklijft. Ze is niet in staat de beelden vast te houden, het is net alsof de hoofdpijn ze tegenhoudt, ze wegdrukt zodra ze opdoemen.

Misschien wil ze ook wel niet dat ze duidelijk worden.

Misschien wil ze niet weten wat er gebeurd is.

Wat zou ze aan die kennis hebben?

Maar af en toe zijn er heldere momenten. Een ander soort waarheid.

Momenten van plotselinge helderheid en nuchterheid, terechte vragen.

Wat gebeurt er? Waar ben ik mee bezig?

Ik zit in een auto met een bijna zestigjarige man, die ik nog geen maand ken.

We rijden naar het zuiden, we slapen in verschillende pensions en hotels en we hebben een mens vermoord. We zijn op de vlucht.

Ik heb een mens vermoord?

Ik ben gevlucht uit het Elvaforshuis, maar nu ben ik voor iets heel anders op de vlucht. Samen met deze man, die zo oud is dat hij mijn vader zou kunnen zijn. Mijn opa bijna. We hebben geen doel.

Waar ga je naartoe, Anna Gambowska? *Young girl, dumb girl.*

Denk je nou echt dat dit goed afloopt?

Maar ze zijn kort, die momenten van helderheid. Ze zijn verspreid over dagen en nachten waarin een ander soort gemoedsgesteldheid heerst. Een dromerige, enigszins onwerkelijke toestand, het verleden en de toekomst wijken voor wat plaatsvindt, het enige wat bestaat is het hier en nu. De kamer waarin ze zich bevinden, de ronkende auto, de koeien die in de zonnige weide staan te grazen, het verlangen naar een kop koffie bij de volgende stop. Alsof ze zich in een glazen bubbel bevindt, ja, dat is het. Van matglas, niet helemaal doorschijnend, als je erdoorheen kijkt, kun je je niet een precieze voorstelling maken van wat er in de wereld om je heen gebeurt. En dat wil je ook liever niet.

Er zijn ook goede momenten, veel goede momenten.

Als hij verhalen over zijn jeugd vertelt. Hij praat er niet graag over, ze moet ze uit hem trekken. Zo is hij, een chagrijnige brombeer die je een beetje op zijn buik moet kietelen zodat hij als het ware in de juiste stemming komt.

'Je moet begrijpen, Anna', kan hij zeggen. 'Je hebt je hele leven je mond dichtgehouden en dan kom je zo'n klein trollenkind als jij tegen. Vergeef het me als ik wat traag ben.

Zo traag als de eland', zegt hij dan. 'Die in Gråmyren staat. Beter dan dit wordt het nooit.'

'Hemming,' brengt ze hem in herinnering, want ze begrijpt dat van die eland niet zo goed, 'je neef Hemming die stierf nadat hij in dienst geweest was. Hoe was dat eigenlijk toen jullie Pålmans tuincentrum aanvielen?'

Hij zucht, graaft in zijn geheugen, zoekt naar woorden en begint.

'De Volkswagen van meester Mutti?' smeekt ze even later.

'Heb ik niet al uitgelegd dat ik daar niets mee te maken had?' protesteert hij.

'Ik denk dat ik aan het eind van het verhaal in slaap gevallen ben', dringt ze aan.

Hm. Ja, het verhaal van Mutti's Volkswagen is een heftig verhaal, hij geeft het toe. Als ze waren gesnapt, dan waren ze alle drie vast van school gestuurd.

Goede momenten. Het zijn geen opmerkelijke verhalen die Valdemar Roos vertelt – soms zijn ze zelfs alledaags te noemen en hij verontschuldigt zich daarvoor – maar ze komen uit een vergeten en bijna verloren land.

Misschien had het zijn vader, daarboven in zijn zelfmoordenaarshemel, bijvoorbeeld wel meer deugd gedaan als hij ongestoord vanaf zijn wolkenkussen de eeuwigheid had kunnen beschouwen vanuit de hoek die hij nu eenmaal voor zichzelf gekozen had, of die hij wellicht had toebedeeld gekregen van hogere en verstandiger beslissers. Zo had hij het exact geformuleerd ... *had toebedeeld gekregen van hogere en verstandiger beslissers*, soms moest ze in zichzelf lachen om zijn zware, trage woorden.

Maar Valdemar laat zijn vader niet met rust. Hij komt steeds op hem terug, met een hardnekkigheid die Anna niet altijd kan begrijpen. 'Kun je je voorstellen, meisje,' zegt hij dan, 'dat ik zijn ogen nog steeds voor me kan zien? Ze waren zo enorm blauw, mijn moeder beweerde altijd dat die ogen ten grondslag lagen aan hun ongeluk, zowel het zijne als het hare. En het mijne. Ze hadden in een ander hoofd moeten zitten, en zonder die ogen was ik nooit ter wereld gekomen. Dat zei ze, en ik realiseerde me niet wat ze daar eigenlijk mee bedoelde, ik was immers nog maar een kind. Maar ik heb die woorden onthouden en toen ik ouder werd kregen ze een bepaalde betekenis ... nee, nu praat ik te veel, nu is het jouw beurt, je oma uit Polen, over haar zou ik graag meer willen weten.'

En zij vertelt ook. Over *babcia* en pirogs, en rodebietensoep, over de kolengeur in Warschau en de eenden in de achtertuin van haar oma, ze weet feitelijk niet eens of ze nog in leven is, aangezien ze geen mobiele telefoon meer hebben. Die is stukgegaan toen Valdemar hem die zondag in het handschoenenvakje heeft gesmeten. Het is trouwens maar beter ook. Beter dat ze er geen hebben.

Zo kunnen ze niet via dat apparaatje getraceerd worden.

Ze praat met Valdemar ook over haar moeder, over haar gevoeligheid en depressies. Haar heen en weer gaan tussen licht en donker, haar grilligheid. Ze heeft altijd van haar moeder gehouden, maar het is ook niet altijd gemakkelijk geweest. Over Marek, haar kleine broertje, vertelt ze, en ten slotte ook over zichzelf; hoe het is gekomen dat ze de verkeerde kant opgegaan is, en over die school in Örebro, hoe ze een soort *mall-rat* in het winkelcentrum werd en begon te spijbelen en hasj ging roken en bier drinken, een mall-rat van de tweede generatie immigranten, in een niemandsland dat ...

'*Mall-rat?*' vraagt Valdemar. 'Wat is dat in hemelsnaam voor iets?' Anna moet lachen. 'Die bestonden in jouw tijd nog niet, Valdemar.'

Goede momenten.

Maar er is ook iets gebeurd. De goede momenten worden omgeven door andere momenten. Het zijn groene eilandjes in een moeras. Er is iets mis in haar hoofd. Ze slikt voortdurend pijnstillers en slaapt de helft van de tijd.

En haar hand, haar hele rechterarm trouwens, doet niet wat ze wil. Voelt vreemd zwaar en gevoelloos aan. Als ze een vuist maakt en haar ogen dichtdoet kan ze na een tijdje niet meer voelen of haar vuist nog steeds gebald is.

Maar het zal vast overgaan. Het ziekenhuis is geen optie, daarover zijn zij en Valdemar het eens. Ze hebben een lijk in Lograna achtergelaten en ze zijn op de vlucht.

Daarover praten ze bijna niet.

Valdemar heeft de eerste dag in Halmstad verteld dat hij haar in het gras aangetroffen had, dat hij haar wakker had gekregen en vervolgens het huis in had gedragen. Dat hij het mes uit Steffo's buik getrokken had en het bebloede wapen in het bos begraven had. Die ijzeren pijp ook.

Maar later zijn ze niet meer op de zaak teruggekomen. Ze herinnert zich niet wat er gebeurd is; haar herinnering stopt bij het moment waarop ze over die boomwortel struikelt en op het gras valt. Valdemar vraagt haar wel af en toe of ze zich nog iets nieuws weet te herinneren, maar ze zegt dan van niet. Hij neemt daar genoegen mee.

Niet onnodig graven.

's Avonds komen ze aan in Duitsland. Ze zijn de grens gepasseerd terwijl ze sliep, ze hebben een heel land tussen zichzelf en het dode lichaam in Lograna geplaatst.

Valdemar rijdt een stad binnen die Neumünster heet. Ze checken in bij een hotel midden in het centrum. Door het raam zien ze een plein van kinderkopjes; mooie gevels, een raadhuis, een kerk. De klokken slaan ieder kwartier, Anna vindt het heerlijk. Valdemar gaat eropuit om wat boodschapjes te doen.

'Wat boodschapjes', zo zegt hij dat steeds.

Ja, een heel land hebben ze tussen zichzelf en Steffo en Lograna in geplaatst, en ze begrijpt dan ook niet hoe hij erin slaagt een Zweedse krant te pakken te krijgen. Maar misschien heeft hij die op het station gekocht, ze meent zich te herinneren dat ze op stations internationale kranten hebben.

In elk geval is zijn gezicht bleek als hij haar de krant laat zien.

'Kijk, ze hebben hem gevonden', zegt hij.

'Nu komen ze achter ons aan.'

Ze is maar half wakker en heeft een zeurende pijn in haar hoofd, maar ze merkt toch op dat hij ook een beetje opgewonden is. *Nu komen ze achter ons aan.*

'Wil je dat ik het hardop voorlees?' vraagt hij.

Nee, denkt ze. Nee, ik wil het niet weten.

'Ja graag, Valdemar', zegt ze. 'Doe dat alsjeblieft.'

35

'We kunnen inspecteurs die in het gips zitten niet op moordzaken gaan zetten', zei Asunander. 'Barbarotti, jij blijft je met die graffitispuiter bezighouden.'

'Vanzelfsprekend', zei Barbarotti.

'Maar ik zal zijn assistentie misschien nodig hebben', protesteerde Eva Backman. 'Het is een gecompliceerd verhaal.'

'Doe een matig beroep op hem', zei Asunander. 'Je hebt inspecteur Sommerman tot je beschikking. En Toivonen. Plus een hele rits assistenten als voetvolk. Begrepen?'

'Begrepen', zei Eva Backman. 'Geralds vrouw loopt trouwens op alledag, maar ik begrijp de situatie.'

'Gerald?'

'Inspecteur Sommerman.'

'Híj is toch niet zwanger?'

'Dat klopt als een bus', zei Backman en ze sloeg haar aantekeningenblok dicht. 'Zijn vrouw is dat. Was dat het zo?'

'Voor dit moment wel', verklaarde commissaris Asunander. 'Maar het zou me sterk lijken als we niet een beetje hulp van het krantenlezend publiek kregen in deze zaak.'

'Er is alle reden om positief te zijn', beaamde Barbarotti.

Asunanders vermoeden bleek enigszins te kloppen. Toen Eva Backman op dinsdagmiddag om drie uur een bijeenkomst belegde – aanwezigen: zijzelf, inspecteur Somberman (die nog niet beneden gekomen was), inspecteur Toivonen, de assistenten Tillgren en Wennergren-Olofsson, en verder inspecteur Barbarotti (die zich toevallig vrij had kunnen maken van het graffitionderzoek) – begon ze met een opsomming van wat er dankzij het opsporingsbericht, dat in meerdere grote kranten had gestaan en op de radio en tv was geweest, bekend geworden was.

Ten eerste was het nu zeker dat Valdemar Roos in het gezelschap was geweest van een jonge vrouw en dat ze waarschijnlijk op de avond van zondag 14 september Lograna verlaten hadden, of de ochtend daarop.

Ze hadden namelijk op maandag 15 september rond twee uur bij hotel Amadeus in Halmstad ingecheckt. Onder de namen Evert en Amelia Eriksson. Vader en dochter, had de receptionist die belde met slecht verhulde opwinding verklaard – maar hij had de krant met de foto van Valdemar Roos opengeslagen voor zich liggen en het was hem absoluut. Geen twijfel mogelijk. De receptionist heette Lundgren en hij zei een goed geheugen voor gezichten te hebben.

Ze waren drie dagen in Halmstad gebleven, waar ze van de gelegenheid gebruikgemaakt hadden om een half miljoen kronen van een rekening te halen, die Valdemar Roos zes weken daarvoor geopend had en waarvan zijn vrouw Alice Ekman-Roos totaal niets afwist.

Ondanks het grote bedrag stond er nog zeshonderdduizend op de rekening. Waar Valdemar het geld vandaan had was al een even groot raadsel, had mevrouw Ekman-Roos met verstikte stem gemeld.

Waar Valdemar Roos en zijn vrouwelijke compagnon de nacht van 18 op 19 september hadden doorgebracht was verder onduidelijk, maar op de 19de hadden ze ingecheckt bij hotel Baltzar in Malmö en daar waren ze vervolgens drie nachten gebleven. Na die datum hielden alle sporen op.

'Denemarken', zei Eva Backman. 'Het ligt voor de hand dat ze de Sont zijn overgestoken.'

Inspecteur Somberman bladerde in zijn agenda. 'Op maandag', stelde hij vast. 'Ze zouden nu al in Malaga kunnen zijn.'

Eva Backman knikte. 'Soms zou je willen dat we in Europa nog paspoortcontrole hadden, maar het is nu eenmaal niet anders.'

'Is het niet mogelijk om ze via hun mobiel op te sporen?' vroeg assistent Wennergren-Olofsson.

'Helaas niet', zei Eva Backman. 'Het lijkt erop dat Valdemar Roos zijn mobiel voor het laatst gebruikt heeft op de zondag waarop hij met zijn vrouw sprak.'

'Smart', merkte Wennergren-Olofsson op. 'Ze gebruiken geen mobiele telefoons of bankpassen. Dan kunnen we ze niet traceren. Zei je nou dat hij een half miljoen in contanten heeft opgenomen?'

'Dat klopt', zei Backman.

'Ik zou weleens willen weten hoe dat voelt', zei Wennergren-Olofsson. 'Zo extreem veel cash op zak.'

'Ga door', zei Barbarotti een beetje ongeduldig. 'Wat weten we over het meisje en over het slachtoffer?'

‘Niet zo heel veel’, erkende Eva Backman. ‘We kijken natuurlijk wie er als vermist zijn opgegeven, maar tot nu toe hebben we nog geen match. We hebben natuurlijk ook geen goed signalement. Over het uiterlijk van het meisje weten we bijna niets. Getuige Karin Wissman die haar bij restaurant Ljungmans heeft gezien, zegt dat ze het zich niet goed kan herinneren. Een dun meisje, niet zo lang, donkerbruin haar, een jaar of twintig ... dat is wat ze zich in grote lijnen herinnert. Maar die getuige van het hotel in Halmstad komt morgen hierheen, dan zullen we proberen een compositietekening van haar te maken.’

‘En het slachtoffer?’ vroeg Barbarotti.

‘Wat het slachtoffer betreft hebben we natuurlijk heel veel informatie: lengte, gewicht, bloedgroep, gebitsgegevens ... maar de staat van zijn gezicht was niet zodanig dat we een foto naar de kranten konden sturen.’

‘Ik begrijp het even niet’, zei assistent Wennergren-Olofsson.

‘Hongerige dieren’, legde Backman uit.

‘O, gruwel’, zei Wennergren-Olofsson.

Barbarotti schraapte geïrriteerd met zijn klompvoet over de grond. ‘Die scooter was toch in Örebro gestolen? Dat is toch een aanwijzing?’ vroeg hij.

‘Absoluut’, zei Backman. ‘Misschien heeft hij een link met die plaats, misschien het meisje ook wel. Het is immers aannemelijk dat zij iets met elkaar te maken hebben, maar hou in gedachten dat het om speculaties gaat. We hebben geen flauw idee waarom deze moord heeft plaatsgevonden, we kunnen alleen maar verder werken aan de zaak en hopen dat dingen langzamerhand duidelijk worden. De identiteit van het slachtoffer vaststellen heeft natuurlijk onze eerste prioriteit.'

'En die van het meisje', zei Somberman.

'En die van het meisje', zuchtte Backman.

Inspecteur Toivonen, die niet graag het woord nam als het niet over vliegvissen of Grieks-Romeins worstelen ging, schraapte zijn keel en zette zijn bril recht.

'Ik heb gehoord dat onze dode man littekens van het spuiten had. Is dus vastgesteld dat hij een gebruiker was?'

'Ja, inderdaad', zei Eva Backman. 'Er zijn sporen van het een en ander in zijn bloed aangetroffen. Ja, hij heeft narcotica gebruikt, ik vergat het te noemen.'

'Zijn er ook nog sporen van drugs buiten de woning aangetroffen?' vroeg Toivonen.

Eva Backman schudde haar hoofd. 'Nee, niets.' Ze pauzeerde even en bladerde door haar papieren. 'We hebben natuurlijk ook een opsporingsbericht voor de auto laten uitgaan. We kunnen wel aannemen dat ze nog steeds in zijn Volvo rondrijden. Maar aangezien ze zich zo ongeveer overal in Europa kunnen bevinden, moeten we maar niet verwachten dat we ze op de weg aantreffen.'

'Ze zijn nog een hele week in Zweden gebleven voordat ze naar Denemarken zijn overgestoken', merkte Somberman op. 'Best wel riskant, vinden jullie niet? Ik bedoel, ze zullen toch niet hebben aangenomen dat het zo lang zou duren voor het stoffelijk overschot gevonden werd?'

'Hm', zei Eva Backman. 'Ik denk dat we duidelijk voor ogen moeten houden dat we hier niet met professionals te maken hebben. Heel wat elementen in deze zaak komen als toevallig en irrationeel over ... of misschien is dat alleen maar in mijn hoofd zo. Hoe zit het, kunnen we opbreken, of heeft er nog iemand iets toe te voegen?'

Rechercheassistent Tillgren, die nog maar net een maand in dienst was, vatte moed en kwam met een conclusie.

'Dit is een behoorlijk lastige zaak, niet?'

Ja, dacht inspecteur Barbarotti toen hij terug was in zijn kamer en zijn voet op de tafel had gelegd. Daar heeft hij gelijk in, die jonge Tillgren.

Een lastige zaak.

Negenenvijftigjarige saaie piet ontvlucht zijn leven.

Verdwijnt met jong, onbekend meisje.

Laat lijk van onbekende jongeman achter.

Dat was het hele verhaal in haikuformaat, zou je kunnen zeggen. Een paar minuten lang probeerde hij er een formeel juiste haiku van te maken – zeven lettergrepen, vijf lettergrepen, zeven lettergrepen, als hij het zich goed herinnerde – maar toen hij in de gaten kreeg waar hij mee bezig was, verfrommelde hij het papier en gooide het in de prullenmand.

Het was kennelijk een kwestie van geduld. Mettertijd zouden de gegevens binnenstromen. Getuigen zouden zich melden. Ze zouden met mensen praten die kleine details wisten over het een of het ander, en beetje bij beetje zou alles helder worden. Zo ging dat altijd, en deze zaak was niet zo lastig dat de werkelijkheid de toedracht kon verhullen.

En terwijl men wachtte tot de molens klaar waren met malen, waren er andere zaken om zich mee bezig te houden.

Die graffitizaak bijvoorbeeld.

Het probleem – het acute probleem – was alleen dat

hij zijn ingegipste voet per ongeluk op de map gelegd had die hij nodig had.

Is dat nou even jammer, dacht inspecteur Barbarotti. Hij sloot zijn ogen en leunde naar achteren in zijn bureaustoel. Verdomd jammer, maar een dutje was natuurlijk een alternatief.

In afwachting van de molens.

Inspecteur Backman had juist besloten dat het genoeg was voor vandaag, toen via de centrale een gesprek binnenkwam.

'Met de politie? Spreek ik nog steeds met de politie van Kymlinge?'

Eva Backman bevestigde dat dat zo was.

'Bent u degene die zich bezighoudt met die moord in Vreten?'

Ook dat bevestigde Backman. Ze stelde zich voor en kreeg te horen dat de vrouw aan de andere kant van de lijn Sonja Svensson heette.

'Neem me niet kwalijk, misschien sla ik de plank helemaal mis, maar ik denk dat ik misschien informatie heb die voor u van belang kan zijn.'

'O?'

'Ik sta aan het hoofd van het Elvaforshuis, ik weet niet of u dat kent?'

'Elvafors?' zei Eva Backman. 'Ja, ik geloof van wel. In de buurt van Dalby?'

'Klopt', zei Sonja Svensson. 'Mijn man en ik hebben dat huis sinds 1998. We vangen jonge meisjes op die een beetje van het rechte pad af zijn geraakt, zou je kunnen zeggen. Jonge gebruiksters, we geven ze een kans om weer terug te keren naar het normale leven.'

‘Ik begrijp het’, zei Eva Backman. ‘Ja, ik heb jullie huis zelfs weleens gezien. Ik ben er een keer langs gereden.’

‘Vijfenzestig kilometer van Kymlinge vandaan’, zei Sonja Svensson. ‘Al moet je dan natuurlijk niet de weg over Vreten nemen.’

‘Aha’, zei Backman. ‘Wat voor informatie had u?’

Sonja Svensson schraapte omstandig haar keel. ‘Het zit zo,’ begon ze, ‘we krijgen hier natuurlijk meisjes van allerlei pluimage. De meesten kunnen we goed helpen. We zorgen dat ze van de drugs af komen, gaan met hun problemen aan de slag, maken dat ze weer in zichzelf gaan geloven ... we bereiden ze voor op een nieuwe start in het leven, om het zo maar te zeggen. Daar slagen we bij de meesten ook in, onze werkwijze is hard maar rechtvaardig. Als je geen eisen durft te stellen kom je nergens met deze jongedames. Uiteindelijk gaan ze dat waarderen, geen softe aanpak, daar is niemand mee geholpen ...’

‘Ik denk dat ik het begrijp’, herhaalde Eva Backman. ‘Kunnen we misschien ...?’

‘Ik vertel dit alleen om u een beetje een achtergrond te schetsen’, ging Sonja Svensson verder. ‘Een inkijkje in onze filosofie, om het zo maar te zeggen. Het twaalfstappenprogramma is natuurlijk een belangrijk onderdeel, en zoals ik al zei, werkt het goed voor de meeste meisjes. Een enkeling kiest er echter helaas voor om haar eigen weg te gaan. Die denkt dat ze het beter weet. Dat gedrag kan andere meisjes beïnvloeden, waardoor die ook de verkeerde kant opgaan. Het gebeurt niet vaak, maar het gebeurt.’

‘Natuurlijk’, zei Eva Backman. ‘Het is me duidelijk, maar ...’

'Goed', zei Sonja Svensson. 'Maar ik zal de zaken niet al te ingewikkeld maken. Ik zal to the point komen. Iets meer dan een maand geleden is een van de meisjes weggelopen. Een van die problematische meisjes dus. We doen niet aan gesloten deuren en zo. Iedereen is hier uit vrije wil, ze hebben een contract ondertekend waarin ze zich verplichten om in het huis te blijven en onze regels in acht te nemen, maar als ze niet willen blijven, staat het ze in principe vrij om op elk moment het huis te verlaten. Ik gebruikte net het woord "weglopen", maar dat is dus niet helemaal de juiste uitdrukking in dit geval. Hoe dan ook, ik begon te vermoeden dat dat meisje naar wie jullie op zoek zijn ... ik bedacht opeens dat zij het misschien kon zijn.'

Eva Backman aarzelde even. 'Waardoor krijgt u het idee dat zij het zou kunnen zijn?' vroeg ze.

'Ik heb niet veel redenen', gaf Sonja Svensson toe. 'Maar het tijdstip komt ongeveer overeen ... en de plaats. Ze kan over Dalbyvägen gelopen zijn. Bovendien hebben we sindsdien niets meer van haar vernomen.'

'Niets meer van haar vernomen?' vroeg Backman. 'Wanneer hebt u dan gerapporteerd dat ze verdwenen is?'

'Kortgeleden', zei Sonja Svensson.

'Kortgeleden?' vroeg Backman. 'Hoe bedoelt u?'

'Onlangs', zei Sonja Svensson.

'Maar een maand geleden is ze dus al verdwenen?'

'Ja.'

'Waarom hebt u dan zo lang gewacht?'

Sonja Svensson schraapte weer haar keel. 'Je wilt die meisjes ook een kans geven', verklaarde ze. 'Het gebeurt weleens dat ze ervandoor gaan en na een paar dagen weer terug zijn. Spijt hebben. Als we meteen de instanties inlichten, hebben ze als het ware hun kansen verspeeld.'

'Zodoende', zei Eva Backman. Ze concludeerde dat ze iets van dit verhaal niet helemaal begreep, maar het was waarschijnlijk nu niet het juiste moment om daar verder op door te gaan. 'Hoe heet het meisje?' vroeg ze daarom.

'Anna Gambowska.'

'Kunt u die naam voor me spellen?'

Dat deed Sonja Svensson en Backman schreef hem op.

'Kan ik ervan uitgaan dat u alle gegevens van haar hebt?'

'Alle mogelijke', zei Sonja Svensson.

'En u zegt dat ze ... sinds haar verdwijning niet meer gezien is?'

'Voor zover ik weet niet', zei Sonja Svensson. 'Het meest gebruikelijke is natuurlijk dat ze naar een grote stad gaan als ze ervandoor zijn gegaan. Naar Stockholm of Göteborg of zo. Daar kun je drugs vinden, en daar kunnen ze een tijdje in de anonimiteit blijven. Dus ik kan natuurlijk niets met zekerheid zeggen ... ik bedacht alleen maar dat zij het kon zijn toen ik over die moord las.'

'En haar ouders?' vroeg Backman.

'Het is me niet gelukt om in contact met hen te komen', antwoordde Sonja Svensson. 'Over haar vader heb ik geen gegevens, en haar moeder neemt niet op als ik bel.'

'Aan wie hebt u gerapporteerd dat ze weggelopen is?'

'Aan de dienst Jeugdzorg van Örebro. Die hebben haar destijds hierheen gestuurd.'

Örebro? dacht Eva Backman en plotseling voelde ze een klikje van binnen. Dit gaat de goede kant op.

'En een foto?' vroeg ze. 'Hebt u misschien een goede foto van Anna Gambowska?'

'Ik heb een uitstekende foto van haar', verzekerde Sonja Svensson.

'Kunt u die naar me faxen?'

'Ik kan het proberen, maar we hebben al een paar dagen problemen met de fax. Als het niet lukt, heb ik een ander voorstel.'

'Ik hoor het graag', zei Backman.

'Ik moet morgen in Kymlinge zijn. Dan kan ik wel even langskomen en alle gegevens meebrengen die u nodig hebt. En ook de foto.'

Inspecteur Backman dacht twee seconden na. 'Perfect', zei ze toen. 'Dan spreken we dat af. Hoe laat kunt u hier zijn?'

'Rond tien uur?' stelde Sonja Svensson voor. 'Zou dat uitkomen?'

Eva Backman verzekerde de vrouw dat dat prima uitkwam, bedankte haar voor het bellen en hing op.

Toen ze dat gedaan had, besefte ze opeens dat tien uur ook de tijd was waarop receptionist Lundgren uit Halmstad had afgesproken te komen.

Is eigenlijk beter ook, dacht ze. Want als er iemand de juiste persoon was om naar een foto te kijken, was hij het wel.

We gaan vooruit, dacht ze terwijl ze haar bureaulamp uitknipte. Al gaat het wel snel opeens.

36

Op donderdag 2 oktober om half zes in de ochtend werd Ante Valdemar Roos wakker zonder een flauw idee te hebben waar hij was.

Eerst had hij niet eens door in wat voor kamer hij lag. Het was een kamer met een hoog plafond, en een straatlantaarn, of een andere lichtbron, wierp een bundeltje geelwitte strepen tussen de zware gordijnen door, die niet helemaal dichtgetrokken waren. Ze kwamen terecht op een spiegel die aan de tegenoverliggende muur hing en verspreidden vervolgens een spinnewebachtig, bleker maar nog steeds geel patroon over het bed en de grote kledingkast.

Een hotel, begreep hij na een paar seconden. We slapen in hotels, zo was het.

Wij? Ja, dat waren hijzelf en Anna natuurlijk. Een paar blanco seconden was zij ook uit zijn bewustzijn geweest, dat was nog niet eerder voorgekomen. Niet sinds ze uit Lograna vertrokken waren; als iets hem bezighield en zijn zorg had, dan was zij het wel natuurlijk.

Anna, zijn Anna.

Hij draaide zijn hoofd en keek naar haar. Ze lag op slechts een halve meter afstand, in hetzelfde grote bed; opgerold en met haar rug naar hem toe, zoals altijd. Ze was bijna niet zichtbaar onder het dikke donzen dekbed.

Mijn kleine vogeljong, dacht hij en hij moest lachen. Want het was immers precies zoals het zijn moest: een vogeljong ingestopt in vogeldons. Veiliger kan iemand niet zijn.

Door het dikke dekbed besefte hij ook weer dat ze in Duitsland waren; hij had een paar keer eerder in zijn leven in een hotel in Duitsland geslapen, maar hoe hij ook zijn best deed, hij kon zich niet herinneren wat de naam van de stad was geweest. Hij herinnerde zich dat ze hier gisteravond laat aangekomen waren en ingecheckt hadden; ze hadden een aantal uren over wat kleinere wegen gereden, de snelweg gemeden, en het was hun tweede nacht in Duitsland. Hij was ook vergeten om een kaart te kopen, zelfs bij het laatste tankstation en ... en om eerlijk te zijn had hij gisteravond ook niet helemaal precies geweten waar ze nu terechtgekomen waren. Hij had het nooit geweten, dus was hij het ook niet vergeten.

Wat maakte het ook uit in welke Duitse stad ze waren, dacht hij. Hier lagen ze in een reusachtig tweepersoonsbed, omgeven door donzen dekbedden en kussens, die zelf ook weer reusachtig waren en gevuld leken met slagroom of scheerschuim, zo zacht en comfortabel waren ze. Konden ze zich meer wensen? Kon het leven beter zijn dan dit?

Toch was hij wakker geworden. Dat was nu al een aantal ochtenden achter elkaar gebeurd. Anna sliep graag tot negen of tien uur, zelfs als ze vroeg was gaan slapen, dat had iets te maken met die klap op haar hoofd, maar zelf kreeg hij steeds meer moeite om zijn normale slaapritme aan te houden. De vermoeidheid in zijn lichaam en zijn geest riep vergeefs op tot wat extra uren; minstens een of anderhalf uur, maar het hielp niet. Hij kwam steeds als een kurk naar het oppervlakte van het bewustzijn drijven en dan was het onmogelijk om weer in slaap te komen.

Tien over half zes. Anna zou ongetwijfeld nog drie of vier uur slapen. Hij ontdekte bij het raam een fauteuil met een staande lamp. Als hij het gordijn een klein beetje verder opendeed zou hij de lamp waarschijnlijk niet eens aan hoeven doen. Dan had hij voldoende aan het vuilgele licht van de straatlantaarn en de schemering, die niet lang meer op zich kon laten wachten.

Hij liep naar de stoel. Vond de half opgeloste kruiswoordpuzzel van de dag daarvoor, de puzzel in de Zweedse krant die hij eergisteren had weten te bemachtigen. Daarin had gestaan dat ze in het gebied rond Vreten, tussen Kymlinge en de Noorse grens, het lijk van een jongeman gevonden hadden, en dat de man op de foto gezocht werd.

Hij vroeg zich af of Alice hun de foto gegeven had. Waarschijnlijk was dat het geval en waarschijnlijk had ze een beetje haar best moeten doen om hem te vinden. Hij bladerde naar de betreffende pagina in de krant en bestudeerde de foto nog een keer. Het was een van de slechtste foto's van hem die hij ooit gezien had. Hij wist bij god niet wanneer die genomen was, maar hij stond er ongeschoren en bezweet op, zijn mond stond half open en hij keek alsof hij net op dat moment een hersenbloeding kreeg. Of op het toilet zat te persen. Verdomme, dacht Ante Valdemar Roos somber, het is nog niet eens genoeg om voor moord gezocht te worden, je wordt ook nog voorgesteld als een dronken zwijn.

Hij zuchtte en ging verder met zijn kruiswoordpuzzel. Zeven verticaal. *Nabokovschandaal.* Zes letters, de tweede was een o, de vierde een i.

Doping, dacht Valdemar Roos. Dat was duidelijk. De makers van kruiswoordpuzzels maakten het je soms wel erg gemakkelijk. Nabokov was een Russische skiër. Hij had een gouden olympische medaille gewonnen en was daarna betrapt met verboden middelen in zijn bloed. Het was een paar jaar geleden, maar sommige namen bleven nou eenmaal in je hoofd hangen.

Hij vulde het woord in, gaapte en ging verder.

Hij moest uiteindelijk toch in de fauteuil in slaap gevallen zijn, want hij werd wakker door de kerkklok in de stad, die zeven uur sloeg. Deze keer wist hij direct waar hij was – dat wilde zeggen: in een niet nader gespecificeerd oud hotel in een niet nader gespecificeerde oude Duitse stad – en aangezien hij aannam dat het restaurantgedeelte op de begane grond inmiddels geopend was, kleedde hij zich aan.

Het eerste uur die ochtend op de kamer was aangenaam geweest, maar toen hij in de lege eetzaal met bruine muren aankwam – die op kelderniveau gesitueerd bleek – en werd ontvangen door een vermoeide serveerster van middelbare leeftijd wier mondhoeken naar beneden hingen en die hem onmiddellijk vijandig vroeg naar zijn kamernummer en of hij koffie of thee wilde, verdween zijn goede humeur.

Hij had tegen haar willen zeggen dat hij zijn koffie het liefst niet meteen wilde hebben, pas nadat hij wat yoghurt met cornflakes en een zachtgekookt eitje gegeten had, als zoiets tenminste op de kaart stond, maar zijn gebrekkige talenkennis vormde een onoverkomelijke barrière om zo'n conversatie te kunnen voeren. Daarom zei hij maar: *'Vier, eins, sechs. Kaffee bitte'*, en ging aan de hem toegewezen tafel in de hoek zitten. Hij had een krant gepakt die zo dik was als een roman en *Welt am Sonntag* heette. De krant was een paar dagen oud, zag hij, maar om toch iets te doen te hebben begon hij erin te bladeren.

Durch, für, gegen, ohne, um, wieder, dacht Ante Valdemar Roos terwijl de dampende koffie voor hem stond. Voorzetsels die de naamval bepaalden, hij wist niet welke, en het was hem trouwens niet helemaal duidelijk wat een voorzetsel was. *'Danke schön'*, zei hij en de vermoeidheid verdween terstond nu hij met koffie en een krant zat.

Ja, wat is mijn lot? dacht hij. Hoe ben ik hier verzeild geraakt?

Ongetwijfeld goede vragen, en aangezien de woorden uit de krant geen vaste grond in zijn bewustzijn kregen, begon hij naar geschikte antwoorden te zoeken. Zonder veel eisen te stellen aan diepzinnigheid of precisie, maar toch.

Dat deze periode, wat er dezer dagen gebeurde en deze weken, de bedoeling van zijn leven zelf was, begreep hij al heel lang. De ontmoeting met Anna Gambowska stond geschreven in de een of andere partituur van gene zijde, in de groeven op zijn grafsteen, net zo onontkoombaar als het amen in de kerk en de wratten op Alice' voet. Ik weet, constateerde hij zonder zijn ogen van de krant af te houden, ik weet dat nu, op dit moment, mijn levensvuur brandt. Voor hoe ik met deze omstandigheden omga, zal ik op de jongste dag ter verantwoording geroepen worden. Voor dit en niets anders.

Toch voel ik me deze ochtend zo terneergeslagen en moe en breekbaar in de eetzaal van dit vreemde hotel. Anna's leven en toekomst liggen in mijn handen, het is evenzeer haar lot dat zij mij ontmoet heeft als omgekeerd, natuurlijk is dat zo, maar soms ... soms krijg ik het gevoel dat ze het niet begrijpt. Ze is zo jong, misschien heeft ze gewoon tijd nodig. Tijd om te begrijpen en om te herstellen. Ze verslaapt het grootste deel van de dagen, dat is niet eerlijk, of misschien is het dat ook wel ... en ik, ik alleen moet de last dragen en de verantwoordelijkheid op me nemen tijdens deze zware periode van ons samenzijn. En wat er met mij gebeurt op deze momenten van zwakheid is natuurlijk niets anders dan dat ik wankel onder die verantwoordelijkheid. Het is ook zo zwaar, zo zwaar, deze molensteen ... maar wel verdorie! Wat zit ik hier nu te wauwelen en zielig te doen! Molensteen? Wat is dat voor zwak gedoe? Ik moet zorgen dat ... dat ik de zaken op orde krijg, besloot Ante Valdemar Roos. Op orde, op orde, ik had die Roemeen bij me moeten hebben in plaats van deze onbegrijpelijke krant, dat had ik natuurlijk ... als je maar in staat bent de juiste woorden te vinden voor de omstandigheden waarin je verkeert, zie je meestal ook het licht aan het eind van de tunnel.

Hij dronk een slok van de lauwe koffie en herhaalde die laatste gedachte nog een keer.

Als je maar in staat bent de juiste woorden te vinden voor de omstandigheden waarin je verkeert, zie je meestal ook het licht aan het eind van de tunnel.

Goed, dacht Ante Valdemar Roos. Verdomd goed, dat

mag het aforisme van vandaag zijn. Ik moet niet vergeten om het te noteren zodra ik terug op de kamer ben.

En dat deed hij ook. Daarna zat hij nog een tijdje in de fauteuil door te lezen wat hij tot dan toe had opgeschreven, sinds hij drie weken geleden begonnen was – en deze woorden, deze abstracte maar goedgeformuleerde gedachten over het leven en zijn vreemde wegen, maakten dat hij zich langzaamaan een beetje beter begon te voelen. In elk geval zo goed dat hij zich kon concentreren op een aantal praktische zaken. Dat was echt nodig. Hij had het gevoel dat Anna dat van hem eiste. Of beter gezegd, dat haar toestand dat vereiste. Als daar nog verschil tussen zat.

Ze lag nog steeds op dezelfde manier, in dezelfde houding als toen hij de kamer had verlaten. Het was inmiddels kwart over acht, waarschijnlijk zou het nog een uur duren voor ze tot leven kwam. Ik zou werkelijk willen dat ze niet zo veel sliep, dacht Ante Valdemar Roos. Het voelt alsof ze het grootste gedeelte van deze belangrijke tijd afwezig is.

Maar hij moest geduld hebben, dat begreep hij. Genezing vereiste rust en zorg, eigenlijk niet veel meer dan dat, over een paar dagen of een week zou ze zeker weer de oude zijn. Dan zouden ze ook weer een stuk verder naar het zuiden gekomen zijn. Misschien Frankrijk of Italië, hij wist het niet zo precies; misschien had ze wel berglucht nodig voor haar genezing, of misschien juist de zee.

Toen moest hij aan iets anders denken. Gisteravond bij het inchecken had hij een legitimatiebewijs moeten laten zien. De magere portier met zijn zwartleren giletje en zijn lange paardengezicht had het excuus dat hun passen waren gestolen geaccepteerd, maar een soort van identiteitsvaststelling was toch noodzakelijk, had hij te kennen gegeven. Zelfs al betaalden ze contant vooruit, dan nog waren het andere tijden, en ze waren niet zo'n soort herberg.

Zo'n soort herberg? Nou ja, hij schatte het gevaar niet al te ernstig in. Weliswaar zou voor altijd geboekstaafd zijn dat ze ingecheckt hadden bij dit kleine hotel in deze kleine Duitse stad, welke dat ook was, maar dat de Zweedse politie daar lucht van zou krijgen leek hem niet erg waarschijnlijk. En als dat op een dag toch het geval mocht zijn, dan zouden ze inmiddels alweer ver weg zijn. Waarschijnlijk liepen ze geen risico om ontdekt te worden, dacht hij, ook al zou hij gedwongen zijn soms zijn rijbewijs te tonen. In Zweden zou dat niet gewerkt hebben, dat zou een ontzettend domme zet zijn geweest, maar op het continent was het toch een heel andere zaak, besloot Valdemar Roos. Een heel andere. Als je vaderland een deur sluit, opent de wereld een venster.

Ze zouden nog een etmaal in dit hotel en in deze stad blijven. Ze hadden voor twee nachten betaald en hij zou ervoor zorgen de dagen goed te benutten. Een goede wegenkaart kopen was het eerste, erachter komen hoe de stad heette en waar die gelegen was, het tweede.

Daarna een apotheek opzoeken, want de voorraad pijnstillers voor Anna begon op te raken. Daarna, als deze regeldingen afgehandeld waren, konden ze misschien even in een gezellig cafeetje gaan zitten, het weer aan de andere kant van de zware gordijnen zag er werkelijk niet slecht uit; het gele licht van de straatlantaarn was gedoofd en had plaatsgemaakt voor een gul zonnetje.

Samen zitten praten over het leven en wat plannen maken. Het liefst had hij ook gewild dat ze voor hem op haar gitaar speelde en erbij zong. Het was inmiddels een paar dagen geleden dat ze dat voor het laatst gedaan had, maar hij wilde het haar niet vragen als ze er zelf geen zin in had.

Want het moet uit lust geboren worden, dacht hij. Zo moet het met alles zijn en zo is het eerder in mijn leven nooit geweest; dat is waar de schoen wrong. Op vele andere plekken wrong het ook, maar vooral daar.

En als ze geen zin had om te zingen of te vertellen, dan had hij zelf nog wel een paar mooie verhalen achter de hand. Ze waren gisteravond in zijn hoofd opgekomen toen ze al in slaap gevallen was, en ook al gingen ze eigenlijk over heel andere personen, onder heel andere omstandigheden, er waren niet veel aanpassingen nodig om hemzelf de hoofdrol te laten vervullen.

Op die manier hield ze niet alleen zijn toekomst in haar broze handen, maar veranderde ze ook hetgeen al in zijn leven had plaatsgevonden. Hij was er niet helemaal zeker van wat dat precies inhield, of het werkelijk uiteindelijk goed kon zijn om zijn eigen verleden te herschrijven. Misschien ging het maar om een paar jaar, of zelfs maar om een paar maanden.

En om het hier en nu, formuleerde Ante Valdemar Roos stil en tevreden in zichzelf, het gaat vooral om het *nu* en *vandaag*. Je moet met je geest aanwezig zijn op de plek waar je nú bent, morgen kan het al te laat zijn, en als je niet ...

Een geluid en een beweging vanuit het bed onderbraken zijn gedachtestroom, een seconde later was hij uit zijn fauteuil geschoten en stond hij naast haar.

Ze lag op de grond, ze was uit het bed gevallen, er was iets aan de hand.

Ze beefde. Haar lichaam stond gespannen als een boog, en haar nachthemd, dat eigenlijk niet meer was dan een groot, wit T-shirt, was helemaal tot aan haar oksels omhooggekropen, zodat haar ene borst eruit stak en hij door haar dunne slipje haar schaamhaar kon zien; hij vervloekte zichzelf omdat hij er niet in slaagde zijn blik af te wenden van die ongewenste intimiteit. Maar zo is het nu eenmaal met de ogen van alle mannen, verontschuldigde hij zichzelf terwijl hij de angst probeerde weg te drukken die plotseling in zijn borst pompte en hem leek te willen verstikken. Wat gebeurt er, liefste Anna? Wat gebeurt er in hemelsnaam?

Onhandig probeerde hij het sidderen van haar lichaam tegen te gaan. Hij hield haar bovenarmen stevig vast en probeerde oogcontact met haar te krijgen, maar haar gezicht was van hem afgewend. Een gorgelend geluid kwam uit haar keel en het beven sprong over naar zijn eigen lichaam – terwijl het tegelijk, godzijdank, in hevigheid afnam, wegebde en ten slotte helemaal verdween.

Het hele gebeuren, vanaf dat ze uit het bed viel totdat het schudden ophield, had beslist niet meer dan een minuut geduurd, maar naderhand, toen hij met haar slappe lichaam in zijn armen zat, bedacht hij dat het de langste minuut in zijn leven geweest was.

Ze ademde nog steeds onrustig en toen hij haar pols voelde, begreep hij dat die abnormaal hoog moest zijn. Haar ogen gingen ook onrustig heen en weer, zoals hij weleens gezien had bij blinde mensen ... Mijn god, Anna, dacht hij, wat is er met je aan de hand?

Hij merkte dat hij dat daadwerkelijk deed: bidden tot God.

Een paar minuten later – vijf of vijftien, of misschien maar drie, hij wist het niet – sloeg ze haar ogen op en glimlachte naar hem. Een beetje verbaasd en mat, maar het was een glimlach.

'Valdemar?' fluisterde ze. 'Valdemar, waarom zitten we op de grond?'

37

'Ik dacht dat jij met dat graffitiprobleem aan de gang zou gaan', zei Marianne. 'Toch niet met Valdemar Roos?'

'Doe ik ook', zei Gunnar Barbarotti. 'Ik bedoel, ik werk fulltime aan de graffitizaak, maar iets aan die Valdemar Roos laat me niet los.'

'Ja, dat heb ik wel door', zei Marianne. 'En eerlijk gezegd maakt het me een beetje bezorgd dat jij hem zo interessant vindt.'

'Hoezo?' vroeg Barbarotti verbaasd terwijl hij nog twee sneetjes brood in de broodrooster stopte. 'Wat is er mis met het feit dat iemand geïnteresseerd is in zijn werk?'

Marianne zuchtte en keek hem aan vanaf de overkant van de keukentafel, waarop de ontbijtresten van vier kinderen lagen. Momenteel waren er nog maar vier kinderen in huis, aangezien Sara en Jorg hun appartement in Kavaljersgatan zodanig bewoonbaar hadden gemaakt dat ze er nu overnachtten. Misschien was het permanent, maar dat was nog niet helemaal duidelijk.

En Zwager-Roger was slechts een herinnering. Het was half negen, Marianne had een vrije ochtend. Gunnar had variabele werktijden.

En nu was ze dus bezorgd om hem. 'Sommige mensen

zijn moeilijk te doorgronden', probeerde hij uit te leggen. 'Dat maakt ze interessant. Ik denk dat Valdemar Roos zo iemand is.'

Marianne snoof. 'Interessant? Het is gewoon een geile ouwe bok van zestig, voor zover ik weet. Arrogant en een beetje gestoord. Zonder een woord van uitleg bij zijn vrouw weggegaan, en dat maakt hem voor jou speciaal?'

'Hm', zei Gunnar Barbarotti.

'Dat meisje is twintig, als ik het goed begrijp. Ze hebben een jonge jongen vermoord en ze zijn op de vlucht geslagen. Begrijp je niet dat het me zorgen baart als je zegt dat zoiets interessant is?'

Barbarotti dacht na.

'Een jonge gebruikster en een ouwe geile bok', vatte Marianne samen voor hij een goed antwoord had weten te vinden. 'Om het maar even grof uit te drukken.'

Barbarotti probeerde door te kuchen te verbergen dat hij geen weerwoord had. 'Wat ... wat beeld je je eigenlijk in?' vroeg hij. 'Dat het mijn geheime natte droom is om er met een tienermeisje in een auto vandoor te gaan? Is dat wat je denkt? Dan wil ik je voor eens en voor altijd duidelijk maken dat ...'

Hij raakte de draad kwijt en er trok een pijnscheut op vanuit zijn voet.

'Dat wat?' zei Marianne.

'Dat ik meer van mijn vrouw hou dan van iets op aarde en dat mijn interesse voor Valdemar Roos puur van ... van menselijke en psychologische aard is.'

'Bravo', riep Marianne uit en ze klapte in haar handen; hij meende even dat het hele gesprek op de zoveelste opname van een hopeloze scène uit een nog hopelozer lowbudgetochtenddocusoap leek. Bestond zoiets, een lowbudgetochtenddocusoap? En als zoiets bestond, dan hadden ze toch vast geen tijd om opnames over te doen?

'Maar vertel eens', ging zijn vrouw verder. 'Als deze goede en algemeen menselijk georiënteerde rechercheur werkelijk zo veel van zijn vrouw houdt als hij beweert, hoe kan ze dat dan zeker weten? Hoe weet ze dan dat hij haar geen zand in de ogen probeert te strooien?'

'Wat is er in hemelsnaam met jou aan de hand?' vroeg Gunnar Barbarotti en hij begon onrustig aan zijn gips te krabben. 'Ik begrijp echt niet hoe je kunt ...'

Maar toen merkte hij dat ze zat te lachen, en dat ze ... dat ze haar ochtendjas zo open had laten vallen dat alles opeens anders werd. Ja, radicaal anders dan bijvoorbeeld een lowbudgetochtenddocusoap.

'Kom', zei hij en hij stak zijn hand naar haar uit.

'Wat bedoel je?' zei Marianne.

'Ah, daar ben je eindelijk', zei Eva Backman en ze keek op van haar computer.

Het is een beetje laat geworden, dacht Barbarotti. Mijn vrouw en ik hebben vanochtend twee uur lang geneukt. Het spijt me oprecht, maar het kost wat meer tijd als je in het gips zit.

Hij had het misschien nog wel hardop gezegd ook, als inspecteur Somberman niet toevallig ook in de kamer geweest was. Inspecteur Somberman was veel te gevoelig voor dat soort recht-voor-z'n-raaptaal en zijn vrouw was bovendien hoogzwanger.

Wat dat laatste er nu mee te maken had?

'Ik had een spoor in de graffitizaak waar ik achteraan moest', gaf hij als verklaring en hij ging zitten. 'Hoe is het gegaan?'

Eva Backman keek hem met een achterdochtige frons aan. 'Goed', zei ze. 'Het is goed gegaan. We kunnen met behoorlijke zekerheid zeggen dat we weten wie het meisje is.'

'Is ze het?'

'Ja', zei Backman. 'Onze kleine Poolse. Sonja Svensson van Elvafors en Lundgren uit Halmstad waren het helemaal met elkaar eens.'

Inspecteur Somberman knikte en las vanaf een papier: 'Anna Gambowska. Geboren te Arboga op 1 augustus 1987. Moeder is Poolse en is in 1981 naar Zweden gekomen. Is opgegroeid in Örebro ... het meisje dus. In 2003 naar de middelbare school gegaan, maar die heeft ze niet afgemaakt. Eind juli van dit jaar is ze op verzoek van haar moeder onder de hoede van de dienst Jeugdzorg in Örebro gesteld. Ze had serieuze drugsproblemen en is op 1 augustus in het Elvaforshuis gekomen.'

'Op haar verjaardag?' zei Barbarotti.

'Correct', antwoordde Somberman.

'We wachten op meer informatie vanuit Örebro,' verklaarde Backman, 'maar we hebben een goede foto van haar en via Sonja Svensson zijn we al een heleboel over haar te weten gekomen.'

'Zoals wat?' vroeg Barbarotti.

Backman schraapte haar keel. 'Zoals dat ze duidelijk een harde tante is. Waarschijnlijk weinig empathisch vermogen heeft, moeilijk is om mee samen te werken. Regels weigert te volgen, eigenzinnig is en liever op zichzelf blijft dan deel te nemen aan gemeenschappelijke activiteiten. Moeilijk in de omgang, vindt Sonja Svensson ook. Nadat ze weggelopen was, werd de stemming in het huis meteen beter.'

'O ja?' vroeg Barbarotti. 'En wanneer is ze dan weggelopen?'

'Begin september', zei Backman.

'Hebben ze er dan bijna een maand mee gewacht om daar melding van te doen?'

'Ja.'

'Is dat niet een beetje vreemd?'

'Ik heb Sonja Svensson op dat punt niet te veel onder druk gezet.'

'En hoe is dan in hemelsnaam dat contact met Valdemar Roos tot stand gekomen?' ging Barbarotti verder.

'Dat weten we niet', zei Backman.

'Bestond er soms al eerder een connectie tussen die twee?'

Eva Backman schudde haar hoofd. 'Waarschijnlijk niet. Waarom zou dat ook het geval moeten zijn? Maar we weten dat natuurlijk niet zeker.'

'Zijn er niet toevallig politiegegevens over Roos met betrekking tot drugs?'

'Niets', zei Somberman. 'Nee, het is een vreemd stel, die twee, dat moet gezegd worden.'

'En het slachtoffer?' vroeg Barbarotti. 'Kunnen we hier een aanwijzing in vinden over de identiteit van het slachtoffer? Hij had immers ook sporen van drugs in zijn bloed?'

'Zouden ze alle drie in het huisje gewoond hebben?' opperde Somberman.

'Het meisje heeft er in elk geval gewoond', zei Backman. 'Want er zijn talloze vingerafdrukken die naar alle waarschijnlijkheid van haar zijn, maar geen enkele is van het slachtoffer, voor zover ik weet.'

'En de relatie die het slachtoffer en het meisje tot elkaar hadden?' vroeg Barbarotti.

'Zo ver zijn we nog niet gekomen', zei Backman. 'Maar als we het materiaal uit Örebro krijgen, kunnen we meer verbanden leggen. We kennen daar bovendien ene commissaris Schwerin, ken je hem nog?'

Gunnar Barbarotti glimlachte. 'Schwerin? Geweldig, dan hoeven we ons geen zorgen te maken.'

'Precies', zei Backman. 'Het zal misschien wat tijd kosten, maar zorgen hoeven we ons niet te maken.'

Inspecteur Somberman keek vragend van de een naar de ander.

'Vorige herfst', legde Backman uit. 'De Akker des doods bij Kumla.'

'Aha', zei Somberman. 'Ja, dan ...'

'Precies', zei Barbarotti.

Hij bleef nog even in de kamer van Backman hangen nadat Somberman vertrokken was.

'Wat is jouw idee hier eigenlijk over?' vroeg hij.

'Ik weet het niet', zei Backman. 'Wat moet je ervan denken?'

'Heeft het meisje als prostituee gewerkt?'

Backman zuchtte. 'Dat is niet duidelijk. Het wordt nergens vermeld, maar waarom zou zoiets ook op schrift staan?'

'Ja, inderdaad', antwoordde Barbarotti.

'Er zijn immers niet zo veel mogelijkheden voor een meisje om geld voor drugs te verdienen', constateerde Backman somber. 'Aan de andere kant is ze nog maar net eenentwintig en heeft ze vooral hasj gebruikt. Misschien is het niet zo ver gekomen bij haar. Nadat ze van school gegaan is, heeft ze ook wat baantjes gehad. Dus is het mogelijk dat ze toch heeft kunnen rondkomen.'

'Inderdaad', zei Barbarotti.

'Ze kan natuurlijk ook gedeald hebben. Sonja Svensson kon niet zo bijzonder veel over haar achtergrond vertellen. Ze willen vooruitkijken in dat huis, beweert ze. Niet graven in wat er geweest is, dat is deel van hun filosofie.'

'Filosofie?' herhaalde Barbarotti.

'Die term gebruikte ze', zei Backman.

'En het zou gaan om een harde tante, zei ze dat niet?'

'Ja', zei Eva Backman. 'Dat zei ze, maar zo is het nu eenmaal, hardheid is een voorwaarde in die wereld. Heb je geen schild, dan ga je kapot, dat weet je toch? Verdomme, soms kan ik me dankbaar voelen dat ik alleen maar jongens heb.'

'Ja', zei Barbarotti. 'Het is gemakkelijker om man te zijn, maar ook maar half zo interessant.'

'Een kwart', corrigeerde Eva Backman hem met een lach om haar mond. 'Dat jullie mannen toch altijd zo moeten overdrijven.'

'Excuus', zei Barbarotti. 'Ik werd een beetje overmoedig. Maar in elk geval komt er een foto van onze kleine, harde tante Anna in de krant, toch?'

'Absoluut', zei Backman. 'En ze vormen samen immers een interessant paar. Ik kan me zo voorstellen dat de boulevardpers hier morgen aandacht aan schenkt. Het gaat weliswaar niet om Bonnie en Clyde, maar een zestigjarige man die samen met een twintigjarig meisje op de vlucht is ... dat zal best ook goed zijn voor de losse verkoop.'

'Met nog een achtergelaten lijk', vulde Barbarotti aan.
'Ja, je hebt helemaal gelijk, helaas. Hoewel ...'
'Wat?'
'Hoewel we ze waarschijnlijk ondanks die geweldige pers niet gemakkelijk zullen vinden. Ik heb namelijk zo het idee dat de mensen op het continent totaal niet geïnteresseerd zijn in wat er in *Expressen* staat. Wat denk jij dan, want ik heb maar een kwart van jouw hersenen, toch?'
Eva Backman moest lachen. 'Niets is zo aantrekkelijk als een bescheiden man. Hoeveel hersenen denk je eigenlijk dat Valdemar Roos heeft?'
'Goeie vraag', zei Barbarotti.
'Tja, een half miljoen in contanten en een twintigjarige gebruikster. Een dodelijke steekpartij in een geheim huis en nu op de vlucht door Europa ... hij begint het stempel van saaie piet wel te verliezen.'
Barbarotti bleef een tijdje nadenken. 'Hij moet dat huis eerder hebben gekocht', zei hij. 'Ik bedoel, dat hij zijn baan opgezegd heeft en een geheim leven ging leiden en zo ... je denkt toch niet dat dat vanaf het begin met die Anna Gambowska te maken heeft gehad? Dat hij haar al heeft leren kennen toen ze in Elvafors zat ... of zelfs daarvoor al kende?'
'Nee, dat denk ik niet', zei Eva Backman. 'Sonja Svensson had in elk geval geen flauw idee wie hij was. Het lijkt zo onwaarschijnlijk allemaal. Misschien ... misschien hebben ze elkaar puur bij toeval ontmoet.'
'Ja, laten we daar eens van uitgaan', zei Barbarotti.
'Hoezo?'
'Als we niet begrijpen hoe dingen met elkaar in verband staan, gaan we de schuld aan het toeval geven.'

'Soms ben jij zo slim', zei Eva Backman. 'Ik ben bijna geneigd te geloven dat God jou met twee kwart hersenen heeft uitgerust.'

'Dank je', zei Barbarotti. 'Zeg, ik moet weer naar mijn eigen kamer om de laatste hand aan die graffitizaak te leggen. Laat het me weten als er wat gebeurt.'

'De laatste hand?' vroeg Eva Backman. 'Je meent toch niet dat ...?'

'Ik heb een theorie', zei Gunnar Barbarotti. 'Waar heb ik verdorie mijn krukken gelaten?'

Haar vader zag er ouder uit dan ooit.

Dat was hij ook, natuurlijk, maar toen ze zijn grauwe, ingevallen gezicht zag en zijn onrustige blik, dacht ze dat het niet lang meer kon duren.

Ze probeerde uit te rekenen hoelang geleden ze hem voor het laatst gezien had. Juni, berekende ze, in het weekend voor midzomer. Er waren sindsdien bijna vier maanden verstreken.

Beschamend, ze kon er geen ander woord voor vinden. Weliswaar had ze hem sindsdien vijf of zes keer over de telefoon gesproken, maar Erik en zijn gezin hadden hem elke dag bij zich. Elk uur van elke dag.

Het feit dat ze zich schaamde, maakte het er niet gemakkelijker op om contact met hem te zoeken. Ellen had een vrije dag kennelijk, ze hadden elkaar even gesproken toen ze arriveerde, maar niet lang. Ze had haar met haar vader alleen gelaten in de keuken en de deur dichtgedaan.

Alleen met een kan koffie en een schaal versgebakken kaneelbroodjes.

Wanneer heb ik voor het laatst kaneelbroodjes voor

mijn gezin gebakken? dacht Eva Backman. Wat ben ik eigenlijk voor een mens?

Ze drukte haar zelfkritiek weg en schonk koffie voor haar vader in. Kaneelbroodjes hadden toch niets met menselijke kwaliteiten te maken?

'Geen suiker', zei hij. 'Ik ben gestopt met suiker.'

'Dat weet ik, pappa', zei ze. 'Je bent veertig jaar geleden gestopt met suiker.'

'Te veel suiker is niet goed', ging hij verder. 'Dokter Söderqvist heeft gezegd dat ik ermee moest stoppen, en dus heb ik dat gedaan.'

'Hoe gaat het op het moment met je, pappa?' vroeg ze.

'Goed', zei hij en hij keek opeens onrustig om zich heen, alsof het een soort strikvraag was. 'Ik heb het gewoon goed. Ik woon hier bij Erik en ... Ellen.'

'Ja, je hebt het goed hier, pappa', zei ze. 'Maak je nog steeds wandelingetjes in het bos?'

'Elke dag', zei hij en hij ging wat meer rechtop zitten. 'Dat moet je doen om je hersenen op gang te houden ... je lijf ook.'

Alsof hij besefte dat het met zijn hersenen al niet meer zo goed gesteld was. Ze slikte en besloot meteen ter zake te komen. Hij was aan het begin van een gesprek altijd het helderst; zodra hij vermoeid raakte, verdween ook zijn concentratie, zijn vermogen om te focussen op waar je het eigenlijk met hem over had.

'Je hebt me een paar weken geleden gebeld om te vertellen dat je iets vreselijks had gezien, pappa. Weet je dat nog? Je zei dat je een moord had gezien.'

Hij tilde zijn koffiekopje op en zette het weer neer. Er kwam opeens een heel andere uitdrukking in zijn ogen, en ze zou hebben gezworen dat er kleur op zijn gezicht kwam. Een soort gezond rood verspreidde zich over zijn wangen en voorhoofd. Mooi, dacht ze. Hij herinnert het zich. Hou dat vast, lieve pappa.

'Ja', zei hij. 'Natuurlijk herinner ik me dat. Ik heb je immers gebeld en het aan je verteld omdat je politieagent bent. Zijn jullie ermee bezig?'

'Ja, pappa, inderdaad. Maar ik zou graag ...'

'Hebben jullie sporen gevonden?'

'Wat? Ja, dat kun je wel stellen, maar ik zou graag nog een keer van je willen horen wat je gezien hebt.'

Hij tilde zijn kopje op en deze keer dronk hij er ook uit. Toen zette hij het op het blad en smakte met zijn lippen.

'Het was eigenlijk lekkerder geweest met suiker', zei hij. 'Ik denk dat ik er weer mee begin als ik oud ben.'

'Wat had je gezien op die dag dat je me belde?' drong ze aan. 'Dat was toch bij dat huis? Lograna heet het.'

'Ik weet niet hoe het heet', zei Sture Backman. 'Maar ik weet wel wat ik gezien heb.'

Hij zweeg. Lieve pappa, ga nou door, dacht ze. Laat het niet wegzinken in vergetelheid.

Hij hoestte en klopte tweemaal met een gebalde vuist op zijn borst. 'Die verdomde hoest', zei hij. 'Je wilt dat ik over de moord vertel?'

'Ja, graag, pappa.'

Hij schraapte zijn keel en ging ervoor zitten.

'Ik kwam de weg op', zei hij. 'Weet je over welke weg ik het heb?'

'Ja, pappa.'

'Goed. Nou, ik liep daar dus een beetje voor mezelf te fluiten, ik fluit af en toe als ik buiten loop ... of ik zing, als het mooi weer is, daar schaam ik me niet voor.

Vooral oude liedjes, van die liedjes die populair waren toen ik jong was. Mamma en ik dansten altijd ...'

'Wat heb je bij dat huis gezien?' onderbrak ze hem.

'Dat ben ik net aan het vertellen', antwoordde hij een beetje geïrriteerd. 'Je moet me niet steeds onderbreken, meisje. Ze kwamen het huis uit gerend, eerst zij en toen hij, de man die is doodgegaan.'

'De man die is doodgegaan?'

'De man die is doodgegaan. Ze vlogen elkaar in de haren, hij had een soort knuppel waarmee hij haar sloeg, maar ze stak hem met een mes in zijn buik.'

'Heb je dat gezien?'

'Jazeker, dat heb ik gezien. Hij bloedde als een rund, begon te wankelen tussen de aalbessenstruiken en is daarna in elkaar gezakt. Ik weet zeker dat hij dood is, want ... want het bloed golfde eruit, het was helderrood en ik was zo enorm bang. Kun je je voorstellen hoe bang ik was, Eva?'

'Wat is er met het meisje gebeurd?'

'Wat?'

'Dat meisje. Dat hem met dat mes stak, wat is er met haar gebeurd?'

Sture Backman haalde zijn schouders op.

'Ik zou het niet weten. Ik zag alleen hem, hij wankelde rond en bloedde als een rund. Ik heb me uit de voeten gemaakt, het leek me maar beter om weg te komen van die plek. Dat zou iedereen gedaan hebben.'

'Heb je nog een oudere man gezien?'

'Wat zeg je?'

'Een oudere man. Zag je nog iemand anders, behalve die twee waarover je net verteld hebt, bij het huis ... of in de buurt ervan?'

Sture Backman stak zijn onderlip naar voren, ze kon niet uitmaken of hij nu zat na te denken of dat het betekende dat zijn herinneringsbeelden aan het verdwijnen waren. Ze bleef wachten.

'Er was maar één oudere man', zei hij ten slotte. 'Maar dat was ik, en ik stond op de weg.'

'Bedankt, pappa', zei ze en ze merkte opeens dat ze tranen in haar ogen had.

Sture Backman pakte een kaneelbroodje. 'In welk jaar is het gebeurd?' vroeg hij.

'Wat?'

'Waar we nu over zitten te praten, natuurlijk. In welk jaar was dat?'

'Het is een tijdje geleden', zei ze. 'Niet zo lang geleden, feitelijk.'

'Ja, ik loop tegenwoordig nooit meer langs het huis. Dat is spijtig, want het was een prettig rondje om te lopen. Denk je ...?'

'Ja?'

'Denk je dat de rust daar is weergekeerd, zodat je die weg weer kunt nemen?'

'Dat denk ik wel, pappa', zei ze. 'Ja, je kunt daar absoluut weer komen als je wilt.'

Zijn gezicht lichtte op. 'Maar dat is geweldig', zei hij. 'Bedankt dat je me over de situatie hebt geïnformeerd, Eva.'

'Ik moet jou bedanken, pappa', zei Backman. 'En ik beloof je dat ik snel een keer kom om een wandeling met je te maken. Kun je volgende week?'

Sture Backman nam een slok van zijn koffie en dacht na.

'Volgende week kan ik wel een vrije dag nemen', zei

hij en hij stak zijn hand over de tafel naar haar uit. 'Maar waarom zit je in hemelsnaam te huilen, meisje? Er valt toch niets te grienen?'

38

Ze waren weer onderweg.

Hier hou ik het meest van, dacht ze. Van onderweg zijn.

Stel je voor dat je zo kon leven. Altijd onderweg.

Hij was ook in een goed humeur, dat kon ze merken. Het was iets aan zijn houding, aan de manier waarop hij met zijn vingers op het stuur trommelde en aan hoe hij haar vanuit zijn ooghoeken als het ware in de gaten hield. Hij was vreselijk ongerust geweest na wat er de dag daarvoor op de hotelkamer gebeurd was. Zelf herinnerde ze zich er niets van, ze had hem geprobeerd uit te leggen dat het vast met een droom te maken had gehad. Ze had iets gedroomd en was uit het bed gevallen, zo vreemd was dat toch niet?

Maar het was geen droom geweest, dat wist ze zelf ook wel. De rest van de dag had ze verslapen, min of meer. Ze was niet eens de kamer uit geweest, en met haar arm ging het niet beter. De hoofdpijn kwam en ging, maar Valdemar was weggegaan en had andere pijnstillers voor haar gekocht. Ze had er deze ochtend voor hun vertrek drie genomen, en ze hadden een beetje geholpen. Ze leken in elk geval beter te werken dan de oude Zweedse Treo, waar ze er inmiddels honderden van geslikt moest hebben.

Er was ook iets met haar gedachten, al was dat al de hele tijd het geval, al sinds ze vertrokken waren. Ze fladderden als vlindertjes, kwamen en gingen en veranderden sneller van inhoud dan een varken met zijn ogen kon knipperen.

Waar kwam die uitdrukking nou weer vandaan? Sneller dan een varken met zijn ogen kon knipperen? Iets wat ze ooit gelezen had misschien? Ze besloot het hem te vragen, misschien wist hij het.

'Waar komt die uitdrukking "sneller dan een varken met zijn ogen kan knipperen" vandaan, Valdemar? Ik vind dat een leuke uitdrukking, jij niet?'

'Jazeker', zei hij en hij krabde nadenkend aan zijn kin. 'Ik denk dat het Astrid Lindgren geweest moet zijn. *Michiel van de Hazelhoeve* of een ander boek van haar.'

'Kun je niet wat vertellen, Valdemar?' smeekte ze. 'We kunnen doen dat jij Astrid Lindgren bent en ik een kind dat iets spannends wil horen.'

'Astrid Lindgren?' zei hij lachend. 'Met haar kan ik me niet meten. Nu heb je te hoge verwachtingen. Maar misschien kan ik je over iets anders vertellen.'

'Graag, Valdemar.'

'Waar wil je dan dat het over gaat?'

'Dat mag jij beslissen, Valdemar.'

Hij gaf met zijn vingers een roffel op het stuur. 'Ik zou je kunnen vertellen over Signe Hitler. Wat zeg je daarvan?'

'Signe Hitler?'

'Ja. Wil je het horen?'

'Natuurlijk.'

'Al is het wel een wat onaangenaam verhaal.'

'Dat maakt niet uit, Valdemar.

'Of misschien niet onaangenaam. Wreed is wellicht een beter woord.'

'Duidelijk. Als je nu eens begon met vertellen, dan kan ik uitmaken of het onaangenaam of wreed is.'

Hij schraapte zijn keel en begon. 'Volgens mij heb ik dit trouwens nog nooit aan iemand verteld. Dat heeft zijn redenen, zoals je straks zult begrijpen. Signe Hitler was een onderwijzeres van me. Ze heette eigenlijk Signe Hiller, maar wij noemden haar Hitler omdat ze zo gruwelijk gemeen was.'

'O ja?' zei Anna.

'Ja, echt', zei Valdemar. 'Je komt maar zelden mensen tegen die puur kwaadaardig zijn. Ik heb er in elk geval niet veel in mijn leven ontmoet. Maar Signe Hitler was dus zo'n mens, dat durf ik wel te beweren. Ze was werkelijk duivels. Vooral aan kinderen, en aan alles waar kinderen van lijken te houden, had ze een grondige hekel: spelen, lachen, kibbelen, kastie spelen. Nu ik erover nadenk, denk ik dat ze feitelijk net zo negatief over volwassenen dacht.'

'Klinkt als niet veel soeps', zei Anna.

'Nee, ze was niet veel soeps. Ze was natuurlijk alleenstaand, een echte oude vrijster, al zal ze zeker niet ouder dan vijfenveertig geweest zijn toen we haar als onderwijzeres kregen. En mijn god, wat waren we bang voor haar. Meteen 's ochtends al, als we staand de morgenpsalm moesten zingen, keek ze ons doordringend aan. Dan keek ze ons ieder afzonderlijk met die gele, scherpe ogen aan, en dan wist je dat je verloren was. Je had als het ware geen kans. Als je je ogen neersloeg, betekende het dat je een slecht geweten had; bleef je haar recht aankijken, dan was je obstinaat. Eén jongetje – hij heette Bengt – plaste altijd in zijn broek zodra Hitler hem aankeek, en vervolgens bleef er de hele dag een urinelucht in het klaslokaal hangen, maar om de een of andere reden kon haar dat niet schelen. Misschien had ze wel gewild dat we allemaal zo bang waren dat we in onze broek plasten.'

'Obstinaat?' onderbrak Anna hem. 'Betekent dat brutaal of zo?'

'Volgens mij wel', zei Valdemar. 'Hoe dan ook, ze voerde een waar schrikbewind in de klas. Ze sloeg ons nooit, maar ze drukte altijd haar lange nagels in je nek en dan draaide ze die om tot je begon te huilen – of in je oorlelletje, ik bedoel, de bovenkant van je oor, daar doet het extra pijn, ik weet niet of je dat gevoel kent. En ze zei nooit een vriendelijk woord, tegen geen enkel kind. Als je alles goed had bij een rekentoets of een dictee gaf ze alleen maar als commentaar dat je je niet moest verbeelden iets te zijn. Je moest soms nablijven omdat je de hik had of omdat je een vraag fout beantwoord had, en één keer werd er een meisje naar huis gestuurd en voor drie dagen geschorst omdat haar nek vuil was.'

'Maar zo kun je toch niet ...' protesteerde Anna.

'Tegenwoordig niet, nee', zei Valdemar. 'Maar in die tijd, in de jaren vijftig, of misschien was het begin jaren zestig, toen kon dat gewoon. De ouders bemoeiden zich nooit met wat er op school gebeurde, als er maar orde en regelmaat was. En er heerste natuurlijk totale orde en regelmaat met Signe Hitler aan het roer. Maar uiteindelijk hielden we het gewoon niet meer uit.'

Valdemar pauzeerde even, en Anna vulde de pauze op, want ze begreep dat dat van haar verlangd werd.

'Jullie hielden het niet langer vol? Wat deden jullie dan?'

'We besloten dat ze dood moest', zei Valdemar.

'Dat ze dood moest?' zei Anna. 'Dat meen je toch niet?'

'Stel je voor, ik meen het echt', zei Valdemar en hij ging wat meer rechtop zitten en op de inhaalstrook rijden. 'We meenden dat het onze enige uitweg was, en vandaag de dag denk ik nog steeds dat dat zo was. Hitler zou zeker nog twintig jaar kinderen geterroriseerd hebben. Als wij niets gedaan hadden, zou ze nog twintig jaar doorgegaan zijn.'

'Hoe oud waren jullie?' vroeg Anna.

'Tien, elf, rond die leeftijd', zei Valdemar met een kleine trilling in zijn stem. 'Oud genoeg om een moord te kunnen beramen, maar niet oud genoeg om in de gevangenis gezet te worden. Wat hadden we te verliezen?'

'Maar toch', zei Anna. 'Hoe ging het verder?'

Valdemar krabde in zijn nek en dacht even na. Niet omdat hij in zijn geheugen moest graven, leek het, eerder omdat hij naar de juiste woorden zocht.

'We hadden een clubje', zei hij. 'De Geheime Zes. Wij, dat waren vier jongens en twee meisjes, en wij namen ... hoe heet zoiets ... de collectieve verantwoordelijkheid op ons. Want de hele klas was erbij betrokken, het is belangrijk dat je dat begrijpt, Anna.'

'Ik begrijp het', zei Anna.

'Goed. Nou ja, een van de jochies van het clubje, Henry geheten, had een vader die een hoeveelheid dynamiet thuis in de kelder bewaarde. Ik weet niet waar het vandaan kwam, en je moet geen dynamiet in je kelder bewaren, maar het was zo. Volgens mij blies hij voor zijn beroep rotsen op. Ons plan was simpel, wij van de Geheime Zes trokken lootjes om te bepalen wie de daad zou uitvoeren. Het lot viel op mij en Henry, die toch al voor het dynamiet moest zorgen.'

'Mijn god', zei Anna. 'Zo'n verhaal zou Astrid Lindgren niet vertellen.'

'Daar zou ik niet zo zeker van zijn', zei Valdemar. 'Maar alles wat ik vertel is waar gebeurd, daar zit hem de kneep. Of daar zit hem de knoop, hoe zoiets ook heet.'

'Of daar wringt de schoen misschien?' stelde Anna voor.

'Ja, waarom niet? Hoe het ook zij, op een donkere, regenachtige avond in november sloegen we toe. Henry en ik begaven ons naar Trumpetgatan in het uiterste noorden van de stad, waar Signe Hitler op driehoog woonde. We hadden beredeneerd dat het goed was dat ze op de bovenste verdieping woonde, aangezien de explosie waarschijnlijk in opwaartse richting zou gaan en dus niemand anders gewond zou raken. We gingen door de deur en via het trappenhuis omhoog. Bij haar voordeur haalde Henry de dynamietstaven tevoorschijn, die hij al die tijd onder zijn jas verborgen had gehouden. Ik stak de lonten aan en hij duwde de staven door de brievenbus. Daarna belden we aan en renden we als bezetenen de trappen af het gebouw uit. We waren nog maar enkele meters van het gebouw vandaan of we hoorden een enorme knal.'

'Dat meen je niet, Valdemar. Je wilt toch niet zeggen dat jullie dit echt gedaan hebben?'

'Met mijn hand op mijn hart', zei Valdemar. 'Maar je bent zo ongeveer de eerste die het weet ... behalve de Geheime Zes natuurlijk. Er volgde een politieonderzoek en van alles, maar niemand is er ooit achter gekomen hoe het gegaan is. Ja, hoe het gegaan was, was wel te achterhalen, maar niet wie erachter zaten.'

'Maar ... maar hoe is het met Hitler afgelopen?'

Valdemar kuchte en zocht weer even naar woorden.

'Het is goed gegaan', zei hij ten slotte. 'Ja, die conclusie kun je beslist trekken, het heeft niets met spijt of excuses of dat soort dingen te maken.'

'Ik begrijp het niet helemaal', zei Anna.

'Nou, dit gebeurde er', zei Valdemar. 'Ze is niet doodgegaan door de explosie, maar ze is wel blind en doof geraakt, bijna doof althans, en naderhand leek ze een heel ander mens geworden. Toen ze uit het ziekenhuis kwam, was ze de vroomste en vriendelijkste persoon die je je kunt voorstellen. Ze kon natuurlijk niet langer als onderwijzeres werken. In plaats daarvan is ze bij het Leger des Heils gegaan, waar ze voor arme kinderen en zwerfkatten en wat niet al zorgde. Elke zaterdag stond ze op het plein, waar ze stichtelijke liederen zong en geld voor de noodlijdende mensen in arme landen inzamelde. Het was werkelijk een wonder, de artsen konden niet verklaren wat er met haar was gebeurd, en niemand anders trouwens ook. Twee dagen voor haar tachtigste verjaardag is ze overleden, aangereden door een sneeuwploeg die ze niet had zien of horen aankomen. Op haar begrafenis was de kerk zo mudjevol dat er mensen moesten staan.'

'Valdemar', zei Anna. 'Moet ik dit geloven? Hoe kon ze zingen als ze doof was?'

'Ze was bíjna doof, zei ik toch', antwoordde Valdemar een beetje nors. 'In de bibliotheek van Kramfors ligt een groot krantenartikel over haar. Daar staat natuurlijk niet in wat voor een tiran ze vóór de explosie was, en ook niet wie erachter zaten, maar ik zweer je dat elk woord ervan waar is. Waarom zou ik tegen je liegen?'

'Ik weet het niet', zei Anna. 'Je hebt ... je hebt toch altijd gezegd dat je leven zo saai is geweest? Wat je vertelt klinkt helemaal niet saai. Wat is er met je leven gebeurd?'

'Ja, wat is er gebeurd?' herhaalde Valdemar nadenkend. 'Wie het weet mag het zeggen.'

Ze bleven een lange tijd zwijgen. Anna begon zich soezerig te voelen en begreep dat ze weldra in slaap zou vallen. Ik moet eigenlijk met hem over Steffo praten, dacht ze. Dat zou ik echt moeten doen.

Maar ik weet niet of hij het wil horen. We hebben nog bijna met geen woord gesproken over wat er op het laatst in Lograna gebeurd is. Ik zou het echt moeten doen.

Maar ook deze keer kwam het er niet van.

Misschien was het maar beter zo, dacht ze. Valdemar had haar één keer gevraagd wie die Steffo was, en ze had hem de waarheid verteld. Dat ze een paar maanden met hem samengewoond had voor ze in het Elvaforshuis gekomen was, en dat ze doodsbang voor hem was geweest.

'Met hem samengewoond?' had hij gevraagd.

'Ja', had ze geantwoord.

'En je was doodsbang?'

'Inderdaad.'

Had hij soms daarom dat rare verhaal over Signe Hitler verteld? Zodat ze zou begrijpen dat je het recht had kwaadaardige mensen te doden? Of omdat hij van mening was dat je dat in elk geval kon? *Proberen* ze te doden.

Hij is raar, dacht ze. Ik zou ervoor moeten zorgen dat ...

Dit gaat niet langer zo, ik moet natuurlijk ...

Maar haar gedachten vonden geen vaste bodem. Hoe moest ze het in haar eentje redden? In deze toestand? Voor ze een besluit over haar eigen lot nam, moest ze er in ieder geval voor zorgen weer gezond te worden. Haar rechterarm was nu helemaal gevoelloos en de hoofdpijn was weer terug. Ze bestudeerde Valdemar voorzichtig, hij was gestopt met praten en zat een beetje ingezakt aan het stuur, alsof het vertellen van het verhaal hem zijn kracht ontnomen had. Was de hoopvolle stemming van die morgen alweer vervlogen? Of voel ik dat zelf alleen maar zo? dacht ze. Projecteer ik mijn eigen moedeloosheid soms op hem? Wat doe ik hier eigenlijk? Waarom ... waarom rij ik met deze oude man in een auto door Europa? Ik zal hiervoor later nooit een verklaring hebben voor mezelf. Nooit ofte nimmer.

Als er een later is.

Moet men zich altijd een later voorstellen?

Haar hoofd bonkte en haar gedachten begonnen uit hun baan te geraken. Hij zei iets, maar ze verstond niet wat. Signe Hitler? dacht ze en ze sloot haar ogen en viel in slaap.

Tegen zes uur 's avonds bereikten ze een nieuw hotel in een nieuwe stad. Hij beweerde dat die Emden heette. Het regende en een grauwe schemering vaagde alle kleuren uit, ze moesten vanaf de parkeerplek een paar straten lopen naar het hotel, en toen ze in de lift naar hun kamer stonden, merkte ze opeens dat ze ging flauwvallen. Haar gezichtsveld kromp tot een smalle tunnel en opeens was ze omgeven door een ritmisch, dof pulseren. Ze kon bijna geen adem meer halen en daarna werd alles wit.

Toen ze wakker werd, lag ze in een bed. Ze begreep dat ze had overgegeven, want ze had een vreselijk vieze smaak in haar mond. Hij zat op een stoel naast haar bed en hield haar hand vast.

Ze voelde het niet, aangezien het haar rechterarm was, maar ze zag het toen ze haar hoofd een beetje draaide. Ze zag ook dat hij doodsbang was. Hij had niet meteen in de gaten dat haar ogen open waren, en een paar seconden lang kon ze de uitdrukking op zijn gezicht bestuderen voor hij zijn gezicht in de plooi had getrokken. Het was overduidelijk dat hij zich geen raad wist.

Hij keek als iemand die aan een sterfbed zat.

In eerste instantie was dat ook alles wat ze zag en begreep. Ze wist niet wie hij was. Ze wist niet waar ze zich bevond. Ze lag in een bed in een vreemde kamer, en er zat een vertwijfelde oude man aan haar bed die haar hand vasthield.

Misschien ben ik inderdaad dood, dacht ze. Misschien is deze oude man God en misschien is dit wel zoals het voelt om dood te zijn en kan ik me nooit meer bewegen.

Maar waarom zou God bang moeten zijn? Waarom zou God vertwijfeld moeten kijken?

Toen kreeg hij in de gaten dat ze wakker was.

'Anna?' fluisterde hij.

Hitler? dacht ze. Nee, dat was ook fout.

Valdemar? Ja, natuurlijk, zo heette hij immers. En God of Hitler was hij niet.

39

'Ik moet je helaas vragen of je dit meisje kent', zei Barbarotti terwijl hij voorzichtig de foto over de tafel naar voren schoof.

'Nee, ik ken haar niet', antwoordde Alice Ekman-Roos zonder ernaar te kijken. 'En ik hoef hem niet nog een keer te zien.'

'Had je hem al in de krant gezien?' vroeg Barbarotti.

Ze maakte een minieme beweging met haar hoofd, wat hij als een bevestiging interpreteerde. 'Ik weet dat dit pijnlijk voor je is,' zei hij, 'maar we moeten er toch nog een keer over praten. Om alle mogelijkheden uit te sluiten.'

'Wat voor mogelijkheden?' zei Alice Ekman-Roos. 'Het kan me allemaal al niks meer schelen.'

'Ik kan me voorstellen dat je er zo over denkt wat je man betreft', zei Barbarotti. 'Maar inmiddels hebben we niet alleen te maken met een verdwijning, maar is het een moordzaak geworden.'

'Ja, daarvan ben ik op de hoogte', zei Alice Ekman-Roos. 'Maar ik heb geen flauw idee wie dat meisje is. En ik wil het niet eens weten ook. We zijn al bezig zijn spullen weg te doen, hij hoeft ook niet te denken dat hij na dit alles nog terug kan komen en om vergiffenis kan smeken.'

'Je reactie is heel normaal', zei Barbarotti.

'Zijn kleren laten we verbranden', ging ze verder. 'Zijn boeken en andere bezittingen gaan naar de tweedehandswinkel.'

'O?' zei Barbarotti.

'Ik wil dat de meisjes zo snel mogelijk zijn bestaan vergeten.'

'Ik begrijp het', zei Barbarotti.

Hij dacht na en probeerde te bepalen of hij dat echt deed. Ja, waarschijnlijk wel, was zijn conclusie. Misschien wel meer dan dat; haar behoefte om de dingen te regelen in deze situatie was zowel begrijpelijk als enigszins bewonderenswaardig. Ook al kon daadkracht soms bijzondere vormen aannemen.

Nee, het gedrag van Alice Ekman-Roos was niet onbegrijpelijk, constateerde hij terwijl hij verstrooid aan zijn gips krabde, het gedrag van haar echtgenoot was dat daarentegen wel.

'En je hebt geen idee waar hij nu kan zijn?'

'Geen enkel idee.'

'En als je een gok moest doen? Is er niet een plek in Zweden of Europa waarvan je denkt dat hij die zou kiezen ... om wat voor reden dan ook?'

'Nee.'

'Heeft hij ook nog steeds niet geprobeerd contact met je te zoeken?'

'Nee.'

Barbarotti vroeg zich af waarom hij dit gesprek niet per telefoon had afgehandeld, maar er waren nu eenmaal bepaalde procedures die gevolgd moesten worden.

'Ik heb nooit kunnen vermoeden dat het allemaal zo

zou gaan toen je in het ziekenhuis bij me kwam', zei hij. 'Het spijt me.'

Alice keek hem een paar seconden ernstig aan. 'Bedankt', zei ze. 'Ik weet dat je een goede politieman bent, maar je hoeft geen medelijden te hebben. Ik en de meisjes moeten door met ons leven, daar gaat het om.'

'Ik ben blij dat je de kracht hebt om er zo mee om te gaan', zei Barbarotti. 'Dat is het beste voor alle partijen.'

Wat bedoel ik in godsnaam met 'alle partijen'? dacht hij, maar ze reageerde er niet op.

'Was er nog meer?' vroeg ze in plaats daarvan.

'Nee, dat was alles', verklaarde inspecteur Barbarotti.

Toen ze was vertrokken keek hij op zijn horloge. Het hele gesprek had precies vier minuten geduurd.

'Schwerin heeft een spoor in Örebro', zei Somberman. 'Een meisje dat Marja-Liisa Grönwall heet. Ze beweert dat ze misschien weet wie het slachtoffer is.'

Eva Backman sloeg een map dicht. 'Het werd tijd', zei ze. 'Hij is nu al bijna drie weken dood.'

'Maar we hebben hem pas vijf dagen geleden gevonden', bracht Somberman haar in herinnering en vervolgens las hij hardop voor van het papier in zijn hand: 'Stefan Ljubomir Rakic. Geboren te Zagreb in 1982. Is op vijfjarige leeftijd naar Zweden gekomen en is geen onbekende van de politie in Örebro. Als hij het is, tenminste.'

'En waarom zou hij het moeten zijn?' vroeg Backman.

'Volgens degene die de inlichtingen heeft verstrekt, zouden ze een verhouding gehad hebben', zei Somberman. 'Jongedame Gambowska en Rakic, dus. Hij schijnt ook bij haar gewoond te hebben, in elk geval bij periodes.

Afgelopen zomer, kennelijk ... ja, meer weet ik ook niet.'

'En is hij inderdaad verdwenen?' vroeg Backman.

Somberman haalde zijn schouders op. 'Dat is wel de aanname. Niemand heeft hem als vermist opgegeven, maar hij leeft ... of leefde ... een niet zo gestructureerd leven, kennelijk. Schwerin heeft de zaak in onderzoek en laat van zich horen zodra hij meer weet.'

'Mooi', zei Eva Backman. 'Zorg dat je contact met hem houdt, het gebeurt wel dat hij aan het golfen is in plaats van aan het werken. Maar nu ga ik een ander soort getuige verhoren.'

'Een ander soort getuige?' vroeg Somberman.

Ze knikte en stond op. 'Het betreft een karaktergetuige, iemand die iets kan vertellen over Anna Gambowska's persoonlijkheid. We hebben een vent die kennelijk contact heeft gehad met het meisje. Hoe is het trouwens met je vrouw?'

'Het kan nu niet lang meer duren', zei Somberman en hij liet een flauw glimlachje zien.

De karaktergetuige heette Johan Johansson.

'Ik word ook wel Dubbele Johan genoemd', begon hij. 'Waarom weet ik niet.'

Dat heb je vast vaker gezegd, dacht Eva Backman, maar ze gaf geen commentaar.

In plaats daarvan bestudeerde ze hem heimelijk terwijl ze deed alsof ze naar een bepaalde bladzijde in haar aantekeningenblok zocht. Het was een vrij grote, wat pafferige man van een jaar of zestig. Hij had een kromme rug en zat een beetje ingezakt, droeg een spijkerbroek, een geruit overhemd en een leren jasje. Adidasgympen die er nieuw uitzagen; hij probeerde kennelijk een jeugdige indruk te maken, dacht Eva Backman.

Maar daar slaagde hij niet al te best in. Ze zette de opnamerecorder aan, sprak de formaliteiten in en leunde achterover.

'Oké', zei ze. 'Wat kunt u me vertellen?'

Johan Johansson zette zijn zware bril recht en schraapte zijn keel.

'Ik denk dat ik informatie over dat meisje heb die interessant voor jullie kan zijn.'

'O ja?' zei Backman.

'Een maand geleden ongeveer ben ik namelijk toevallig met haar in aanraking gekomen.'

'Toevallig?' zei Backman.

'Dat is een bewuste woordkeuze', zei Johan Johansson. 'Ik weet geen beter woord.'

'Kunt u mij vertellen wat er is gebeurd?' vroeg Backman.

'Natuurlijk', zei Johan Johansson. 'Daarom zit ik immers hier. Goed, het ging dus zo. Ik woon in Dalby en twee jaar geleden ben ik met vervroegd pensioen gegaan, het is niet anders. Die rug wil niet meer.'

Hij ging voorzichtig wat rechter op zijn stoel zitten om te demonstreren dat hij een slechte rug had.

'Dat kan gebeuren', zei Backman. 'Op je rug moet je zuinig zijn.'

'Inderdaad. Niet iedereen begrijpt dat, maar ja, het is niet anders. Soms kan ik 's morgens niet meer slapen en dan ga ik een ritje met de auto maken. De ene keer rij ik helemaal door tot Kymlinge en doe ik wat boodschappen bij Billundsberg, een andere keer neem ik een andere route ...'

'Ik snap het', zei Backman. 'Bent u getrouwd?'

'Nee', zei Johansson. 'Wel geweest, maar niet meer.'

'Ga verder', zei Backman.

'Natuurlijk', zei Johansson. 'Die ochtend, het zal 7 september geweest zijn, maar honderd procent zeker ben ik niet, reed ik naar het zuiden over de 242. Ik was zo'n tien à twintig minuten daarvoor langs Elvafors gekomen, toen ik een meisje langs de weg zag lopen. Ze ging dezelfde kant op als ik. Ik geloof dat ze haar hand opstak ten teken dat ze een lift wilde, maar ook dat weet ik niet meer zeker. In elk geval besloot ik dat ik haar wel een eindje mee kon nemen, er kwam ook regen aan en ik had een beetje met haar te doen.'

Hij pauzeerde even. Inspecteur Backman knikte hem toe ten teken dat hij verder moest gaan.

'Dus ben ik gestopt en heb ik haar meegenomen. Dat is dus dat meisje waar jullie naar op zoek zijn. Geen twijfel mogelijk, ik herkende haar direct toen ik haar foto in de krant zag staan. Dat verslaafde grietje, weet u wel?'

'Er heeft in de krant niet gestaan dat ze verslaafd was', zei Backman.

'Nee, maar dat kan ik zelf wel bedenken', zei Johansson.

'Duidelijk', bevestigde Backman. 'Kunt u zeggen hoe laat het ongeveer was toen u haar oppikte?'

'Niet met honderd procent zekerheid', herhaalde Johan Johansson. 'Maar het moet zo rond half zeven geweest zijn, misschien iets later, misschien iets vroeger.'

'Zo vroeg in de ochtend?' vroeg Backman.

'Inderdaad, ik heb daar toen niet bij stilgestaan. Misschien dacht ik dat ze de schoolbus gemist had, of zoiets. Al was het een zaterdag ... en even later kreeg ik immers te horen dat ze uit dat huis kwam.'

'Het Elvaforshuis?'

'Ja.'

'Vertelde ze dat?'

'Ik vroeg het haar, en ze zei dat het klopte.'

'En wat deed u toen?' vroeg Backman.

Johan Johansson ging rechtop zitten en zette zijn bril goed voor hij antwoord gaf.

'Nou ja', zei hij. 'Ik wilde het meisje natuurlijk niet helpen met haar vlucht. Over dat huis weet ik niets, maar het is vast nuttig voor ze. Dus leek het me het beste als ze uit de auto stapte. Bovendien ... ja, bovendien dacht ik dat het misschien ook wel tegen de wet was om haar te helpen, om het zo maar te zeggen. Dus heb ik de auto stilgezet en haar verzocht uit te stappen.'

'Hoe ver hadden jullie toen al gereden?' vroeg Backman.

'Niet zo ver. Een paar kilometer of zo. En toen is het gebeurd. Ik had nauwelijks de auto langs de kant van de weg gezet of ze heeft me overvallen.'

'Overvallen?' vroeg Backman.

'Er is geen ander woord voor', zei Johansson.

'Kunt u het heel precies vertellen?'

'Ik heb niet alles helemaal meegekregen,' zei Johan Johansson, 'want ik ben buiten westen geraakt. Maar ze moet een soort wapen gehad hebben, een hamer of ... Joost mag weten wat, want ze heeft me ermee op mijn hoofd geslagen, en ik ben buiten westen geraakt. Toen ik weer wakker werd, was ze weg en bloedde ik als een rund. 2.000 kronen heeft ze ook gejat.'

'Uw portemonnee?' vroeg Backman.

'Inderdaad. Ik had hem in mijn binnenzak zoals altijd. Ze heeft hem waarschijnlijk gepakt en het geld eruit genomen. De portemonnee lag nog op de stoel, zo leeg als een Biafratiet.'

'Een Biafratiet?' vroeg Backman. 'Wat mag dat zijn?'

'Ach', zei Johan Johansson. 'Dat is maar een uitdrukking. Het ding was leeggehaald en het meisje verdwenen. Vervolgens heeft het me nog 2.000 kronen gekost om de auto te laten reinigen van al het bloed, dus je kunt stellen dat het me bij elkaar 4.000 kronen gekost heeft. Maar mijn bril is gratis gerepareerd door de opticien. Misschien moet een mens blij zijn dat hij nog leeft. Ik bedoel, als je bedenkt dat ... ja, wat er allemaal in de krant staat.'

Eva Backman knikte en dacht even na.

'Hebt u dit incident nooit bij de politie gemeld?' vroeg ze.

'Dit incident?' zei Johansson.

'Die overval', zei Backman.

Hij schudde zijn hoofd. 'Nee, dat heb ik niet gedaan. Had natuurlijk wel gemoeten, maar je leest tegenwoordig immers over al die onopgeloste misdrijven. Het leek me niet een goed idee. Ik had m'n lesje ook wel geleerd. Die griet is levensgevaarlijk, let op mijn woorden. Het loont niet om behulpzaam te zijn in dit land.'

'Niet altijd misschien', zei Eva Backman. 'Als ik het goed begrijp hebt u uiteindelijk niet veel met haar kunnen praten.'

'Ze heeft niet langer dan drie minuten in mijn auto gezeten', zei Johan Johansson. 'Maar ik wilde dit toch even aan jullie kwijt. Zodat jullie begrijpen met wat voor type jullie van doen hebben.'

'Daar zijn we u dankbaar voor', zei Eva Backman.

'Maar bent u er bijvoorbeeld niet toevallig achter gekomen waar ze naartoe ging of zo?'

Johan Johansson schudde zijn hoofd. 'Geen idee.'

'Wat haar plannen waren of waarvoor ze op de vlucht was?'

'Nee.'

Eva Backman zette de opnamerecorder uit. 'Goed, meneer Johansson. Mag ik u dan bedanken voor uw tijd? Misschien dat ik op een later tijdstip nog bij u terugkom.'

'Zijn we al klaar?'

'Ja.'

Hij schraapte zijn keel en plaatste zijn handen op zijn knieën. 'Als je toch een soort van compensatie zou wensen, hoe zou je in dat geval ...?'

'Dan kunt u op de gewone wijze aangifte doen', zei Eva Backman. 'En praat ook met uw verzekeringsmaatschappij.'

'Ik zal wel zien hoe ik het aanpak', zei Johan Johansson en hij stond moeizaam op uit zijn stoel. 'Hebt u haar al opgepakt?'

Eva Backman gaf geen antwoord op zijn vraag, ze loodste hem slechts vriendelijk maar beslist de kamer uit.

Het was vrijdagmiddag kwart voor vijf toen inspecteur Backman op Barbarotti's kamerdeur klopte en haar hoofd naar binnen stak.

'Graffiti?' vroeg ze.

'Graffiti', zei Barbarotti. 'Het is veel op het moment.'

'Ik dacht dat je een theorie had?'

'Die is nog niet helemaal bevestigd.'

'Aha. Ja, dan neem ik aan dat je geen tijd hebt voor een biertje in Älgen? Met jouw grote gezin en je voet en alles. En dan nog die graffiti.'

'Dat klopt inderdaad, helaas', zuchtte Barbarotti somber. 'Maar een kop koffie en hier wat brainstormen, is dat een optie?'

'Älgen kan wachten', besloot Backman. 'Ik wil namelijk graag met je van gedachten wisselen. Ik kan echt geen wijs worden uit deze zaak.'

'Dat geldt voor mij ook', zei Barbarotti. 'Kun je niet koffie met een spijscakeje voor me halen, je ziet toch dat ik gehandicapt ben?'

Eva Backman verdween en kwam drie minuten later terug met een blad. 'De spijscakejes waren op', zei ze. 'Je zult je tevreden moeten stellen met een chocoladebol.'

'Vooruit', zei Barbarotti. 'Het leven loopt toch altijd anders dan je verwacht. Waar worstel je allemaal mee?'

'Met die verdomde Roos', zuchtte Eva Backman. 'Ik weet dat kerels zijn zoals ze zijn, maar hoe heeft hij dit voor elkaar gekregen?'

'Hoe bedoel je?' vroeg Barbarotti.

'Nou, dat meisje dat hij bij zich heeft, ze lijkt wel bijna een kleine psychopate.'

'Zegt die getuige dat?'

Eva Backman knikte. 'Zowel hij als die leidster van het huis. Met Anna Gambowska valt niet te spotten, daar kunnen we zeker van zijn. Maar hoe kan een zestigjarige vent zo naïef zijn dat hij dat niet doorheeft? Hoe kan hij nu voor haar vallen? Dat is de vraag waarop ik graag een antwoord van je zou hebben.'

'Vanuit mijn perspectief als man?' vroeg Barbarotti.

'Bijvoorbeeld', zei Backman.

'Er is eigenlijk maar één antwoord', zei Barbarotti. 'Het oude, vertrouwde antwoord.'

'En dat is?'

'Dat het niet gemakkelijk is om een ouwe, geile bok te zijn.'

'Verdomme', zei Eva Backman.

'Waarom zeg je dat?' vroeg Barbarotti.

'Weliswaar heeft niemand nog veel goeds over Valdemar Roos weten te vertellen,' constateerde ze, 'maar jij bent de eerste die zulke termen gebruikt.'

'Oké', zei Barbarotti en hij hief zijn handen ten hemel. 'Het was maar een idee. Je wilde toch het commentaar van een man?'

Eva Backman hapte in haar chocoladebol en besloot maar geen antwoord te geven.

'Wie van de twee denk je dat het gedaan heeft?' vroeg Barbarotti na een tijdje. 'Daar hebben we het bijna nog niet over gehad.'

'Ik heb geen idee', zei Eva Backman.

'Ze kunnen moeilijk het mes samen vastgehouden hebben.'

'Nee, niet echt', zei Backman en hij zag dat ze om de een of andere reden geen zin had om het over dat aspect te hebben.

'Ze maakt in ieder geval misbruik van hem', zei hij. 'Of niet? Ze moet immers bij hem in het huis gewoond hebben voor dit gebeurde ... hoeveel dagen weet ik niet, maar een paar toch in elk geval?'

'Dubbele Johan beweert dat hij haar op de ochtend van 7 september heeft opgepikt.'

'Dubbele Johan?'

'In Dalby heeft hij die bijnaam. Die getuige, dus. In ieder geval zou het heel goed kunnen zijn dat ze het huis van Valdemar Roos nog diezelfde dag heeft bereikt, en op de veertiende is ze verdwenen. Of de vijftiende.'

'Bijna tien dagen', zei Barbarotti.

'Ongeveer', zei Eva Backman. 'En nu zijn we bijna weer drie weken verder. Onze vriend Dubbele Johan beweert dat ze hem na drie minuten geprobeerd heeft dood te slaan. En dat ze ook zijn geld gejat heeft, 2.000 kronen.'

'Doodslaan?'

'Hij is in elk geval buiten westen geraakt.'

Barbarotti knikte en bleef een tijdje zwijgen. Hij tuurde door het raam naar de stilgelegde schoenenfabriek van Lundholm & zonen, die gesloopt werd, terwijl hij probeerde een conclusie te trekken, zoals van hem verwacht werd. Uiteindelijk moest hij het opgeven.

'Ik begrijp wat je bedoelt', zei hij. 'Valdemar Roos heeft een half miljoen opgenomen. Van wanneer dateert dat laatste levensteken van hem?'

'Van 22 september', zei Eva Backman. 'Hotel Baltzar in Malmö.'

'Weet je of het meisje een rijbewijs heeft?'

'Ze heeft geen rijbewijs.'

'Misschien kan ze toch autorijden.'

'Misschien heeft ze hem de tijd gegeven om het haar te leren.'

Barbarotti dacht na. 'Er zijn veertien dagen verstreken sinds ze in Malmö waren', zei hij. 'We zijn op zoek naar twee mensen, terwijl het misschien voldoende zou zijn om er naar één te zoeken. Wil je daarnaartoe?'

'Een levende en een dode', zei Eva Backman. 'Dat zijn er op zich ook twee, maar, nee, daar wil ik niet naartoe. Ik zou er absoluut de voorkeur aan geven dat ...'

Ze zweeg. Barbarotti wendde zijn blik af van de schoenenfabriek en keek haar aan. 'Waar zou je de voorkeur aan geven?' vroeg hij.

'Ik zou er de voorkeur aan geven dat het niet zo is', zei Eva Backman. 'Simpelweg. Is dat zo raar?'

'Dat is helemaal niet raar', zei Barbarotti. 'Als Valdemar Roos dood is, krijgen we immers nooit meer de kans om met hem te praten. En als er íéts is wat ik wil, dan is het horen wat hij te zeggen heeft.'

'Waarom?' vroeg Eva Backman. 'Waarom is het voor jou zo belangrijk om met Valdemar Roos te kunnen praten?'

'Dat is mijzelf ook niet helemaal duidelijk', zei Gunnar Barbarotti. 'Marianne vraagt zich hetzelfde af. En zij denkt dat het komt doordat er een schroefje bij me loszit.'

'Bij jou ook?' zei Eva Backman. 'Niet alleen bij hem?'

'Bij mij ook', zei Barbarotti.

Eva Backman bleef even zwijgen. Toen stond ze op. 'Ik denk dat het voor vandaag genoeg is', stelde ze vast en ze verliet de kamer.

40

De regen striemde neer.

Hij kon zich niet herinneren wanneer hij voor het laatst met zulk slecht weer autogereden had. Welis-waar had het honderden, zo niet duizenden keren ge-regend tijdens al zijn ritjes tussen Kymlinge en Svartö, maar dit weer was van een andere orde. De razernij der elementen, of hoe dat mocht heten. De neerslag leek bovendien van alle kanten te komen, niet alleen uit de woedende lucht; vooral de vrachtwagens – toevallig reed hij op dat moment juist achter zo'n ding – deden fonteinen van vuil water van de doornatte weg omhoog-spatten.

Toch reden ze niet hard, niet meer dan vijftig, zestig kilometer per uur. Hebben ze geen spatborden? vroeg Valdemar Roos zich af en hij zette zijn ruitenwissers weer op de snelste stand. Ik had toch verwacht dat ze een bepaalde mate van civilisatie in dit land hadden.

Het was onmogelijk om de kentekenplaat van het grote, vuile voertuig vóór hem te onderscheiden, maar hij ging ervan uit dat de vrachtwagen uit Zuid-Europa kwam. Of misschien uit Oost-Europa, in elk geval kwam hij niet uit het noorden of uit Duitsland. Het voertuig passeren was ook geen mogelijkheid, het zicht in zijn achteruitkijkspiegel was zo slecht dat het levensgevaarlijk zou zijn om te doen. Af en toe kwam er een gestoorde Mercedes voorbijgeflitst over de linkerbaan, die dan ook een fontein vanaf de andere kant over hem heen spoot; nee, het was zaak zich erbij neer te leggen en achter de kont van die monstertruck te blijven hangen. Of hoe zo'n ding ook heette. Hijzelf was in elk geval tevreden met de formulering. Het zou een goede titel voor een boek kunnen zijn, dacht hij: *Achter de kont van een monstertruck. Herinneringen aan de snelweg.*

Mijn hemel, dacht hij. Wat een onzin, ik moet maar snel even stoppen. Mijn ogen raken ook vermoeid, dit is gewoon levensgevaarlijk, min of meer ... Hij had al een hele tijd geleden besloten bij de volgende rustplaats of benzinepomp van de weg af te gaan, maar er waren al twintig minuten verstreken zonder dat er iets te zien was geweest. Dat was typerend: als je naar iets zocht, vond je het juist niet. Een waarheid die hij als kind al geleerd had. Als ik nu eens tot honderdachtentwintig tel, besloot hij – dat was namelijk vroeger een van zijn favoriete getallen, hij kon zich niet meer herinneren waarom – en als er dan nog steeds geen parkeerplaats in zicht is gekomen – want een plaspauze zou ook welkom zijn, zeker weten – dan rij ik alsnog dat monster voorbij, het is buigen of barsten.

Al die gedachten, die eeuwige, hobbelige stroom van woorden, even bloedeloos als betekenisloos als inhoudsloos, die als verdwaalde vogels met de dood voor ogen door zijn hoofd fladderden, hadden als enig doel de afgrond en de paniek weg te houden. Hij wist dat, het voelde constant alsof binnen in hem een vloed van tranen achter een dam lag te wachten, achter zijn voorhoofdsbeen, achter een dijk van woorden, ja, precies op die plek, om naar buiten te kunnen breken, dat leek zo duidelijk als wat.

Maar ik wil niet zwichten, dacht hij. *Ik zal niet zwichten.*

Anna lag op de achterbank te slapen. Hij keek op zijn horloge en constateerde dat ze al meer dan vier uur onderweg waren. Behalve heel even in het begin had ze al die tijd geslapen; een paar keer had ze zich onrustig omgedraaid toen ze iets droomde, maar over het algemeen was ze rustig geweest. Als ze maar kan slapen, dacht hij, dan komt het wel goed met haar. Er is geen beter medicijn dan de versterkende slaap, en trouwens, welke alternatieven zijn er?

Ja, welke? Haar naar een ziekenhuis brengen was hetzelfde als opgeven. Zo slecht zag de situatie eruit; ze zouden natuurlijk nergens opgenomen worden als ze niet eerst hun identiteit prijsgaven en uitlegden wat er aan de hand was, en dan ... dan zou de zaak gaan draaien, nee, rollen was het. Róllen, en vroeg of laat, hoe dan ook, zou duidelijk worden dat ze op de vlucht waren en in Zweden voor moord gezocht werden.

Nee, dacht Ante Valdemar Roos, terwijl hij besefte dat hij al een tijd geleden gestopt was met tot honderdachtentwintig te tellen, aangezien denken en tellen niet tegelijk ging ... nee, er bestaat helemaal geen alternatief. Het komt goed met haar, het komt goed met haar. Het is gewoon een kwestie van rust en zorg en liefde, en die ga ik haar geven.

De beste zorg in de wereld, maar ik zou willen dat ...

'Ja, wat wil ik eigenlijk?' mompelde hij zacht voor zich uit, terwijl de Zuid- of Oost-Europese vrachtwagen een nieuwe douche over zijn voorruit wierp, wat hem even het zicht totaal ontnam.

Domme vraag. Hij zou willen dat ze haar ogen opendeed, dat was duidelijk. Dat ze hem aankeek en op die wat ondeugende manier naar hem lachte, zoals ze deed in Lograna vóór de catastrofe had plaatsgevonden. Dat ze zou verklaren dat ze zich veel beter voelde, hem iets over haar leven zou vertellen, over haar oma's eenden of over die opmerkelijke oom Pavel van haar, of wat dan ook, en dat ... dat ze honger zou hebben.

Dat zou een goed teken zijn. Dat ze zin had om iets te eten. Ze had nu al bijna twee dagen niets gegeten; hij had er weliswaar voor gezorgd dat ze wat vocht had binnengekregen, maar dat was dan ook alles. Water, sap en een paar blikjes Coca-Cola, hij had gehoord dat dat twijfelachtige drankje feitelijk voor het een en ander goed kon zijn, buikpijn en roestige schroeven die vastzaten, en van alles, maar hij wist het niet zeker.

Maar wat als ... wat als ze niet beter werd?

Ja, er was een reserveplan. Plan B, de laatste uitweg.

Dat alternatief lag al een tijdje te deinen in zijn hoofd. Als een kwal die op de golven was komen aandrijven en die maar niet aan land wilde gaan. Het was nog niet nauwkeurig uitgedacht, maar dreef doorschijnend en treurig rond in zijn hoofd. Sinds die ochtend, om precies te zijn, toen ze uit het bed gevallen was en hij bijna radeloos van angst geweest was, maar hij probeerde de gedachte eraan weg te drukken.

Hoewel het daarom niet minder aanwezig was. Als een geheime, onderaardse gang.

Hij schoof de gedachte aan het plan ter zijde, het was nog niet actueel. Bij lange na niet. Hoezo kwal? dacht hij. Hoezo geheime gang? Wat een onzin.

Slechts een noodoplossing om op terug te grijpen als ... als ze niet beter werd, heel simpel.

Plan B.

Ondanks zijn lage snelheid had hij bijna de afrit gemist, maar in de laatste seconde gaf hij richting aan naar rechts en zette zijn auto op het parkeerterrein van een wegrestaurant. Het stond er vol natte auto's en hij constateerde dat het eruitzag zoals bij alle wegrestaurants in de wereld. Of in ieder geval in Europa, van die in de rest van de wereld had hij eerlijk gezegd geen idee.

Hij parkeerde zo dicht mogelijk bij de ingang, zette de motor af en controleerde of Anna nog steeds veilig op de achterbank lag te slapen. Hij legde haar deken netjes recht, aaide haar voorzichtig over haar wang en stapte uit de auto.

Rende vervolgens de twintig, dertig meter naar de deuren, waarbij hij er toch nog in slaagde behoorlijk nat te worden. Binnen ging hij in de rij voor de koffie staan, achter twee jonge meisjes die druk met elkaar stonden te kletsen in een taal die hij niet herkende. Ze waren van Anna's leeftijd, misschien iets jonger. Ik zou willen dat zij zo stond te kletsen, dacht hij. God, laat de dam niet breken terwijl ik hier in de rij sta.

Dam? dacht hij toen. Wat voor dam? Waar heb ik het over? Zo langzamerhand begrijp ik mezelf niet meer.

Terwijl hij aan een rood, plastic tafeltje zat, dat tegen de muur vlak naast de ingang van het toilet stond, vroeg hij zich af of hij de deur van zijn auto wel op slot had gedaan. Waarschijnlijk wel, het was namelijk een automatische handeling, zo'n handeling die je zo vaak hebt uitgevoerd dat je er met je gedachten niet bij hoeft te zijn. Je hand en je autosleutel waren genoeg.

Maar het was niet goed als hij de auto op slot had gedaan, want als Anna op de achterbank zou gaan bewegen, dan kon ze het alarm in werking zetten, de auto zou dan gaan piepen en knipperen en dat zou opvallen. Op dit moment willen we niet opvallen, dacht Ante Valdemar Roos. Integendeel, in het ergste geval kon dat fataal blijken.

Even wilde hij opstaan om de regen in te stappen en de zaak te controleren, maar toen puntje bij paaltje kwam deed hij het toch niet. Zou het werkelijk zo veel beter zijn haar achter te laten in een auto die niet op slot was? Iedereen zou het achterportier kunnen openen en haar meeroven. Ze zou een weerloos slachtoffer zijn voor ... hoe heette dat ook alweer ... *trafficking?*

De pest of de cholera, dus, dacht Ante Valdemar Roos. De auto wel of niet op slot, het was beide even slecht.

Nee, corrigeerde hij. Zo was het natuurlijk niet. Als Anna werd ontvoerd was dat natuurlijk vele malen erger dan dat ze het alarm per ongeluk in werking stelde.

Er was in elk geval geen reden om onnodig lang in dit treurige en lawaaierige wegrestaurant te blijven, besloot hij. Hij at snel zijn kaas-hamsandwich op, dronk zijn koffie en liep het toilet binnen. Beter om maar even hier te plassen, dacht hij, want hier is sprake van een andere dam. Zodat ik straks niet in de regen langs de kant van de weg hoef te staan.

Terwijl hij in de stinkende pispak plaste, kwam het aforisme van de dag op in zijn hoofd.

Het ergste wat een mens kan overkomen is zijn geheugen te verliezen bij een benzinestation in een vreemd land.

Misschien een beetje te stellig, dacht hij en hij formuleerde het anders:

Het is niet leuk om je geheugen te verliezen bij een benzinestation in een vreemd land.

Toen huiverde hij om de een of andere reden, misschien waren de natte kleren daar de oorzaak van. Of misschien het aforisme. Hij haastte zich het toilet en het restaurant uit en rende naar zijn auto.

Die stond er niet meer.

Gedurende een of twee natte seconden was hij ervan overtuigd dat hij flauw ging vallen.

Of dood zou gaan.

Het natte asfalt onder zijn voeten leek op te lossen, of misschien was hij zelf wel aan het oplossen, en als dat proces klaar was, om welk van de twee het ook ging, dan zou hij een draaiende, zwarte maalstroom in gezogen worden en voor altijd in de ingewanden van de aarde verdwijnen. Zoals de pis in een pisbak, precies zo, exit Ante Valdemar Roos, door niemand betreurd, door niemand gemist, verdomme, wat een einde ...

Na een paar seconden slaagde een glimp gezond verstand erin tot zijn hersenpan door te dringen en besefte hij wat er aan de hand was. Hij was de verkeerde kant op gerend. Zo simpel was het, hij was schuin naar links gerend in plaats van schuin naar rechts toen hij het wegrestaurant verliet.

Hoe dom kun je zijn? dacht Valdemar Roos terwijl hij op hetzelfde moment zijn auto in het vizier kreeg op de plek waar hij hem inderdaad geparkeerd had, en op slag besefte dat hij die uitdrukking van Wilma had. *Hoe dom kun je zijn?* Dat was precies wat ze altijd tegen hem zei, zeven keer per week, terwijl ze haar ogen omhoog-draaide en zich leek af te vragen op welke vuilnisbelt haar moeder deze bijzonder weerzinwekkende, oude vent gevonden had, en waarom ze bovendien de slechte smaak had gehad om met hem te trouwen.

Nou ja, lieve Wilma, dacht Valdemar Roos, van dat onbehagen heb ik je in elk geval bevrijd.

Hij had de auto inderdaad op slot gedaan, maar Anna had zich zo te oordelen niet bewogen op de achterbank. In elk geval had ze het alarm niet in werking gezet. Toen hij op zijn plaats achter het stuur zat en het portier had dichtgedaan, strekte hij een hand uit en voelde aan haar voorhoofd.

Dat was koud en nat. Nou ja, dacht hij, dat is waarschijnlijk beter dan droog en heet. Ze mompelde iets en bewoog even, maar werd niet wakker. Hij stopte haar weer in, startte de auto en reed voorzichtig naar achteren het smalle parkeervak uit. Vervolgens reed hij in de richting van de oprit naar de snelweg.

Hij was nog maar een paar meter verder of hij merkte dat er iets niet klopte. De auto reed niet zoals het hoorde. Er was iets mis met het rechtervoorwiel. Om rechtdoor te blijven rijden moest hij zijn stuur krachtig naar links draaien, het hotste en botste ook een beetje, en na een paar seconden begreep hij wat het was.

Een lekke band.

Mijn hemel, dacht Ante Valdemar Roos. Moderne auto's krijgen geen lekke band.

In de regen.

In een vreemd land. Op de vlucht.

Hij was nog niet op de snelweg, bevond zich nog op de licht afbuigende oprit vanaf de parkeerplaats.

Hij reed zo ver mogelijk naar rechts, deed zijn waarschuwingslichten aan en zette de auto stil.

Hij voelde hoe een vloedgolf tegen de dam duwde, en nog een tweede keer, maar hij vermande zich en probeerde te bedenken wanneer hij voor het laatst een lekke band had gehad.

Dertig jaar geleden, meende hij. In elk geval minstens vijfentwintig jaar. Want het was lang voordat hij Alice had ontmoet. En lang voordat hij bij Wrigmans Elektriska was begonnen.

Moderne auto's krijgen geen lekke band.

Toen kwam er zo'n gedachte als hij vaak had gehad toen hij een jaar of tien was. En toen zijn vader zich verhangen had, ja, hij herinnerde zich dat die gedachte toen bijzonder bruikbaar was geweest.

Als ik achteruitrij en weer terugga naar het restaurant – zo begon de gedachte – dan ga ik aan dezelfde tafel zitten, die rode tegen de muur, en doe ik alsof het niet gebeurd is ... dat ik niet eens ben opgestaan om te pissen in die vreselijk stinkende pisbak, of door de deur naar buiten gegaan ben, of de verkeerde kant op gerend ben op zoek naar mijn auto ... dan, dan zal hij weer in orde zijn als ik ermee wegrij. Geen lekke band, dat zoiets twee keer op dezelfde dag gebeurt is immers gewoonweg onmogelijk.

Een hele tijd zat hij daadwerkelijk deze optie te overwegen, maar uiteindelijk verwierp hij die. *A man's gotta do what a man's gotta do*, dacht hij. Hij voelde nog een keer aan Anna's voorhoofd – dat was nog steeds koud en nat – en dook het instructieboek uit zijn handschoenenvakje op.

De oprit naar de snelweg was breed genoeg om er te kunnen blijven staan. Vooral omdat het om het rechtervoorwiel ging en hij beschermd achter de auto kon werken.

Tegen de regen had hij echter geen bescherming. Die hele rotklus kostte zeker een half uur: het reservewiel uit de kofferbak halen, de krik en de kruissleutel zoeken, alle trage bouten loskrijgen (*Coca-Cola, Coca-Cola*, dacht hij terwijl hij uit alle macht stond te trekken), de lekke band eraf halen en er een nieuwe op schroeven, en al die tijd, al die tijd regende het.

Toch voerde hij het werk mechanisch en met een soort stoïcijnse rust uit. Stap voor stap, boutje voor boutje, op een gegeven moment meende hij Anna vanuit de auto iets te horen roepen, maar hij ging ervan uit dat het verbeelding was en besloot niet te gaan kijken. Automobilisten die het wegrestaurant verlieten reden langs hem heen, sommige knipperden met hun koplampen, maar de meeste niet, en net toen hij eindelijk de auto weer op vier banden had staan en de krik had losgekregen, merkte hij dat er een politiewagen vlak achter hem gestopt was. Het zwaailicht stond aan en een politieman in een groen uniform en met een groene paraplu kwam op hem afgelopen.

Valdemar ging rechtop staan terwijl hij nog steeds de krik in zijn hand had en hij bedacht dat hij nooit eerder in zijn leven een politieagent met een paraplu had gezien.

'Hebt u een probleem?' vroeg de politieagent in het Engels.

Valdemar nam aan dat hij had opgemerkt dat de auto Zweeds was en antwoordde, eveneens in het Engels, dat hij inderdaad een probleem had gehad, maar dat dat nu opgelost was.

'Mag ik uw rijbewijs zien?' verzocht de politieagent. 'Het is verboden om hier stil te staan.'

Valdemar verklaarde vriendelijk maar beslist dat *shit happens* en dat zijn rijbewijs in de auto lag. De politieagent verzocht hem het te pakken. Hij klonk daarbij onnodig streng, vond Valdemar. Streng en zich van zijn macht bewust. Een politiezwijn.

'*Fucking weather to get a puncture in*', probeerde Valdemar nog om de stemming een beetje luchtiger te krijgen.

De politieagent gaf geen antwoord. Knikte alleen maar dat hij zijn rijbewijs moest pakken. Valdemar opende het rechter voorportier en boog naar binnen. Tegelijkertijd ging het licht binnenin aan. De politieagent kwam twee stappen dichterbij en keek de auto in.

'Wat is er mis met dat meisje?' vroeg hij.

'Er is niks mis met dat meisje', antwoordde Valdemar. 'Ze slaapt.'

Maar toen hij een blik op Anna wierp, zag hij dat ze half op de grond gegleden was, en dat het er werkelijk naar uitzag dat er iets mis met haar was. Je kon haar gezicht zien, ze zweette en zag lijkbleek en er zat iets in haar mondhoeken, waarvan Valdemar niet begreep wat het was. Kleine bubbeltjes van iets, misschien was het alleen maar speeksel. Bovendien trilde haar ene been.

'Kom uit de auto', zei de politieagent. 'Plaats uw handen op het dak en beweeg niet.'

Tegelijkertijd pakte hij een portofoon uit het borstvakje van zijn jas en drukte op een paar knopjes. Valdemar kwam achterstevoren uit de auto en merkte dat hij nog steeds de ingeklapte krik in zijn hand hield.

Hij hoefde maar een halve seconde na te denken, toen sloeg hij het zware metalen ding met volle kracht tegen het hoofd van de politieagent.

Een minuut later was hij weer met Anna op de snelweg.

IV